1000

rad, jak szkolić
i wychowywać psa

1000

rad, jak **szkolić**
i wychowywać psa

Tytuł oryginału: 1000 Trucos para Adiestrar y educar a mi Perro

© Susaeta Ediciones, S.A.
© for the Polish translation by Katarzyna Kołek
© for the Polish edition by Firma Księgarska Jacek i Krzysztof
Olesiejuk „Inwestycje" sp. z o.o.
01-217 Warszawa ul. Kolejowa 15/17

Konsultacja: Małgorzata Kędziorek

ISBN   83-7423-608-6

Książka przygotowana we współpracy z firmą Book House sp. z o.o.

Przygotowanie do druku: 69 – Studio Reklamy, Olsztyn

Wstęp

Najlepszy przyjaciel człowieka, ulubiona maskotka, świetny kompan do spacerów, towarzysz dla najmłodszych. Kto choć raz nie słyszał tych lub podobnych słów?

Mowa oczywiście o psie. Może on być najlepszym prezentem, ale najpierw należy rozważyć wszystkie konsekwencje jego pojawienia się w domu i rodzinie. Sama chęć posiadania psa zobowiązuje do przemyślenia wielu ważnych kwestii.

Pierwszy krok to analiza korzyści i obowiązków, które wynikają ze stałego towarzystwa psa. Należy się zastanowić nad interesującą nas rasą, płcią i wychowaniem, jakie powinniśmy zapewnić psu, jego koegzystencją z członkami rodziny (oraz już posiadanymi zwierzętami), obowiązkami związanymi z wyprowadzaniem czworonoga, wizytami u weterynarza, specjalistyczną pielęgnacją sierści itp.

Nie bez znaczenia jest wielkość nowego przyjaciela, długość jego sierści, a przede wszystkim – przebywanie pod jednym dachem z dziećmi. Nie należy zapominać o temperamencie; jeśli wybierzemy zwierzę bardzo żywe, wymagające długich spacerów, biegów, będzie to trudne do zapewnienia w mieście.

Jeżeli potrzebujemy psa do stróżowania, który ma przebywać w gospodarstwie lub w domu, będziemy musieli zwrócić uwagę na możliwość wyszkolenia go czy wytrzymałość na trudności, którym musi sprostać, gdy zostanie sam.

W niniejszej książce znajdują się praktyczne rady i informacje dotyczące różnych ras, czasem prawie nieznanych, co ułatwi podjęcie właściwej decyzji.

Analizując poszczególne rasy, można dojść do wniosku, że istnieją zwierzęta na pierwszy rzut oka idealne dla każdego domu i każdej sytuacji, ale nie powinniśmy dać się oszukać. Cechy genetyczne ras zostały scharakteryzowane przez specjalistów i hodowców, lecz temperament psa, identycznie jak człowieka, kształtuje się pod wpływem opieki i wychowania. Często więc psy tradycyjnie uznawane za przeznaczone do stróżowania zadziwiają łagodnością w obcowaniu z dziećmi, a te, które ze względu na wielkość wydają się zupełnie niegroźne, okazują się trudne we współżyciu.

Powinniśmy głęboko przemyśleć fakt, że nowy członek rodziny będzie z nami dzielił życie na dobre i złe przez długie lata. To piękne szczenię będzie rosło i bawiło się każdą rzeczą, która znajdzie się w jego zasięgu, a zanim się spostrzeżemy, zmieni się w dorosłego psa o własnych pomysłach i przyzwyczajeniach. Kiedy mieszka się z psem, bardzo dobrze poznaje się jego osobowość. Charakter psa jest właściwy danej rasie, a jednak po części upodobni się do naszego.

Bardzo byśmy chcieli, żeby ta książka pomogła ci wybrać idealnego przyjaciela i zdecydować się włączyć go do swojego życia. Nic nie daje większej satysfakcji niż obserwowanie, jak szczeniak rośnie, wychowywanie go, codzienne pielęgnowanie, poświęcanie mu swego czasu i troszczenie się o to, żeby stał się mądrym dorosłym psem. A jeżeli już masz psa i pragniesz go zrozumieć, wkrótce ci się to uda, jeśli tylko spokojnie przeanalizujesz nasze rady.

Na początek proponujemy testy, które pomogą ci poznać siebie i określić, jakim typem „pana" jesteś oraz jaki pies najlepiej odpowiada twoim upodobaniom i potrzebom, a więc czy spełniasz wymagania psa, z którym przyjdzie ci żyć przez długi czas. Sporo miejsca poświęciliśmy na informacje dotyczące szkolenia za pomocą nagród w postaci jedzenia. Przyda się to zwłaszcza osobom bez doświadczenia w wychowywaniu psów. Tak czy inaczej, zawsze się możesz udać do profesjonalistów.

W książce opisujemy różne rasy z ich charakterystycznymi cechami, przyzwyczajeniami, maniami, zaletami i wadami. Udzielamy wskazówek, dzięki którym będziesz mógł lepiej zrozumieć nowego przyjaciela, ponieważ tylko w ten sposób życie stanie się przyjemniejsze dla was obu.

Rozdział 1

Decyzja o kupnie psa

Czy mogę mieć psa?

Wskazówka 1
Powinna to być pierwsza myśl, zanim się zdecydujesz, jaką wybrać rasę.

Marzenie o posiadaniu psa może ci się wydawać wyjątkowo piękne. W rzeczywistości mieszkanie z psem przysporzy ci trudności i zmieni sposób życia. Z tego względu, i tylko dlatego, żeby ci pomóc, zachęcamy, byś poddał się dwóm testom:

TEST 1
Jaką jesteś osobą?

Jestem spokojny i zrównoważony (8) ___

Często jestem hałaśliwy
i lubię się śmiać (4) ___

Jestem nerwowy lub czasem
wytrącony z równowagi (2) ___

Jestem opanowany i nic nie może wyprowadzić mnie z równowagi (7) ___

Kończę to, co zacząłem (6) ___

Często jestem znudzony tym,
co robię, i chcę czegoś nowego (3) ___

Jestem bardzo uporządkowany, wszystko
musi być na swoim miejscu (2) ___

Jestem trochę niedbały, a czasem
nawet roztargniony (6) ___

Mam silne poczucie sprawiedliwości
i nie jestem stronniczy (5) ___

Kieruję się raczej moimi
preferencjami i humorem (3) ___

Z natury jestem wierny (7) ___

Moje zainteresowania
są zazwyczaj trochę niestałe (3) ___

Jestem konsekwentny we
wszystkim, co robię, chociaż
nie jestem uparty (6) ___

Jestem konsekwentny aż do
przesady, nic nie zmieni mojego
zdania (4) ___

Mam słaby charakter i rzadko
odmawiam (5) ___

Chociaż nie jestem twardy,
potrafię odmówić (6) ___

Wszystko wokół mnie powinno
być czyste i higieniczne (2) ___

Myślę, że trochę brudu nikomu
nie szkodzi (8) ___

Boję się psów, zwłaszcza dużych (3) ___

Nie boję się psów (5) ___

Nie boję się psów, ale jestem
ostrożny w stosunku do tych,
których nie znam (7) ___

Podsumowanie TESTU 1 ___

TEST 2
Jaki prowadzisz tryb życia?

Czy mieszkasz sam i pracujesz?
Tak (0), nie (5) ___

Czy możesz wziąć psa ze sobą
do pracy? Tak (4), nie (0) ___

Czy często musisz zostawiać psa
samego w domu przez 8 i więcej
godzin? Tak (0), nie (5) ___

Czy prowadzisz spokojny tryb życia
i masz wystarczającą ilość wolnego
czasu? Tak (6), nie (3) ___

Czy wychodzisz na spacery
z niemowlakiem w wózku albo
z małym dzieckiem, które już
chodzi? Tak (2), nie (5) ___

Czy lubisz spacerować?
Tak (5), nie (2) ___

Także przy wietrznej i złej pogodzie?
Tak (4), nie (0) ___

Czy możesz poświęcić 2 godziny
dziennie swojemu psu?
Tak (6), nie (0) ___

Czy będziesz miał dużo wolnego
czasu w przyszłym roku?
Czy będzie to rok spokojny?
Tak (6), nie (0) ___

Czy możesz zrezygnować przez
pewien czas, a nawet na
zawsze, z częstego chodzenia
do kina, teatru, na zabawy?
Tak (8), nie (3) ___

Czy jesteś skłonny zrezygnować
z wyjazdu na urlop?
Tak (8), nie (2) ___

Podsumowanie TESTU 2 ___

Podsumowanie TESTÓW 1 i 2 ___

Wyniki testów:

Wskazówka 2
48 punktów lub mniej
Nie kupuj psa. Być może twoje intencje są bardzo dobre, ale nie jesteś osobą, która może dzielić życie z psem.

Wskazówka 3
49–80 punktów
Przemyśl to jeszcze raz. Jeśli uzyskałeś przeważnie niską punktację w teście dotyczącym trybu życia, spróbuj zadowolić się kotem albo egzotycznym ptakiem. Zwierzęta te lepiej niż pies znoszą samotność i nie trzeba wychodzić z nimi na spacer.

Wskazówka 4
81–100 punktów
Będzie wam bardzo dobrze, pod warunkiem że nie będziesz zostawiał psa samego codziennie na dłużej niż 8 godzin.

Wskazówka 5
101–120 punktów
Psu będzie z tobą bardzo dobrze, pod warunkiem że nie będzie musiał zostawać codziennie sam na 8 godzin.

Wskazówka 6
120 i więcej punktów
Jeśli nie oszukiwałeś, jesteś idealnym właścicielem psa. Szkoda, że do tej pory go nie miałeś. Nie zwlekaj dłużej z decyzją. Psu może być bardzo dobrze przy twoim boku. Powodzenia.

Rozdział 2

Wybór szczeniaka

Kupno szczeniaka

Nie jest łatwo wybrać szczenię z ośmio- czy dziewięciotygodniowego miotu. Zaleca się, aby osobie mającej dokonać wyboru towarzyszył ktoś, kto ma wystarczające doświadczenie i może uczciwie doradzić. Szczeniaki powinny być wesołe i skłonne do zabaw, a zatem nie polecamy tych, które się chowają po kątach lub pozostają bierne, nawet jeśli budzą w nas litość.

Wskazówka 7
Ważne jest, by cała rodzina wyraziła zgodę na zakup psa, w przeciwnym razie mogą się rozpocząć dyskusje i kłótnie, co odbije się niekorzystnie na jego późniejszym charakterze. Posiadanie psa to wielka odpowiedzialność, ponieważ będzie on dzielić z tobą swoje życie. O wyborze szczeniaka decydują takie czynniki, jak: rasa, płeć, wielkość, charakter, opieka, jakiej wymaga, oraz rola, jaką powinien spełniać.

Wskazówka 8
To nie to samo wybrać psa do stróżowania, co do polowań czy po prostu do towarzystwa.

Wskazówka 9
Szczeniak powinien mieć ukończone półtora miesiąca, zanim zostanie oddzielony od matki. Lepiej nawet poczekać, aż skończy dwa lub trzy miesiące.

Niektórzy specjaliści zalecają, aby kupować szczeniaka mającego sześć lub osiem tygodni. Moment ten uważany jest za sprzyjający, ponieważ to właśnie wtedy tworzą się więzy na całe życie, dzięki którym zwierzę uznaje człowieka za swojego krewniaka i nie będzie nieśmiałe czy płochliwe. Ponadto w tym czasie zostają ustalone zwyczaje pokarmowe, a co najważniejsze, szczeniak jest

podatny na naukę. Weź pod uwagę, że im pies młodszy, tym łatwiej go ukształtować.

Nie bez znaczenia są także koszty związane z utrzymaniem psa. Począwszy od ceny szczeniaka, po codzienne żywienie, weterynarza, fryzjera, podatki...

▌Pies czy suka?

W tym wypadku nie ma mowy o trafnej lub błędnej decyzji, można jedynie oszacować wszystkie za i przeciw, jakie pociąga za sobą wybór płci.

Chodzi tylko o twoje preferencje. Suka ma dwa razy w roku cieczkę, trwającą w przybliżeniu trzy tygodnie.

Są tabletki lub zastrzyki, które mogą przerwać niechcianą ciążę, jeśli tylko zostanie wykryta na czas, a suka będzie pod kontrolą lekarza.

Wskazówka 10
Jeśli naszym pragnieniem jest hodowla, dobrze jest dowiedzieć się w związku kynologicznym, jakie samce są najlepsze dla naszej suki.

Wskazówka 11
Psy są zazwyczaj większe i bardziej samodzielne od suk.

Nawet w obrębie tej samej rasy niektóre osobniki nie powinny się krzyżować, ponieważ mogłoby to spowodować u szczeniąt ślepotę, głuchotę czy depigmentację.

Poszukiwanie właściwego psa

Po podjęciu decyzji o kupnie psa powinniśmy się zastanowić nad wszystkimi możliwymi miejscami zakupu, aby uniknąć przykrych niespodzianek. Nie możemy wejść do sklepu i kupić psa, jak się kupuje sprzęt gospodarstwa domowego. Możemy się udać do hodowców, właścicieli pojedynczych psów, do sklepów specjalistycznych lub do związku kynologicznego.

▌Hodowcy profesjonalni

Zarówno hodowcy profesjonalni, jak i hobbyści znają potrzeby swoich psów. Ponadto hodowcy profesjonalni posiadają różnorodne rasy, spośród których możemy wybrać najodpowiedniejszą.

▌Hodowcy hobbyści

Wskazówka 12
Hodowcy hobbyści przeważnie hodują tylko jedną rasę psów,

dbając o to, żeby ich zwierzęta wywodziły się od najlepszych rodziców.

W tym wypadku należy wziąć pod uwagę, czy właściciel hodowli pokrył sukę odpowiednim samcem, czy było to zamierzone, czy przypadkowe itd. To wszystko jest ważne w chwili kupna, ponieważ, jak już wspomnieliśmy, krzyżowanie psów różnych ras mogłoby spowodować zły rozwój szczeniaków.

Wskazówka 13
Właściciel pojedynczego psa nie ma tej samej wiedzy co hodowca i dlatego nie można mieć pewności, że opieka nad matką miotu była właściwa.

▌Sklep zoologiczny

Wskazówka 14
Najbardziej godne polecenia są sklepy, które się specjalizują w określonych rasach psów.

Coraz częściej szczeniaki nie są wystawiane w sklepie. To naprawdę ważna zmiana, ponieważ dla zwierzęcia jest lepiej, gdy do momentu sprzedaży przebywa w hodowli, a nie przez wiele dni z innymi psami w ciasnym miejscu.

▌Schroniska dla zwierząt

Wskazówka 15
Jeśli potrzebujemy zwierzęcia jedynie do towarzystwa i nie-

ważna jest rasa, możemy się zwrócić do schroniska dla zwierząt.

Wskazówka 16
Pierwszą rzeczą, jaką musimy zrobić po nabyciu szczeniaka, jest zabranie go do weterynarza. Tę radę łatwo zrozumieć, ponieważ psy są narażone na choroby zakaźne. Weterynarz określi jego stan zdrowia i ustali dalsze postępowanie.

Rozdział 3

Zabiegi pielęgnacyjne

Nowy członek rodziny

Ważne jest, aby wiedzieć, który moment jest najbardziej odpowiedni do przyjęcia szczeniaka w domu; najlepiej przynieść go w ciągu dnia, dając mu w ten sposób wystarczająco dużo czasu na zapoznanie się z nowym domem i otoczeniem.

Wskazówka 17
Psy czują i cierpią, dlatego przez pierwsze dni adaptacji do nowego środowiska zwierzę może być wyczerpane nieustanną opieką domowników.

Jeśli przewozimy psa samochodem, jest bardzo prawdopodobne, że zwymiotuje podczas jazdy. Najlepszym sposobem przyzwyczajenia zwierzęcia do takiego podróżowania są częste przejażdżki.

Wskazówka 18
Po przywiezieniu szczeniaka do nowego domu zapoznajemy go z przygotowanym dla niego legowiskiem i naczyniem wypełnionym wodą. Radzimy również rozłożyć dookoła gazety, aby mógł załatwić w nocy swoje potrzeby. Rano należy gazety sprzątnąć. Legowisko powinno być zawsze czyste i suche.

Powinieneś wiedzieć, że szczeniaki siusiają w nocy i jest to zupełnie naturalne.

Już po krótkim czasie pies nabierze zaufania i zacznie się bawić, co będzie oznacza-

ło, że się zadomowił. Zaczekajmy do tej chwili z wizytą u weterynarza, chyba że zaobserwujemy oznaki choroby (brak apetytu, biegunkę, wymioty). Jednak nawet w tym wypadku należy się starać rozpoznać, czy może być to wynikiem smutku z powodu oddzielenia od stada, czy raczej początkiem choroby.

Wskazówka 19
Jeśli zauważysz któryś z wymienionych wyżej objawów, zalecane jest zmierzenie temperatury, która u zdrowego psa waha się od 38 do 39°C.

Wskazówka 20
Nie męcz zwierzęcia w czasie adaptacji do nowego środowiska. Nie powinieneś go straszyć ani krzyczeć, gdy coś zrobiło źle, ponieważ mogłoby się to niekorzystnie odbić na jego aklimatyzacji.

Wskazówka 21
Pod żadnym pozorem nie bij psa za to, że coś zrobił źle, tylko mów do niego zdecydowanym tonem. Zachowuj równowagę w jego wychowywaniu: karć go, kiedy zrobi coś źle, nagradzaj, gdy wykonuje polecenia.

Czuwaj nad nim. Szczeniaki, tak jak małe dzieci, są niespokojne i bardzo ciekawskie, dlatego wszystko sprawdzają. Z tego powodu bardzo często gryzą kable elektryczne, nogi od stołu itp.

Wskazówka 22

Szczenięta przesypiają większość dnia, więc kiedy twój pies nie śpi, postaraj się, żeby efektywnie spędził czas w domu.

Pies rozwinie swoją osobowość i charakter zgodnie z wychowaniem i opieką, jakie otrzymał. Ukształtowany w przyjaznej atmosferze i odpowiednio traktowany, lepiej dostosuje się do ciebie.

Wyposażenie psa

Rynek oferuje duży wybór produktów dla psów. Perfumy, szaliki, i to, co niezbędne: smycze, obroże, miski na picie i jedzenie itp.

Jeśli twój pies jest wrażliwy na niskie temperatury, możesz go ubrać w sweter lub pikowaną kamizelkę, zapewniając mu w ten sposób ochronę przed zimowymi chłodami.

Z łatwością wybierzesz kształt i wymiary posłania. Można spotkać legowiska z wikliny, materace z dachem i inne.

Wskazówka 23

Dla małych psów przeznaczone są klatki z okienkiem, wykonane z materiału łatwego do czyszczenia, które służą także jako legowisko. Jeśli przyzwyczaisz zwierzę do takiej klatki, będziesz mógł je z powodzeniem w niej przewozić. Dostępne są również specjalne torby podróż-

ne z przezroczystym przodem, dzięki któremu szczeniak widzi, co się dzieje na zewnątrz.

Wskazówka 24

Zdrowe szczenię jest bardzo ruchliwe i lubi się bawić.

Jak już wspomnieliśmy, czasem gryzie krzesło, drapie nogę od stołu, ciągnie zasłonkę lub zrywa tapetę ze ściany. Aby rozwiązać ten problem, kup mu kilka zabawek do gryzienia, a unikniesz w ten sposób zniszczenia mieszkania, obuwia czy gazet.

Żaden pies, czy to szczenię, czy dorosły osobnik, nie odróżnia kapcia starego od nowego; nie wie, czy pilot od telewizora działa, czy jest popsuty – dlatego radzimy, by w ogóle nie dawać psu przedmiotów tego rodzaju.

Wskazówka 25
Jest wiele specjalnych zabawek dla psów. Mają one kształt kapcia bądź kotleta w kolorze bardzo zbliżonym do mięsa, często są pokryte zawierającą witaminy byczą skórą.

Wskazówka 26
W momencie zakupu niezbędnego wyposażenia weź pod uwagę, że szczenię rośnie, więc niektóre rzeczy będą wykorzystywane bardzo krótko.

Wskazówka 27
Kup psu obrożę i posłanie. Możesz również kupić grzebienie, szczotki lub inne trwałe przybory. Radzimy wybierać rzeczy dobrej jakości.

Wskazówka 28
Jeżeli chcesz oszczędzić psu bólu dziąseł w trakcie zmiany zębów, możesz spróbować dać mu kawałek twardego chleba do gryzienia.

Odżywianie

Szczeniaki dotkliwie odczuwają nagłe zmiany diety – miewają wtedy zaburzenia jelitowe, wymioty i biegunkę. Te same objawy może wywołać źle przygotowane pożywienie lub zbyt obfity posiłek.

Wskazówka 29
Zaleca się, by diety, do której szczeniak był przyzwyczajony u hodowcy, nie zmieniać przynajmniej przez piętnaście dni.

Prawidłowe odżywianie od wczesnego szczenięctwa zapobiegnie rozwojowi defektów anatomicznych.

Dwa szczeniaki z tego samego miotu, które otrzymywały różne pożywienie, przekształcą się w zupełnie różne dorosłe osobniki. Pies, który dostawał lepsze pożywienie, zawsze będzie górował nad drugim swym pięknem i kondycją fizyczną.

Wskazówka 30
Wielkość dziennych racji żywieniowych jest określana według wieku psa.

Większość hodowców rozpoczyna wprowadzanie stałego pokarmu, gdy szczenię ma trzy bądź cztery tygodnie.

Wskazówka 31
Po odstawieniu szczeniaka od matki bardzo dobrze jest dać mu suche pożywienie, żeby nauczyć go samodzielnego jedzenia.

Może upłynąć trochę czasu, zanim nauczy się jeść samodzielnie. Kiedy jednak ten etap rozwoju będzie miał za sobą, sprawi nam satysfakcję karmienie go i obserwowanie, jak osiąga prawidłową wagę.

Czas pomiędzy odstawieniem szczeniaka od matki a mniej więcej dwudziestym tygodniem życia jest okresem największego wzrostu szczeniaków.

Wskazówka 32
W tym czasie psy średniej wielkości potrzebują około 3,5 kg suchej karmy, aby zwiększyć swoją masę o 1 kg.

Duże rasy wymagają w tym samym okresie nieco mniej pożywienia, a małe trochę więcej.

Wskazówka 33
Jeśli karmisz psa jedzeniem z puszki, potrzeba około trzy razy więcej pożywienia. Do ósmego tygodnia życia powinien on mieć stały dostęp do suchej karmy.

Ośmiotygodniowe szczeniaki jedzą więcej pożywienia w stosunku do masy ciała niż w jakimkolwiek innym okresie życia.

U niektórych ras na 1 kg masy ciała zwierzęcia może przypadać 70 gramów suchego pożywienia. Od jednego do czterech, pięciu miesięcy życia je ono trzy razy dziennie! Rano, po południu i ostatni raz wieczorem. Trzeba pamiętać, by nie karmić psa tuż przed snem, co ułatwi mu trawienie.

Wskazówka 34
Począwszy od czwartego miesiąca do ukończenia roku elimi-

nujemy stopniowo posiłek popołudniowy.

Kiedy szczenię ukończy rok, należy rozpocząć podawanie mu jednego posiłku dziennie, jeśli to możliwe – po południu, albo w zależności od funkcji, jaką pies ma do spełnienia, co wyjaśnia następna wskazówka.

Wskazówka 35
Pies stróżujący powinien jeść rano i spać w ciągu dnia, aby być dobrze przygotowanym do pracy w nocy. Pies myśliwski je wieczorem, aby w ten sposób przygotować się do porannego wyjścia na polowanie.

Wskazówka 36
Ogólna zasada mówi, że pies powinien jeść spokojnie. Nie

podawaj jedzenia psu zmęczonemu wysiłkiem fizycznym, bo spowodujesz u niego trudności w trawieniu.

Psom małych ras od czwartego do dwudziestego tygodnia życia podaje się posiłek składający się ze 100 gramów mięsa i od 50 do 90 gramów warzyw. Ilości te należy zwiększać w miarę wzrostu zwierzęcia.

Tak samo ważna jak jedzenie, by nie powiedzieć ważniejsza, jest woda.

Wskazówka 37
Miska z wodą powinna być do stałej dyspozycji zwierzęcia. Powinieneś ją codziennie czyścić, aby zapobiec rozwojowi glonów i nie narazić psa na biegunkę. Brak higieny może stać się przyczyną wielu chorób.

Wskazówka 38
Nie pozwól, żeby pies jadł poza ustalonymi godzinami posiłków lub jadał razem z tobą. Nie jest to wskazane ani ze względu na jego wychowanie, ani ze względów zdrowotnych. Żywność odpowiednia dla człowieka może być szkodliwa dla psa. Jakość pożywienia ma fundamentalne znaczenie dla prawidłowego rozwoju i zdrowia zwierzęcia.

Wskazówka 39
Staraj się dawać psu surowe lub najlepiej lekko przyrumienione mięso: wołowinę, drób bądź koninę. Podroby wyłącznie gotowane, aby uniknąć zakażenia tasiemcem bąblowcem.

Wskazówka 40
Powinieneś zdecydowanie zrezygnować z kości z kurczaka, zająca, ptactwa i dziczyzny, ponieważ mają one bardzo ostre brzegi i mogą spowodować perforację jelit i śmierć zwierzęcia.

Wskazówka 41
Kości gąbczaste, takie jak udowe czy piersiowe, zarówno cielęce, jak i wołowe, wpływają bardzo korzystnie na uzębienie i jakość kośćca psa.

Wskazówka 42
Jeśli chodzi o warzywa, jak boćwina, szpinak czy marchewka, lepiej podawać je gotowane, bardzo dobrze rozdrobnione, w przeciwnym razie pies ich nie strawi. Można również podawać surową marchew, pod warunkiem że będzie dobrze starta.

Wskazówka 43
Bardzo zdrowe dla psa jest surowe żółtko; powinien je dostawać przynajmniej dwa razy w tygodniu. Nie zaleca się jednak podawania białka, gdyż zawiera za dużo albuminy.

Wskazówka 44
Nie wolno dawać psu tłustych ryb, takich jak tuńczyk, makrela, sardynki czy śledzie.

Wskazówka 45
Integralną część diety psa stanowi gotowany ryż.

Wskazówka 46
Zalecamy podawanie szczeniakowi raz w tygodniu gotowanej ryby.

Wskazówka 47
Produkty zawierające skrobię, takie jak fasola, groch, ziemniaki, są dla psa szkodliwe.

Wskazówka 48
Jeśli chcesz psa nagrodzić, możesz dać mu naturalny jogurt z dodatkiem miodu, ale tylko raz dziennie.

Wskazówka 49
Choć może się to wydawać dziwne, nie zaleca się podawania szczeniakom mleka, ponieważ nie trawią go dobrze, co może być przyczyną zaburzeń żołądkowych.

Wskazówka 50
Poza tym, że powinieneś karmić psa zawsze o tej samej porze, pamiętaj, aby zabrać mu miskę po mniej więcej dwudziestu minutach.

Jeśli pies nie zje wszystkiego, to znaczy, że już się nasycił albo nie jest głodny. Gdy zostawisz mu jedzenie w misce, może się popsuć i spowodować problemy z trawieniem.

Szczeniaki mają skłonność do wymiotowania po jedzeniu. Różne mogą być tego przyczyny: zbyt szybkie jedzenie, stan podniecenia, złe przyswajanie pokarmu z powodu przejedzenia się, przypadkowe połknięcie obcego ciała itp. Jeśli przyczyną wymiotów jest jeden z podanych powodów, po zwymiotowaniu szczeniak ponownie zabierze się do jedzenia.

Wskazówka 51
Jeśli zauważysz, że po zwymiotowaniu szczeniak nie chce już jeść i jest smutny, sprawdź, czy jedzenie nie było zepsute albo czy szczeniak się nie zatruł.

Inną przyczyną wymiotów może być początek choroby. W tym przypadku powinieneś natychmiast skontaktować się z weterynarzem.

Wychowanie szczeniaka

Sytuacja każdego właściciela psa jest inna, różne są też pragnienia dotyczące wychowania pupila, dlatego sam musisz zdecydować, co zrobisz, by pies spełnił twoje oczekiwania.

Wskazówka 52
Dorosłego psa szkoli się stanowczo, natomiast szczeniaka łagodnie, delikatnie, cierpliwie i z wyobraźnią.

Rezultat zależy od czasu poświęconego na naukę i zdolności właściciela.

Gdy szczenię wykazuje niechęć do wykonania niektórych ćwiczeń, kluczem do sukcesu jest cierpliwość i łagodna wytrwałość.

Wskazówka 53
Im szczeniak młodszy, tym łatwiej się przystosowuje do świata, który go otacza.

Gdy jest całkiem mały i porusza się jeszcze chwiejnie albo powłóczy łapami, powinieneś często brać go na ręce i wynosić na ulicę albo jeździć z nim samochodem. Unikaj jednak kontaktu z chorymi psami. Ta rada kłóci się z opinią weterynarzy, którzy zalecają, żeby pies pozostawał w domu, aż zaczną działać szczepionki. W rzeczywistości trzymanie szczeniaka tylko w domu utrudnia mu przystosowanie się do różnorodnych elementów wchodzących w skład jego środowiska.

Hałas, ruch panujący w mieście czy na wsi i związane z tym doznania wzrokowe, węchowe i dotykowe będą dla szczeniaka czymś normalnym, jeśli pozna je przed ukończeniem siódmego tygodnia. Jeżeli doświadczy ich po raz pierwszy później, może je w mniejszym lub większym stopniu odrzucić.

Gdy szczeniak jest dość zrównoważony, nie jest nieufny ani agresywny, możesz kontynuować zapoznawanie go z podstawowymi elementami jego środowiska.

Wskazówka 54
Nigdy nie wolno używać wobec swojego psa siły fizycznej ani go bić.

Tego zalecenia powinieneś przestrzegać zarówno wtedy, gdy pies jest mały, jak i gdy dorośnie. Przemoc zawsze odnosi skutek odwrotny do zamierzonego, gdyż wywołuje u psa niepewność, która może przejawiać się postawą agresywną albo ucieczką.

Wskazówka 55
Aby powstrzymać niepożądane zachowanie, należy działać natychmiast.

W przeciwnym razie pies nie powiąże poczynionych kroków z niedozwolonym zachowaniem, co wywoła zachowania uboczne, które błędnie zinterpretujemy jako postęp. Tak się dzieje w przypadku właściciela wracającego do domu i widzącego psa, który opuszcza uszy i ucieka. Właściciel myśli, że pies zrobił coś złego. W rzeczywistości jest inaczej: pies kojarzy

przyjście swojego pana z wymówkami, ale nie rozumie, że ma to związek z tym, że znowu załatwił się w domu.

Nagana po powrocie właściciela prawie nie ma wpływu na zachowanie, które chciał skorygować.

Wskazówka 56
Jeśli zauważysz, że pies siusia na dywan lub podłogę, spróbuj głośno zamknąć książkę, tak aby hałas przerwał oddawanie moczu.

W ten sposób możesz udać, że nie wiesz, dlaczego szczeniak jest oszołomiony, i unikniesz sytuacji, w której zda on sobie sprawę z przyczyny twojego niezadowolenia. Następnie zabierz psa do miejsca, w którym może załatwić swoje potrzeby fizjologiczne, poczekaj z nim, aż dokończy, i pochwal go.

Tuż przed zakończeniem nagródź go czymś, co lubi, na przykład herbatnikiem.

Wskazówka 57
Najważniejsze jest to, abyś czuwał nad psem i nie pozwolił, żeby załatwiał potrzeby fizjologiczne w nieodpowiednich miejscach.

Potrwa to jakiś czas, ale nie zniechęcaj się, ponieważ dobrze wykonana praca wkrótce przyniesie oczekiwane efekty – pies skojarzy chęć załatwienia potrzeby z miejscem do tego przeznaczonym i późniejszą nagrodą.

W każdej podobnej sytuacji będziesz musiał powtórzyć tę samą czynność, aż szczeniak nauczy się zdobywać nagrodę. Motywacja jest sprawą zasadniczą w całym procesie nauczania. Jeśli nie możemy osiągnąć zamierzonego celu, lepiej zrezygnować.

Uwagi ogólne

Należy podkreślić, że doświadczenia z wczesnego okresu rozwoju mają ogromny wpływ na życie i adaptację do otaczającego świata wszystkich ssaków.

W pierwszej fazie rozwoju, kiedy przeżycie zależy od pożywienia i ciepła, utrwalają się wzorce, które dzięki swej gratyfikacyjnej naturze przetrwają aż do śmierci zwierzęcia.

Wskazówka 58
Wraz z pojawieniem się u szczeniaka reakcji, którą określamy jako strach, około siódmego tygodnia życia zwierzę traci w znacznym stopniu zdolność przystosowywania się i nigdy już nie będzie odbierać nieznajomego elementu jako „obietnicy". Od tej chwili to, co nowe, będzie się jawić jako groźba.

Bezpańskie psy żyjące w miastach są nieufne, tak samo jak wilki. Unikają kontaktu z człowiekiem i do miejsc, w których mogą znaleźć pożywienie, zbliżają się w godzinach najmniejszego natężenia ruchu.

Wskazówka 59
Zabieranie szczeniaka na rękach początkowo do miejsc mało uczęszczanych, a następnie do bardziej ruchliwych, uczy go, że ciężarówki, samochody i autobusy nie stanowią dla niego zagrożenia.

Ponadto zaleca się, aby szczeniak przyzwyczajał się do jazdy samochodem, odwiedzin w supermarketach, poznawania wszelkich miejsc, w których bodźce słuchowe i wzrokowe, ze względu na ich natężenie, mogłyby pewnego dnia wywołać w nim strach.

Wskazówka 60
Zamiast dręczyć się za każdym razem, gdy zwierzę próbuje uciec przed czymś, czego się boi, należy przyzwyczajać je

stopniowo do tych elementów środowiska, z którymi miało trudności adaptacyjne we wczesnym okresie rozwoju.

Właściciele, którzy umieją się cieszyć z najmniejszych oznak poprawy i nawet na największy opór psa reagować z łagodną wytrwałością, doprowadzą do końca każdą terapię tego rodzaju.

Wskazówka 61
Jeśli zamierzasz iść z psem na spacer, lepiej załóż mu obrożę i smycz przed wyjściem z domu. Na początku szczeniak poprowadzi cię w swoją stronę, ale wkrótce to ty zadecydujesz, kto komu powinien się podporządkować.

Ponieważ pies nie może bać się wielu osób naraz, jego uwaga zostaje rozproszona, więc prawdopodobieństwo niespodziewanej reakcji się zmniejsza, aż w końcu pies spaceruje prawie obojętnie.

Wskazówka 62
Sztuczka polega na tym, aby pokazać psu, kto tu jest bardziej uparty.

Wskazówka 63
Jeśli szczeniak okazuje się nieufny w stosunku do innych osób, rozwiązaniem może być zabieranie go na spacer w miejsca, gdzie jest dużo ludzi. Jeśli to nie pomoże, trzeba się zwrócić do instruktora szkolenia psów.

Należy wspomnieć o nieodpowiedzialności, z jaką niektórzy właściciele dla wygody puszczają psa bez smyczy na ulicy. Niepokoi to osoby mijające go, często jest powodem atakowania ich, bywa też, że kończy się kalectwem lub śmiercią zwierzęcia.

Miejsce psa w domu

Pies, tak samo jak każdy członek rodziny, ma prawo do swojego miejsca w domu.

Wskazówka 64
Powinien mieć swój koc, gruby dywanik bądź materac umieszczony w kącie pozbawionym przeciągów i, w miarę możliwości, z dala od ścian sąsiadujących z ulicą o dużym natężeniu hałasu.

Wskazówka 65

Dobrym miejscem odpoczynku dla psa, który ma spełniać rolę stróża, jest przedpokój.

Pielęgnacja psa

Są dwa okresy w życiu psa, w których powinniśmy szczególnie zadbać o jego zdrowie: pierwszy rok życia – czas szczenięctwa, oraz starość. W zależności od rasy długość życia psa jest różna, zwykle wynosi około dwunastu lat.

Dobrze zbilansowane pożywienie jest podstawowym czynnikiem, dzięki któremu pies zachowuje kondycję. Zróżnicowana dieta jest ważnym źródłem wszelkich niezbędnych witamin i protein.

Wskazówka 66

Uboga dieta w okresie wzrostu psa może nieodwracalnie zahamować jego rozwój.

Bardzo ważne są ćwiczenia fizyczne. Ich rodzaj i ilość trzeba dostosować do wagi i budowy psa. Brak ruchu może spowodować atrofię mięśniową. Zarówno brak ruchu, jak i nieprawidłowe odżywianie mogą być również przyczynami otyłości.

Wskazówka 67

Żeby pies był jak najbardziej sprawny, należy dbać o jego prawidłową wagę. Jest ona określona dla każdej rasy, wielkości i wieku psa.

Zdrowy pies jest żywotny i wesoły, ma czyste oczy i dobry apetyt. Jeśli pies przez długi czas nie podnosi się z legowiska, a jego oczy są smutne, chód chwiejny i nie ma apetytu, najpewniej jest chory.

Wskazówka 68

Możesz zapobiec niektórym chorobom dzięki uważnej obserwacji cech psa wspólnych dla całego gatunku, jak: uzębienie, uszy, oczy i pazury, oraz cech charakterystycznych dla poszczególnych ras.

Uzębienie

Zęby powinny być czyste, bez osadu kamienia. Jego działanie może wywołać zapalenie dziąseł, a nawet przekształcić się w paradontozę, powodując obsunięcie się dziąseł i utratę zębów. Kamień jest częstą przyczyną ropni zębowych i objawia się nieświeżym oddechem.

Wskazówka 69

Aby zwalczyć osad, należy utrzymywać pysk psa w czystości. Dobrym sposobem jest czyszczenie uzębienia kawałkiem cytryny, ponieważ rozpuszcza ona węglan wapnia.

Wskazówka 70

Inną, nieco wygodniejszą metodą jest dawanie psu raz w tygodniu dużej wołowej kości do gryzienia. Bawiąc się nią, jednocześnie czyści sobie zęby.

Do ukończenia pierwszego roku psy raczej nie mają problemów z uzębieniem. Jeśli w późniejszym czasie zęby stają się żółte i szare, oznacza to, że coś jest nie w porządku.

Uszy

Niektóre rasy psów mają duże, zwisające uszy i dlatego są narażone na stany zapalne i infekcje przewodu słuchowego. Należy często czyścić psu uszy, gdyż w trakcie biegania po krzakach mogą wpaść mu do nich igły, gałązki itp. Zwierzę odczuje kłucie i będzie się drapać, powodując, że przesuną się głębiej, co pogorszy sytuację.

Wskazówka 71
Jeśli zauważysz, że pies nieustannie drapie okolice uszu, sprawdź, czy czegoś w nich nie ma. Jeśli przedmiot drażniący pupila nie jest zbyt głęboko, spróbuj go wyciągnąć. W przeciwnym wypadku skontaktuj się z weterynarzem.

Wskazówka 72
Zaleca się usuwanie włosów rosnących wewnątrz uszu psów o długiej sierści, co zapobiega gromadzeniu się woskowiny i nieczystości.

Oczy

Zmysł wzroku u psa nie jest tak dobry jak węch. U starzejącego się psa wzrok słabnie i często pojawia się zaćma. Obecnie chorobę tę można zoperować, ale ponieważ psy nie noszą okularów, wzrok na zawsze zostaje słaby. Do innych częstych dolegliwości oczu należy zapalenie spojówek.

Wskazówka 73
W tym wypadku należy oczyścić oczy wilgotnym wacikiem.

Wskazówka 74
Jeśli to nie pomoże, spróbuj oczyścić psu oczy dwuprocentowym roztworem kwasu bornego, zanim wybierzesz się do weterynarza.

▌Pazury

Długie pazury są przyczyną nieprawidłowego chodu psa; poza tym łatwo się zaczepiają i łamią.

Aktywne psy, którym zapewniono stały ruch na świeżym powietrzu, nie mają problemów z pazurami – ścierane o podłoże, zachowują one odpowiednią długość.

Wskazówka 75
W celu obcięcia pazurów należy postępować w następujący sposób: jedną ręką naciśnij na palec psa tak, aby pazur wysunął się na zewnątrz. Drugą ręką go obetnij. Uważaj, aby nie naruszyć miazgi pazura, która sięga nawet poza jego połowę.

W sklepach z akcesoriami dla psów można znaleźć bogaty wybór cążek do pazurów.

Wskazówka 76
Częstszym oględzinom powinny być poddawane rasy, które mają ostrogi lub piąty pazur, ponieważ nie ulega on ścieraniu, a ciągły wzrost może powodować jego wrastanie.

▌Kąpiel

Nie jest wskazana kąpiel szczeniaków, które nie ukończyły szóstego miesiąca, oraz dorosłych psów tuż po szczepieniu.

Wskazówka 77
Zazwyczaj kąpiemy psa co dwa, trzy tygodnie. Powinniśmy do tego używać odpowiedniego szamponu – w zależności od rodzaju sierści – i spłukiwać go obficie wodą.

Wskazówka 78
Przed przystąpieniem do kąpieli zaleca się delikatne, relaksujące rozczesanie sierści w celu usunięcia nieczystości i martwych włosów. Można również w ten sposób sprawdzić, czy pies nie ma pasożytów.

Wskazówka 79
Żaden pies nie lubi kąpieli z przymusu, dlatego staraj się być serdeczny dla swego przyjaciela w chwilach stresu.

Wskazówka 80

Zdobądź jego zaufanie, by poczuł się bezpieczny i odprężony.

Wskazówka 81

Nie zalecamy stosowania wody kolońskiej ani dezodorantów, gdyż doprowadziłyby one do zniszczenia naturalnej tłuszczowej powłoki sierści.

Wskazówka 82

Ważne jest, aby po kąpieli dokładnie wysuszyć psa suszarką, wyczesując sierść i nadając jej właściwy wygląd.

W wyniku nieprawidłowego suszenia sierść pozostaje wilgotna, co może stać się przyczyną różnych chorób skóry, łącznie z grzybicą.

Pasożyty i choroby pasożytnicze

Znaczna liczba popularnych psich chorób jest następstwem działania pasożytów. Jedne z nich są groźne, inne jedynie uciążliwe, chociaż mogą przenosić niektóre choroby wewnętrzne.

▌Świerzbowiec psi

Wywołuje świerzb. Gnieździ się w tunelach, które drąży w skórze. Zarażone zwierzęta zazwyczaj odczuwają intensywne swędzenie, a ich skóra jest sucha i pokryta licznymi strupkami.

▌Nużeniec psi

Jest przyczyną świądu. Pasożyt ten bytuje wewnątrz mieszka włosowego i wywołuje chorobę w dwóch postaciach: łuskowatej – która objawia się zazwyczaj brakiem sierści i licznymi łuskami na skórze, oraz ropnej – na skórze pojawiają się zaczerwienienia i rany, które, zaatakowane przez bakterie, wywołują stany ropne.

Wskazówka 83

Choroby te są łatwe do rozpoznania, ponieważ zwierzę się drapie, jednak kuracja bywa zazwyczaj długa i żmudna, gdyż nie przynosi natychmiastowych efektów.

▌Świerzbowiec uszny

Roztocz ten przebywa w przewodzie słuchowym, powodując zapalenie ucha. Zarażony pies często potrząsa uszami i uparcie się drapie. Diagnoza stawiana jest na podstawie otoskopowego rozpoznania pasożyta.

▌Kleszcze

W Europie występują głównie dwa gatunki: *Ixodes ricinus*, żyjący w środowisku wiejskim, oraz *Rhipicephalus sanguineus*, typowy dla miast. Kleszcze są przyczyną dwóch bardzo rozpowszechnionych chorób: babeszjozy psów i erlichiozy.

Babeszjozę psów wywołuje przenoszony przez kleszcze pierwotniak *Babesia canis*, który dostaje się do wnętrza krwinek i powoduje ich rozkład. Objawy babeszjozy mogą być różne: anemia, gorączka, brak apetytu itp.; z tego względu rozpoznanie nie jest łatwe.

Przyczyną erlichiozy jest przenoszona przez kleszcze riketsja *Ehrlichia canis*, która po zarażeniu przedostaje się do wnętrza leukocytów. Głównymi objawami tej choroby są: wysięk z nosa i oczu, gorączka i anemia.

Pchły

Zarówno ich ugryzienie, jak i przemieszczanie się na skórze powoduje wielki niepokój u psa, który odczuwa intensywne pieczenie; pchły są również roznosicielami tasiemca *Dipylidium caninum*.

Wskazówka 84
Pchły gnieżdżą się w szczelinach podłóg. Miejsca, w których się pojawiają, należy zdezynfekować.

Tęgoryjce

Są to nicienie z rodziny *Ancylostomatidae*. Do zakażenia dochodzi zazwyczaj przez połknięcie larw. Szczenię połyka je z mlekiem matki. Inny, rzadszy sposób to zarażenie się

poprzez skórę. Stąd pasożyt przedostaje się do wątroby i płuc, a następnie – gdy pies kaszle – do jelita cienkiego.

Charakterystycznym objawem jest wystąpienie anemii, która w przypadku młodych psów może się okazać groźna w skutkach. Szczenięta, które przeżywają, nabywają odporności. U dorosłych, dobrze odżywionych psów choroba rozwija się zazwyczaj niepostrzeżenie, choć one same są jej nosicielami.

Węgorek jelitowy

Ten drobny, prawie przezroczysty nicień (*Strongyloides stercolaris*), występujący u człowieka, czasem jest przenoszony na psa. Samica pasożyta składa jaja do śluzówki jelitowej, skąd następnie są one wydalane na zewnątrz wraz z odchodami. Larwy przedostają się przez skórę zwierzęcia do układu krwionośnego i dalej do płuc i jelit.

Głównym objawem zakażenia psa są uporczywe biegunki i w konsekwencji odwodnienie. Nieleczone zakażenie powoduje wyniszczenie organizmu.

Pierwotniaki *Leishmania*

Są przenoszone przez komara z rodziny *Phlebotominae*. Powodują leiszmaniozę[1].

Są dwie odmiany tej choroby:
– leiszmanioza skórna – bardzo popularna; charakteryzuje się wypadaniem sierści, zapaleniem naskórka, depigmenta-

[1] Choroba niewystępująca w Polsce.

cją, owrzodzeniem, szczególnie w częściach ciała wydzielających śluz; jej symptomy to wzrost pazurów i wypadanie włosów w okolicy oczu;

– leiszmanioza narządów wewnętrznych – choroba chroniczna objawiająca się anemią, nieustannymi stanami zapalnymi i ogólnym upośledzeniem układu immunologicznego.

Choroby niepasożytnicze

▌Nosówka

Choroba ta charakteryzuje się biegunkami ze śluzem, a czasem z krwią. Mimo że na początku pies ma apetyt i zachowuje dotychczasową aktywność, odnotowuje się utratę wagi. Jest to choroba zakaźna, łatwo rozprzestrzeniająca się, wywoływana przez wirus, powikłana zazwyczaj nadkażeniem bakteriami. Atakuje zarówno osobniki dorosłe, jak i szczenięta.

Po trwającym od czterech do ośmiu dni okresie inkubacji pojawiają się pierwsze objawy. Zwierzę przeważnie jest apatyczne, występuje gorączka, zapalenie spojówek, jasna wydzielina z oczu i nosa. Objawy ustępują po upływie pierwszej fazy. W krótkim czasie powracają jednak jako wymioty i biegunka z krwią.

W trzeciej fazie choroba atakuje system oddechowy; towarzyszą jej kaszel i duszności. Wydzielina z oczu i nosa staje się ropna, tworząc strupy, które przylegają do otworów nosowych i szpar powiekowych.

Wskazówka 85
Zwierzę wyraźnie nie chce wyjść na światło dzienne.

Po trzech lub czterech tygodniach od zakażenia występują zazwyczaj objawy neurologiczne – drgawki lub skurcze, zwłaszcza mięśni żuchwy, co powoduje szczękanie zębami i często towarzyszące mu wydzielanie spienionej śliny.

Inną charakterystyczną oznaką choroby jest nadmierne rogowacenie poduszek łapy, które stają się twarde i nienaturalnie duże.

Wskazówka 86
Zaleca się regularne szczepienie psa, ponieważ – jak już wiemy – choroba ta może wystąpić zarówno u szczeniaków, jak i u osobników dorosłych.

▌Tężec

Choroba rozpoczyna się po dostaniu się zarodników drobnoustrojów do rany. Łatwość zarażenia zależy od głębokości i stanu skaleczenia. Objawy pojawiają się od czterech do ośmiu godzin od momentu zakażenia, w postaci powracających skurczów mięśni, zwłaszcza żuchwy; ponadto drgają powieki i zwierzę ma trudności w przełykaniu.

Śmierć następuje najczęściej po pięciu dniach.

Wskazówka 87
Skutecznym środkiem zapobiegawczym jest utrzymywanie

ran, zwłaszcza głębokich, w czystości.

Leptospiroza

U psów występują najczęściej dwie postacie: wywołana przez *Leptospira icterohaemorrhagiae* i przez *Leptospira canicola*. Leptospiroza jest trudna do rozpoznania, ponieważ zróżnicowane objawy często przypominają inne choroby.

Najczęstsze objawy to podwyższona temperatura ciała, biegunka, wymioty, bolesność brzucha, odwodnienie. Może wystąpić również osłabienie mięśni, zapalenie jamy ustnej i migdałków, rzadziej niedowłady.

Wskazówka 88
Przenoszenie choroby może nastąpić przez bezpośredni kontakt z zakażonym zwierzęciem, połknięcie lub wchłonięcie zakażonego materiału.

Pies może się nią zarazić również drogą płciową, przez kontakt z wodą lub z zakażonym pożywieniem; matka może zarazić szczeniaki przez łożysko. Częstym źródłem zakażenia są szczury i ich odchody. Po przedostaniu się przez nos lub skórę zarazki dostają się żyłami do nerek i są rozprowadzane po całym ciele. Przebieg choroby może być bezobjawowy, dlatego w przypadku podejrzenia o leptospirozę należy przeprowadzić test serologiczny.

Wskazówka 89
Z tego powodu zalecane jest szczepienie psa w dziewiątym tygodniu życia, a następnie powtórzenie dawki po trzech tygodniach od pierwszego szczepienia. Ponadto dobrze jest szczepić psa raz do roku.

Wścieklizna

Jest to choroba zakaźna, atakująca system nerwowy przede wszystkim ssaków i ptaków. Najczęściej występuje u lisów i innych zwierząt leśnych, choć mogą się nią zarazić także psy i ludzie.

Wskazówka 90
Do zakażenia dochodzi najczęściej na skutek ugryzienia przez zainfekowane zwierzę oraz przez kontakt z jego śliną. Wirus wścieklizny przechodzi ze śliny do mięśni ofiary, a następnie do mózgu, atakując system nerwowy.

Okres rozwijania się choroby zależy od wagi i budowy ciała zakażonego psa, a także od miejsca i wielkości rany. Objawy choroby ujawniają się w trzech kolejnych fazach:

– **melancholijnej** – trwa około dwóch dni; objawia się wysoką gorączką, widoczną zmianą charakteru zwierzęcia i możliwym intensywnym pieczeniem zakażonego obszaru;

– **agresywnej** – pies wykazuje o wiele większą aktywność i wyraźny wzrost agresywności; może ugryźć inne psy, a nawet swojego właściciela;

– **paraliżu** – dochodzi do postępującego paraliżu i uszkodzenia systemu nerwowego, po czym zwierzę umiera.

Wskazówka 91
Najłatwiejszym środkiem zaradczym są okresowe szczepienia.

Należy pamiętać, że na wściekliznę narażone są również koty.

Zapalenie wątroby

Jest to choroba zakaźna o wysokim stopniu zarażalności. Do zakażenia dochodzi drogą naturalną, tzn. przez bezpośredni kontakt ze śliną, kałem lub moczem zarażonego zwierzęcia. Psy narażone są na tę chorobę przez całe życie. Przy ciężkim zachorowaniu pies umiera po 72 godzinach. Głównym objawem jest wysoka gorączka: 40–41°C. Następstwem zapalenia wątroby są choroby oczu, na przykład zmętnienie rogówki, które ustępuje po kilku tygodniach. Zapalenie wątroby nie jest zaraźliwe dla człowieka.

Wskazówka 92
Choremu psu podaje się antybiotyki o szerokim spektrum działania, które zapobiegają wtórnemu zakażeniu bakteryjnemu.

Odżywianie

Istotną rzeczą jest zarówno zawartość pożywienia, jak i sposób podawania posiłku.

Przez prawidłowe odżywianie rozumiemy zapewnienie psu pożywnych i dobrze zbilansowanych posiłków we właściwej ilości.

Efekty właściwej diety to: prawidłowe rozmnażanie, błyszcząca sierść, odpowiedni wzrost itp.

Powinieneś nauczyć się prawidłowego odżywiania psa, tak jakbyś robił to sam dla siebie.

Skutkiem niewłaściwego odżywiania są liczne grube psy. Ciekawe, że w większości przypadków otyłe psy mają otyłych właścicieli.

Wskazówka 93
Przyjrzyj się dobrze etykietkom na opakowaniach z karmą. Zawierają one informacje na temat użytych składników oraz

wieku psa, dla którego przeznaczony jest produkt. Oczywiście inną karmę stosuje się dla psa dorosłego, a inną dla szczeniaka.

Producenci wydają grube miliony, żeby stworzyć najlepsze pożywienie dla psów.

Wskazówka 94
Dodatkowe, domowe jedzenie, pomimo różnorodności składników w nim zawartych, najczęściej psu szkodzi.

Wskazówka 95
Każdy pies powinien otrzymywać odpowiednie dlań pożywienie.

Wskazówka 96
Ilość pożywienia niezbędna do pokrycia zapotrzebowania pokarmowego psa, czyli do utrzymania go w dobrym zdrowiu, zależy od masy zwierzęcia (np. chihuahua waży od 1 do 2 kg, a bernardyn od 75 do 100 kg).

Najlepiej będzie, jeśli ilość dziennego pożywienia psa ustali weterynarz.

Nie wszystkie psy są jednakowo aktywne. Nie ma porównania pomiędzy zużyciem energii przez psa żyjącego w domu a stróżującego, myśliwskiego czy gończego.

Nawet psy o tym samym pochodzeniu genetycznym, zbliżonej aktywności i z podob-

nych środowisk mogą mieć różne zapotrzebowanie pokarmowe.

Za przykład może posłużyć przypadek chudych i otyłych psów w obrębie jednej hodowli, pochodzących nawet z tego samego miotu.

Wskazówka 97
Psy powinny być żywione stosownie do ich indywidualnych potrzeb i kondycji fizycznej.

Poniżej podajemy kilka wskazówek ułatwiających prawidłowe żywienie psa na każdym etapie rozwoju.

▌Okres karmienia młodych

Wskazówka 98
Suka powinna dostawać to samo pożywienie co w trakcie ciąży, w ilościach odpowiadających jej zapotrzebowaniu.

Wskazówka 99
Gdy ma większe potrzeby pokarmowe, należy jej podawać porcje dwa razy dziennie.

Wskazówka 100
Jeśli podajemy suchą karmę, w okresie karmienia szczeniąt może zaistnieć potrzeba jej namoczenia, żeby suka zjadła więcej.

Nie trzeba dawać dodatków z witaminami, minerałami czy innymi środkami odżywczymi, jeśli dieta jest kompletna i dobrze zbilansowana, chyba że zaleci to weterynarz.

Wskazówka 101
Namoczoną karmę należy podawać również dlatego, że po trzech lub czterech tygodniach życia szczeniaki rozpoczynają zapoznawanie się ze stałym pożywieniem.

Wskazówka 102
Powinniśmy unikać dawania im domowego jedzenia, kaszek, mleka, płatków itp. Szczenięta małych ras mogą rozpocząć jedzenie namoczonej suchej karmy, która dodatkowo powinna być rozdrobniona.

Wskazówka 103
Przyzwyczajenie szczeniaka do gotowej karmy przygotuje go do jadania pokarmu każdego typu i zmniejszy stres towarzyszący odstawieniu od matki.

Wskazówka 104
Należy wprowadzić program żywieniowy, który ograniczy u suki produkcję mleka, redukując tym samym niebezpieczeństwo wystąpienia problemów z gruczołami sutkowymi.

Wskazówka 105
Program ten polega na zrezygnowaniu z podawania suce

posiłku w dniu odstawienia małych. Powinna mieć jednak stały dostęp do świeżej wody.

Wskazówka 106
Drugiego i trzeciego dnia należy dać jej połowę normalnej porcji żywieniowej, czwartego dnia trzy czwarte racji, a piątego całość.

Wskazówka 107
Jeśli w jakimś momencie rozwoju szczeniak waży za dużo, należy zmniejszyć mu ilość pożywienia.

Utrzymanie psa

Wiemy już, że psy mają indywidualne zapotrzebowanie żywieniowe, w zależności

od wieku, aktywności, metabolizmu i środowiska, w którym przebywają.

Wskazówka 108
Stosuj się do informacji zawartych na opakowaniu z karmą. Ustal wagę psa i karm go zgodnie z instrukcją.

Wskazówka 109
Pies powinien mieć stały dostęp do świeżej wody. Zapotrzebowanie na nią zależy od pory roku, aktywności zwierzęcia oraz rodzaju stosowanej diety.

Psy jedzące karmę z puszki, zawierającą duży procent wody, piją mniej.

Wskazówka 110
Pies powinien być karmiony zgodnie z jego naturalnymi potrzebami. Lepiej, aby był trochę szczuplejszy. Otyłe psy nie mają zdrowego wyglądu, a ponadto częściej chorują i krócej żyją.

Wskazówka 111
W normalnych warunkach karm psa taką ilością jedzenia, aby zjadł wszystko, ale zbytnio nie utył.

Wskazówka 112
Większość dorosłych psów je raz dziennie. W wypadku psów dużych ras i aktywnych lepiej podzielić dzienną rację na dwie mniejsze. Posiłki podawaj codziennie o tej samej porze.

Psy nie potrzebują urozmaiconego pożywienia. Nie trzeba też dodawać do gotowych karm mieszanek witaminowych, mineralnych czy mięsa i innych produktów. Jeśli chodzi o apetyt, sytuacja wygląda podobnie jak u człowieka. Brak apetytu to nie problem, chyba że trwa dłuższy czas albo pies wykazuje objawy choroby.

Wskazówka 113
Jeśli dorosły pies waży za dużo, należy zmniejszyć mu całkowitą dzienną ilość pokarmu i zmusić do większej aktywności.

Wskazówka 114
Bardzo ważne jest, aby przy redukcji ilości pokarmu utrzymać dobrze zbilansowaną dietę.

Wskazówka 115
Zapewnij psu stały dostęp do wody i zrezygnuj ze zbędnych składników diety, takich jak tłuszcze, resztki ze stołu oraz mięso. Dostarczają one zbędnych kalorii.

Starość

Starzejące się psy mają tendencję do tycia, ponieważ są mniej aktywne i zużywają mniej energii.

Wskazówka 116
Należy unikać nadmiernej ilości tłuszczu, dlatego dieta domowa jest niewskazana. Zaleca się zmniejszenie racji żywieniowej i namaczanie suchej karmy, ponieważ stare psy często mają trudności z gryzieniem. Najlepiej karmić je dwa razy dziennie.

Wskazówka 117
Pies pracujący powinien jeść więcej.

Karmienie psów pracujących

Psy bardziej aktywne potrzebują większej ilości energii. Pamiętaj, żeby zapewnić im dietę dobrej jakości. Zwierzęta te powinny jeść wystarczająco dużo, ale tyle, żeby się nie roztyły.

Najczęściej wystarczy jeden posiłek dziennie. Jeśli pies jest bardzo chudy, można zwiększyć rację do dwóch porcji w ciągu dnia. Tak czy inaczej, należy karmę namoczyć, aby zjadł wszystko.

Wskazówka 118
Jeśli pies ma być dłużej sam, zostaw mu trochę suchej karmy w stałym zasięgu.

Wskazówka 119
Nie należy karmić psa bezpośrednio przed pracą i po pracy. Zaraz po zakończeniu zadania pies powinien napić się wody i odpocząć przed jedzeniem.

Bardzo ważny jest rodzaj pożywienia w przypadku psów, które wykonują ciężką pracę. Najlepiej dawać im pokarm treściwy, o najwyższej zawartości składników odżywczych.

Wskazówka 120

Psy nie powinny dostawać produktów uzupełniających, chyba że jest to wyraźnie wskazane.

Wartość energetyczna niektórych produktów spożywczych

Mięso (100g)	Kilokalorie
Chuda wołowina	100
Konina	110
Baranina	130
Wieprzowina	250
Kurczak	150
Wątroba wołowa	120
Wątroba barania	160
Ozór wołowy	125
Ozór barani	160
Surowy szpik	230

Ryby, mleko i jaja (100g)	Kilokalorie
Dorsz	70
Makrela	130
Mleko krowie	66
Twaróg (20%)	124
Jajo kurze	87

Warzywa, owoce i zboża (100g)	Kilokalorie
Szpinak	23
Marchew	35
Banany	90
Jabłka	55
Płatki owsiane	402
Ryż	368
Chleb	250

Wakacje

Jeśli planujesz wyjazd wakacyjny, pamiętaj, by pomyśleć, co zrobić z psem: zabrać go ze sobą czy zostawić w przeznaczonym do tego miejscu.

Musisz to przemyśleć odpowiednio wcześnie, nie zwlekać do ostatniej chwili, ponieważ mogłoby się to niekorzystnie odbić na psie.

Gdzie zostawić psa

Poniżej omówimy sytuację, w której nie zabierasz psa ze sobą.

Możesz się zwrócić do przyjaciela albo kogoś z rodziny lub zostawić go w hotelu dla zwierząt.

Wskazówka 121

Pamiętaj, aby podać dokładne informacje dotyczące psa: rodzaj pożywienia, godziny posiłków, lekarstwa i witaminy (jeśli je dostaje) oraz częstotliwość i czas trwania spacerów.

Wskazówka 122

Rozsądnie byłoby zostawić adres i numer telefonu weterynarza, na wypadek gdyby psu coś dolegało.

Wskazówka 123

Jeśli powierzasz swojego przyjaciela innemu właścicielowi

psa, zostaw go u niego na kilka dni przed wyjazdem, by się upewnić, że zwierzęta się zaakceptują.

Psy, które dobrze znoszą swoje towarzystwo w parku, mogą się nie tolerować na terenie należącym do jednego z nich. Obrona terytorium to jedna z najczęstszych przyczyn konfliktów.

Wskazówka 124
Ważne jest, by zostawić dokumenty i książeczkę szczepień psa na wypadek nieprzewidzianych sytuacji.

Wskazówka 125
Zostaw też adres i numer telefonu, pod którym można cię znaleźć, gdyby stało się coś poważnego.

Wskazówka 126
Jeśli zdecydujesz się zostawić pupila w hotelu dla zwierząt, wybierz taki, który najbardziej odpowiada tobie i potrzebom psa.

Wskazówka 127
Hodowla lub miejsce zakupu psa stanowią cenne źródło informacji. Najczęściej sami hodowcy zgadzają się na przechowanie psa za opłatą. Zaletą tego rozwiązania jest ich znajomość potrzeb danej rasy. Jeśli jednak nie wyrażą zgody, na pewno wskażą odpowiednie miejsce.

Ceny hoteli dla zwierząt są zróżnicowane, w zależności od wielkości psa, specjalistycznej opieki itp. Duży pies potrzebuje wystarczającej ilości pożywienia, a także przestronnej klatki. Psy o długiej sierści wymagają zabiegów pielęgnacyjnych.

Zabieramy psa ze sobą

W tym punkcie radzimy, co zrobić, gdy pies wyjeżdża z nami na urlop.

Jeżeli od małego przyzwyczaimy psa do podróży samochodem, nie będziemy mieć żadnych problemów, gdy dorośnie.

Wskazówka 128
W trakcie podróży musisz pamiętać, że szczenię częściej je i załatwia swoje potrzeby niż dorosły pies.

Przede wszystkim należy wziąć pod uwagę środek transportu: czy będzie to samolot, statek, pociąg czy też samochód. Pierwsze trzy są środkami transportu publicznego, należałoby więc uzyskać odpowiednie informacje w biurze podróży. Przepisy dotyczące przewozu zwierząt są różne w różnych państwach.

Obecnie samolot jest najszybszym środkiem transportu i nie trzeba się obawiać, że pies nie wytrzyma podróży bez jedzenia.

Wskazówka 129
Zanim rozpoczniesz lot, daj psu dostateczną ilość wody. W razie długich dystansów możesz mu dać również jedzenie.

Jeśli pies jest mały, najprawdopodobniej będzie go można zabrać ze sobą na pokład w torbie podróżnej.

Niektóre linie lotnicze dysponują różnej wielkości klatkami, na wszelki wypadek lepiej zaopatrzyć się we własną.

Wskazówka 130
Zaleca się przyczepienie do klatki tabliczki z informacją, że w środku znajduje się pies.

W każdym przypadku należy się zapoznać z przepisami przewoźnika.

Na statkach pasażerskich właściciel nie może przebywać ze zwierzęciem w kajucie. Na każdym statku znajdują się klatki dla psów i miejsca przeznaczone do spacerów. Powinniśmy pozwolić zwierzęciu, aby załatwiło tam swoje potrzeby oraz nakarmić je i napoić.

Jeśli chodzi o jazdę pociągiem, to w każdym kraju obowiązują inne przepisy. W Polsce można psa przewozić w przedziale, pod warunkiem że zgodzą się na to wszyscy pasażerowie, pies ma aktualne świadectwo zdrowia, smycz i kaganiec. Jeśli nie możesz zabrać psa ze sobą, należy go oddać do przedziału bagażowego, podobnie jak w przypadku podróży samolotem.

Wskazówka 131
Niezależnie od środka transportu publicznego, którym podróżujesz, pies musi mieć założony kaganiec. Obowiązek ten dotyczy wszystkich psów.

Wskazówka 132
Najwygodniejszym środkiem lokomocji jest samochód, ponieważ możesz zatrzymywać się tak często, jak chcesz, oraz karmić i wyprowadzać psa.

Wskazówka 133
Pies nie powinien przemieszczać się wewnątrz pojazdu, niezależnie od tego, czy jest z natury ruchliwy, czy nadmiernie podekscytowany drogą. Takie zachowanie może spowodować wypadek wskutek ograniczenia widoczności lub przypadkowego wytrącenia kierownicy z rąk kierowcy.

Wskazówka 134
Jeśli masz małego psa, najlepiej umieść go w klatce.

Wskazówka 135
Psy duże i średnie powinny mieć swoje miejsce w samochodzie. Najlepiej, żeby były przypięte pasami dla psów.

Jeśli zamierzasz wyjść na chwilę, zwłaszcza w czasie upałów, zostaw uchyloną szybę. Dzięki takiej wentylacji pies się nie udusi. Uchyl okno tak, by pies nie mógł wydostać się na zewnątrz i żeby nikt obcy nie dostał się do środka.

Wskazówka 136

Nie zostawiaj nigdy psa w bagażniku i nie pozwól, by wystawiał pysk przez okno samochodu, ponieważ może to spowodować zapalenie ucha lub spojówek.

Niektóre zwierzęta wymiotują w czasie podróży. Podaj psu przed wyjazdem tabletkę przeciw wymiotom, a jeśli jest zdenerwowany albo pobudzony – środek uspokajający. Weź dla szczeniaka wapno, sole mineralne itp.

▌Po dotarciu na miejsce

Za granicą

Wskazówka 137

Jeśli wybierasz się za granicę, upewnij się, czy spełniasz warunki dotyczące przewozu psa do danego kraju.

Wymogi te są dosyć zróżnicowane, nawet w samej Europie.

Wskazówka 138

Podstawowe wymogi to: paszport dla psa wystawiony przez upoważnionego weterynarza, poświadczający szczepienia przeciwko wściekliźnie, czytelny tatuaż lub mikroczip. W niektórych krajach obowiązuje kwarantanna i potwierdzenie pobytu[2].

Klimat

W pierwszych dniach wypoczynku powinieneś wychodzić z psem na długie spacery.

[2] Wymóg ten dotyczy Anglii i Irlandii.

W ten sposób zapozna się on z miejscem pobytu i szybko zaaklimatyzuje w nowym środowisku.

Wskazówka 139
Psy o obfitej sierści lepiej znoszą niskie temperatury niż wysokie.

W restauracji

Coraz częściej w restauracjach i hotelach wolno przebywać z psem. Można go zabrać do restauracji tylko wtedy, gdy nikomu nie będzie przeszkadzał i będzie leżał spokojnie pod stołem.

W hotelu

Wskazówka 140
Znajdź psu spokojne miejsce w pokoju hotelowym, z dala od przeciągów.

Postaw mu miskę z wodą i zwróć uwagę, aby nie szczekał za każdym razem, gdy ktoś przechodzi koło drzwi.

Rozdział 4

Poznaj swojego przyjaciela

Język psa

Psy też mają swój język

Osoby, które się nie bardzo znają na psach, myślą, że kiedy pies macha ogonem i skacze wokół ludzi, jest zadowolony.

Język ciała jest językiem znaków, którym posługują się wszystkie żywe stworzenia.

Kiedy kot wygina grzbiet, pies nadstawia uszu, małpa wrzeszczy, to coś wyraża. Wystarczy wiedzieć jedynie co.

Z pyska wilka – przodka psa – można odczytać czternaście różnych sygnałów. Różnego rodzaju zmarszczenia nosa lub warg, wyraz oczu, obnażenie zębów, potęgowane dodatkowo charakterystycznym ułożeniem skóry na pysku, sprawiają wrażenie, że mamy do czynienia z mimem.

Nasze psy zatraciły możliwość dawania niektórych z tych mimicznych znaków, gdyż większość ras jest efektem sztucznych krzyżówek. Jak można na przykład odgadnąć minę bobtaila, skoro ma pysk przykryty opadającą grzywą?

Wskazówka 141
Psy o zwisających uszach mogą nimi dawać podobne znaki, jak psy o uszach stojących.

Zwarta muskulatura pyska bulteriera nadaje mu wygląd pokerzysty.

Jak się w tym wszystkim połapać? W kolejnych wskazówkach wyjaśnimy znaczenie dźwięków w psim języku.

Możemy wyróżnić całą gamę dźwięków, od pisku do szczekania poprzez warczenie czy wycie. Jednocześnie mogą mieć one różne natężenie.

Wskazówka 142
Są psy hałaśliwe i ciche, co może zależeć od rasy. Istotne jest, żeby zwrócić uwagę na informacje przekazywane językiem ciała i dźwięków, zwłaszcza w wypadku osobników, których nie znamy.

Podstawowym sygnałem dawanym przez udomowionego psa jest szczekanie, wywodzące się od dźwięków wydawanych przez jego dzikich przodków i służące do dziś przeważnie tym samym co wówczas celom.

Rasy psów żyjące głównie w miastach, przystosowane do wielkich skupisk ludzkich, wykorzystują w ograniczonym stopniu dźwięki ostrzegawcze, na które pozwalają im struny głosowe.

Szczekanie

Szczekanie to pojedyncze wyrzucenie powietrza, które może przekształcić się w przeciągły dźwięk, różniący się od wycia natężeniem.

Wskazówka 143
Im wyższy poziom agresji u psa, tym bardziej głuche jest jego szczekanie. Przeciwnie, im wyższe i cieńsze dźwięki, tym więk-

szy jest towarzyszący im strach.

Czasem pies szczeka bez przekonania, kojarząc sobie sytuację z podobną, w której szczekałby zacięcie. Prawdopodobnie nauczył się szczekać, aby przyciągnąć uwagę – z pozytywnym skutkiem. W ten sposób zostaje utrwalony pewien odziedziczony wzorzec.

Wskazówka 144
W pewnych sytuacjach szczekanie psa bywa podobne do krzyku człowieka.

Jeśli w trakcie konfrontacji pomiędzy dwoma mężczyznami jeden z nich mierzy drugiego wzrokiem, to znak, że nie obędzie się bez przemocy fizycznej. Kiedy jednak mężczyźni krzyczą na siebie i obrażają się słowami, cała sytuacja ograniczy się do kłótni.

Wskazówka 145
Szczekanie jako krzyk spełnia funkcję „badania" w sytuacji konfrontacji, zarówno między psami, jak i psem a człowiekiem.

Sprawdza się zatem popularne powiedzenie, że „pies, który dużo szczeka, nie gryzie". Jeśli nauczy się psa atakowania ramienia człowieka, tak aby nie kojarzył tego faktu z groźbą, prawdopodobnie gdy pierwszy raz ktoś podniesie kij, zatrzyma się i będzie szczekać.

Wskazówka 146
Sposób szczekania psa może wiele powiedzieć drugiemu psu o wielkości i stanie psychicznym przeciwnika, nawet jeśli go nie widzi.

Ponieważ szczekanie to dobry sposób na pozbycie się napięcia, jest rzeczą całkiem normalną, że pies szczeka, gdy zostaje w domu sam, chce wyjść na spacer albo dostać coś do jedzenia.

Wskazówka 147
Nie reaguj na szczekanie, by pies nie nabył złego przyzwyczajenia. Wychodź z nim na spacer albo dawaj mu jedzenie tylko wtedy, gdy jest spokojny.

Kiedy pies szczeka z radości, znajduje w ten sposób ujście jego napięcie. Jeśli natomiast dzieje się to w obecności obcej osoby, której pojawienie się wywołuje w nim dezorientację, chodzi o zbadanie sytuacji.

Wskazówka 148
Pies nie zdaje sobie sprawy, co jego szczekanie oznacza dla człowieka. Jeśli do wielkości fizycznej zwierzęcia dołączy się znaczne natężenie dźwięków

(szczekanie), wyda się po prostu większy i wzbudzi większy respekt.

Warczenie

Wskazówka 149
Warczenie oznacza stan wzmożonej agresywności. Najczęściej nie jest ono oznaką strachu, ale oznajmia, że istnieje coś, co powstrzymuje psa przed ugryzieniem.

Gdyby tak nie było, energia wydatkowana na warczenie zostałaby lepiej spożytkowana na bezpośredni atak. Bliskość przeciwnika powoduje najczęściej przejście od pojedynczego warknięcia do ciągłego warczenia, które zdecydowanie wzmaga się w momencie poprzedzającym atak.

Skomlenie

Jest spowodowane przykrym stanem emocjonalnym. Takie zachowanie pojawia się wtedy, gdy psu brakuje czegoś, co go cieszy. Nie chodzi tu jednak o bezpośrednią radość z zaspokojenia potrzeb fizjologicznych, ale o pewien wzorzec zachowania, który, jeśli jest niemożliwy do realizacji, powoduje ogólny stan przygnębienia.

Skowyt

Pies skowyczy, gdy czuje ból fizyczny lub coś go nagle przestraszy. Natężenie skowytu zależy od intensywności czynnika, który wywołał w nim ten stan, oraz od indywidualnej wrażliwości zwierzęcia.

Wycie

Spotykane częściej u wilka niż u psa, związane jest z poczuciem samotności i porzucenia. Może być też wywołane dźwiękiem niektórych instrumentów muzycznych albo naśladować wycie innego psa. U ludzi za odpowiednik wycia uznaje się szlochanie.

Kontakt z dziećmi

Czy może być niebezpieczny?

Wskazówka 150
Kontakt dziecka z psem może grozić zarażeniem się chorobami odzwierzęcymi.

Wskazówka 151
Aby temu zapobiec, należy uczyć dziecko i psa higieny za każdym razem, kiedy ze sobą przebywają.

Wskazówka 152
Dziecko powinno umyć ręce po każdej zabawie z psem, zwłaszcza przed jedzeniem.

Wskazówka 153
Nie pozwól, by pies lizał dziecko po twarzy.

Wskazówka 154
Dziecko nie powinno brać do buzi uszu ani łap zwierzęcia.

Wskazówka 155
Nie powinno jeść z miski psa ani pies z jego talerza.

Nie przejmuj się jednak, gdy tak się zdarzy. Ani dziecko nie jest sterylne, ani pies. Wiele przedmiotów dotykanych przez dziecko w ciągu dnia jest brudniejszych od zwierząt.

Wskazówka 156
Nie trzeba chyba dodawać, że pies powinien być zaszczepiony i odrobaczony.

Agencje ubezpieczeniowe prowadzą statystyki nieszczęśliwych wypadków spowodowanych przez zwierzęta, kończących się kalectwem lub śmiercią dziecka. Na pierwszym miejscu figuruje pies.

Prawie zawsze chodzi o niewłaściwe zachowanie się dziecka względem zwierząt, co jest przyczyną jego kalectwa lub śmierci. Częściowo winę za to ponoszą znane zwierzęta – bohaterowie seriali telewizyjnych. Przypisuje im się cechy ludzkie, a nie naturalne, zwierzęce zachowania. Prowadzi to do tego, że dzieci niewłaściwie odnoszą się do zwierząt spotykanych na co dzień.

Wskazówka 157
Agencje ubezpieczeniowe zachęcają, aby dzieci zaczęły prawidłowo poznawać zwierzęta w wieku trzech lat, ponieważ zwykle to maluchy są motorem zakupu psa.

Może się zdarzyć, że nasz własny pies podrapie, przewróci albo ugryzie dziecko, ale zwykłe urazy często towarzyszą dziecięcym zabawom. Dość rzadko bywa natomiast,

żeby ugryzł dziecko pies dobrze ułożony, choć oczywiście nie można tego wykluczyć.

Wskazówka 158
Normalnie każdy szczeniak zachowuje się wobec dzieci przyjaźnie. Jedynie przykre doświadczenie może być powodem jego odmiennych reakcji.

Wskazówka 159
Pies staje się nieprzyjazny pod wpływem dziecka, które nie umie się z nim obchodzić lub po prostu zachowuje się źle i za bardzo psoci.

Wskazówka 160
Z tego powodu nie powinno się kupować dzieciom odchowanego, dorosłego psa, o którym nic nie wiadomo, a który mógł mieć wcześniej przykre doświadczenia.

W każdym razie należy wziąć pod uwagę

wysiłek, jaki trzeba będzie włożyć w ułożenie psa. Chociaż dzieci obiecują, że będą się nim opiekowały, zazwyczaj najbardziej odpowiedzialne zadania, jak np. pamiętanie o szczepieniach czy wieczorne spacery, spadają na rodziców.

Gdy pies był pierwszy

Pies, który był w domu wcześniej, przyjmuje niemowlę jako nowego członka stada. Wywołuje ono w zwierzęciu instynkt opiekuńczy. Powoli zaczyna być traktowane na równi, a potem jako ktoś wyższy rangą.

Problemy mogą wystąpić, jeśli przez długie lata pies zastępował dziecko, a w momencie jego pojawienia się został zepchnięty na drugi plan. Może to być powodem do zazdrości. Jeżeli od początku zabronimy psu wchodzenia do dziecinnego pokoju, zakaz ten powinien obowiązywać do ukończenia przez dziecko przynajmniej trzech lat.

Jaki pies jest idealny?

To najczęściej zadawane pytanie, na które trudno znaleźć odpowiedź. Każda rasa jest sumą różnorodnych psich cech.

Chodzi przede wszystkim o zdolności każdego zwierzęcia z osobna. Jak się rozwija, jak uczy i jakie doświadczenia ma za sobą? Jak się dotychczas zachowywało? Zazwyczaj każdy szczeniak ma dobry kontakt z dziećmi.

Oczywiście w obrębie tej samej rasy można spotkać osobniki o tych samych charakterystycznych cechach.

Pies, który ma dzielić życie z dzieckiem, powinien się odznaczać wymienionymi niżej cechami.

Wskazówka 161
Nie może być wrażliwy na hałas.

Wskazówka 162
Powinien mieć dobry charakter.

Wskazówka 163
Nie może być leniwy.

Wskazówka 164
Powinien być łagodny i mieć naturalny instynkt opiekuńczy.

Wskazówka 165
Jeśli chcemy osiągnąć sukces w kontaktach między dzieckiem a psem, najlepiej postępować według zasady: „im pies starszy, tym lepiej dla dziecka".

Wskazówka 166
Rasami zalecanymi dla dzieci są: bobtail, collie, duży szwajcarski pies pasterski, owczarki węgierski i belgijski.

Wskazówka 167
Świetnym towarzyszem zabaw jest bokser, choć wdaje się w bójki z innymi psami, dlatego nie zalecamy, by dziecko samodzielnie wychodziło z nim na spacer.

Obcy pies

Pozwalanie dziecku na zabawy z nieznanym psem jest niebezpieczne. Dziecko musi pamiętać kilka ważnych zasad.

Wskazówka 168
Nie wolno dotykać obcego psa.

Jeśli nie możemy uniknąć spotkania z nieznanym psem, trzeba stanąć spokojnie i pozwolić, aby mógł nas obwąchać. Jeśli poczujemy się zagrożeni, zwierzę zaraz to wyczuje, co może pogorszyć sytuację.

Wskazówka 169
Nigdy nie wolno zbliżać się do psa od tyłu.

Wskazówka 170
Nie wolno przebiegać zbyt blisko psa.

Wskazówka 171
Nie wolno przeszkadzać psu w jedzeniu ani w załatwianiu potrzeb fizjologicznych.

Wskazówka 172
Nie wolno przeszkadzać psu, kiedy śpi, ani straszyć go, gdy zasypia.

Wskazówka 173
Będąc z wizytą w domu, w którym jest pies, należy uważać, żeby go nie potrącić lub na niego nie nadepnąć.

Wskazówka 174
Nie wolno psa drażnić, bić kijem czy wykonywać gwałtownych ruchów w jego obecności.

Wskazówka 175
Straszenie dziecka psem, jeśli nie chce jeść albo gdy jest niegrzeczne, odniesie niezamierzony skutek: dziecko będzie się bało psów.

Rozdział 5

Tresura

Kiedy rozpocząć szkolenie?

Wskazówka 176
Przed rozpoczęciem szkolenia upewnij się, czy pies wie, że go czeka nagroda.

Wskazówka 177
Pochwal go, gdy wykona komendę. Jeśli reaguje na twoje polecenia słowne i znaki ręką, zacznij nagradzać go ulubionym smakołykiem.

Wskazówka 178
Nigdy nie krzycz na niego, jeśli jeszcze nie potrafi wykonać komendy, ponieważ pies nie wie, za co go ganisz.

Wskazówka 179
Lepiej szkolić psa, gdy jest głodny. Będzie bardziej czujny i lepiej zareaguje na nagrody w postaci jedzenia.

Wskazówka 180
Jeśli karmisz psa dwa razy dziennie, masz okazję na dwie satysfakcjonujące sesje.

Wskazówka 181
Czas skupienia uwagi psa na jednej rzeczy jest krótki, dlatego szkolenie powinno trwać maksymalnie piętnaście minut, dwa razy dziennie.

Wskazówka 182
Nie szkol psa, jeśli jedno z was nie może się skupić.

Kontakt wzrokowy

Wskazówka 183
Wydawaj polecenia głosem tylko wtedy, gdy pies na ciebie patrzy.

Wskazówka 184
Nie pobudzaj go nadmiernie nagrodami w postaci jedzenia.

Wskazówka 185
Nagrodę podawaj po wykonaniu polecenia.

Mowa ciała

Wskazówka 186
Staraj się przewidzieć zachowanie psa na podstawie mowy jego ciała.

Wskazówka 187
Wydaj mu polecenie, gdy spostrzeżesz, że przestaje uważać, a nie wtedy, gdy cię już nie słucha.

Nagradzaj natychmiast

Wskazówka 188
Nagradzaj psa, gdy tylko wykona polecenie.

Wskazówka 189
Na początku dobrze jest dawać nagrodę, wzmacniając ją pochwałą słowną. Następnie ogranicz nagrody w postaci jedzenia,

ale nie przestawaj chwalić psa słowami i głaskaniem.

Wyprzedź reakcję psa

Wskazówka 190
Powiedz psu, żeby stał spokojnie, gdy widzi innego psa; powinieneś wydać to polecenie, zanim pies pociągnie smycz albo zostanie sprowokowany.

Błędy w szkoleniu

Szkolenie kilku psów równocześnie

Wskazówka 191
Tylko zawodowy treser może podejmować się szkolenia kilku psów równocześnie. Ogranicz się więc do szkolenia jednego zwierzęcia.

Utrwalanie zachowań

Wskazówka 192
Nagradzanie jest najlepszym sposobem utrwalania pozytywnych zachowań psa. Nagradzaj tylko poprawnie wykonane polecenia.

Wskazówka 193
Zebractwo jest zachowaniem

nagannym i nie powinieneś go tolerować.

Jak wydawać polecenia?

Wskazówka 194
Psy lepiej reagują na krótkie i zdecydowane polecenia, wzmocnione znakami optycznymi.

Wskazówka 195
Unikaj ciągłego powtarzania poleceń, bo może to zmylić psa.

Wskazówka 196
Zwróć na siebie jego uwagę, wołając go po imieniu.

Wskazówka 197
Ważny jest ton głosu.

Wskazówka 198
Uśmiechaj się, gdy jesteś zado-

wolony, i marszcz czoło, jeśli pies cię nie słucha.

Wskazówka 199
Stań wyprostowany, skupiając na sobie uwagę psa, i pokaż mu nagrodę jako zachętę.

Wyrażanie życzliwości

Wskazówka 200
Dodaj psu odwagi, przyjmując postawę aprobaty. Uśmiechnij się, mów do niego przyjacielskim i sugestywnym tonem, otwórz ramiona, aby go przytulić. Nie rób tego jednak zbyt ostentacyjnie.

Sposób wydawania komend

Wskazówka 201
Kiedy mówisz do psa „nie", niech ton twojego głosu będzie poważny i zdecydowany.

Wskazówka 202
Niektóre psy lepiej reagują na ostrzejszy ton głosu.

Wyrażanie dezaprobaty

Wskazówka 203
Jeśli pies cię nie słucha, nie denerwuj się, tylko przyjmij groźną postawę. Spójrz na niego zdecydowanie i udaj niezadowolonego, mówiąc „nie". Po-

stawa stojąca właściciela zawsze budzi u psa respekt.

Wskazówka 204
Jeśli twój pies należy do dominujących i najczęściej cię nie słucha, nie masz innego wyjścia, jak tylko udać się do zawodowego tresera.

Znaki ręką

Naucz psa reagowania na polecenia słowne połączone ze znakami dawanymi ręką.

Wskazówka 205
Jeśli pies jest daleko od ciebie, możesz go zawołać po imieniu, a następnie gestem.

W ten sposób na przykład pies się uczy, że prawa ręka właściciela wyciągnięta do góry oznacza polecenie „siad".

Rozumienie poleceń

Wskazówka 206

Psy lepiej reagują na krótkie i zdecydowane polecenia. Żeby uniknąć pomyłek, wybierz dla psa jedno- lub dwusylabowe imię, które nie jest podobne do żadnego potocznego słowa.

Wskazówka 207

Wybierz proste wyrażenie, np. „dobrze" albo „dobry pies", żeby potwierdzić poprawne wykonanie polecenia.

Znaczenie słowa „nie"

„Nie" jest najważniejszym słowem, jakie pies powinien rozumieć. Pozwoli mu to uniknąć niebezpieczeństw.

Wskazówka 208

Najważniejszą rzeczą podczas szkolenia jest wydawanie wszelkich komend w odpowiednim czasie.

Jeśli np. bojaźliwy pies wycofa się przed przeszkodą, która dla niego oznacza zagrożenie (choć w rzeczywistości tak nie jest), a ty będziesz starał się go uspokoić, mówiąc „dobrze", wyrazisz zgodę na jego zachowanie.

Wskazówka 209

W tej sytuacji powinieneś stanowczo powiedzieć „nie".

Mowa ciała

Pies zwraca uwagę na mowę ludzkiego ciała i orientuje się, że jesteś rozkojarzony albo że szkolenie cię nudzi.

Wskazówka 210

Bądź hojny w nagradzaniu i ekspresyjny w karceniu, starając się przez cały czas utrzymać na sobie uwagę psa.

Szkolenie poza domem

Kiedy dane polecenie pies poprawnie wykonuje w domu, przenieś treningi w spokojne miejsce na zewnątrz i powtarzaj szkolenie. Staraj się zawsze zachować pozycję dominującą, żeby nakłonić psa do posłuszeństwa.

Hałaśliwe otoczenie

Wskazówka 211

Ćwicz z psem w miejscach o coraz większym natężeniu hałasu. Powinien on wykonywać polecenia również w obecności innych psów.

Zabawa na zakończenie

Wskazówka 212

Staraj się zawsze kończyć szkolenie czymś, co sprawi psu radość i co potrafi wykonać. Baw się z nim, ale najlepszą nagrodę zachowaj na zakończenie treningu. Jeśli będziesz postępował w ten sposób, pies zechce jak najszybciej wykonać wszystkie polecenia, żeby ją uzyskać.

Wzmacnianie poleceń

Wskazówka 213
Poza godzinami szkolenia wymagaj tylko tego, co pies już umie. Gdy trzymasz go na smyczy i nie słucha polecenia, musisz wzmocnić komendę szarpnięciem za smycz.

Szkolenie nie zastąpi ruchu

Pies potrzebuje ruchu i zabawy z innymi psami, czego szkolenie mu nie zastąpi.

Wskazówka 214
Zapewnij psu wystarczająco dużo ruchu, zgodnie z wiekiem, rasą i temperamentem.

Początek nauki

Wskazówka 215
Młode psy uczą się szybciej, chętniej i nie mają złych przyzwyczajeń.

Wskazówka 216
Nie czekaj, aż szczeniak skończy sześć miesięcy, by nauczyć go podstawowych komend; powinieneś rozpocząć jego edukację od pierwszego dnia pobytu w twoim domu.

Wskazówka 217
Załóż mu odpowiednią obrożę, daj zabawki i wyznacz miejsce do spania i zabawy.

Wskazówka 218
Podstawą pierwszej lekcji będzie zapamiętanie godzin karmienia; wydawaj mu proste polecenia i nagradzaj posiłkiem.

Większość szczeniaków przybiega i siada, czekając na jedzenie, po kilku dniach nauki. Wprowadzaj powoli zwyczaje, które staną się codzienną rutyną dorosłego psa.

Nauka od szczeniaka

Jak tylko szczeniak pojawi się w domu, zacznij go uczyć.

Wskazówka 219
Zapoznaj go ze swoimi zasadami, zanim wprowadzi własne zwyczaje.

Wskazówka 220
Każdy członek rodziny powinien opiekować się szczeniakiem, zanim nauczy się on nosić obrożę i smycz, jeść z własnej miski, spać na swoim legowisku, przybiegać na wołanie i czekać na polecenie.

Wskazówka 221
Za szkolenie psa powinna być odpowiedzialna zawsze ta sama osoba.

Nauka posłuszeństwa

Wskazówka 222
W nowym domu szczeniak po-

winien nauczyć się posłuszeństwa względem każdego członka rodziny, ponieważ będzie mieszkać ze wszystkimi.

Nauka oczekiwania

Szczenię powinno się nauczyć, że najpierw jedzą ludzie, bo to oni są stroną dominującą.

Łagodna perswazja

Wskazówka 223
Aby nauczyć szczeniaka, że pewne zachowania są niedozwolone, najlepiej zastosować bodziec w postaci jedzenia.

Legowisko jako schronienie

Nie należy izolować szczeniaka od pozostałych domowników, dlatego że psy to

zwierzęta ciekawskie i towarzyskie, i mogą poczuć się odrzucone.

Wskazówka 224
Legowisko psa jest jego domem i zaleca się, aby umieścić je w miejscu, gdzie często przebywają inni członkowie rodziny, np. w kącie kuchni albo w salonie.

Najpierw ludzie

Naturalnie psy chcą być pierwsze we wszystkim, w przejściu przez drzwi, w wyjściu na ulicę itd.

Wskazówka 225
Naucz psa, że powinien przepuszczać cię pierwszego, a będzie cię respektował. Jeśli tego nie zrozumie, dalsza nauka może okazać się trudna.

Gryzienie z ciekawości

Szczenięta poznają najbliższe środowisko,

próbując i gryząc wszystko, co znajdzie się w ich zasięgu. Powinieneś jednak nauczyć swego psa dyscypliny, mówiąc mu srogo „nie".

Jak korzystać z klatki

Jeśli nauczysz szczeniaka korzystania z klatki, potraktuje ją jako swoje ulubione miejsce i własne terytorium.

Wskazówka 226
Klatka nie powinna być narzędziem kary. Prawidłowo zastosowana, przydaje się do szkolenia psa w domu, zmniejsza jego instynkty niszczycielskie i ułatwia wspólne podróżowanie.

Wskazówka 227
Aby oswoić psa z klatką, wyściel ją czymś miękkim, wstaw miskę z wodą, włóż jedną z ulubionych zabawek pupila i zostaw klatkę otwartą.

Wskazówka 228
Pokaż psu smakołyk i daj polecenie „do środka", zachęcając go do wejścia. Uważaj, żeby nie zamknęły się drzwiczki klatki, bo zwierzę może się przestraszyć. Pozwól mu wyjść, kiedy będzie chciało.

Wskazówka 229
Kiedy pies przyzwyczai się do klatki, chętnie będzie z niej korzystać bez polecenia.

Wskazówka 230
Wykorzystaj moment, gdy pies bawi się w klatce, i zamknij drzwiczki, po czym zaraz je otwórz, żeby go nie zdenerwować. Umieść klatkę w miejscu, gdzie najczęściej przebywają domownicy.

Wskazówka 231
Pies przyzwyczajony do klatki śpi w niej spokojnie i bezpiecznie. Nie powinieneś zamykać go w niej na dłużej niż kilka godzin. Radzimy, byś wcześniej pozwolił się psu wybiegać.

Niektóre psy, zwłaszcza te, które spędziły dużo czasu w schronisku albo zostały porzucone, nie lubią przebywać w zamknięciu. Jeśli jednak przyzwyczaimy psa do spania w klatce, będzie się czuł w niej bezpiecznie.

Wskazówka 232
Nauczenie psa, by przebywał w klatce, rozwiąże nam częściowo problemy z zabieraniem czworonoga w podróż. Podróżując we własnej klatce, będzie spokojniejszy w czasie drogi.

Klatka wyłożona gazetami to dobre miejsce do bezpiecznych zabaw szczeniaka.

Wychowywanie w domu

Bywa, że należy poświęcić więcej czasu na wychowywanie psa w domu. Weź to pod uwagę i bądź cierpliwy.

Wskazówka 233

Z dorosłym psem, który nigdy nie mieszkał w domu, postępuj jak ze szczeniakiem.

Wskazówka 234

Nie powinieneś karcić go za to, że nabroił w domu, ani krzyczeć na niego, jeśli załatwił tam swoje potrzeby, bo będzie się bał i uciekał przed tobą.

Wskazówka 235

Postaraj się przewidzieć, kiedy pies chce się załatwić, i zabierz go w odpowiednie miejsce. Najczęściej zdarza się to po jedzeniu lub zabawie albo zaraz po przebudzeniu. Następnie posprzątaj po psie.

▌Kontroluj czas

Pies bardzo pilnuje czystości w swoim kącie. Jeśli nie możesz go wyprowadzić, lepiej zamknij go w klatce i zostaw zabawkę, aby miał się czym zająć.

Wskazówka 236

Kontroluj czas, przez jaki pies jest zamknięty w klatce, i wyprowadź go, jak tylko będziesz mógł. Dopilnuj, aby klatka nie była dla niego ciasna.

▌Gazeta

Wskazówka 237

Uczenie psa załatwiania potrzeb na gazecie może przynieść odwrotny skutek, ponieważ praw-

dopodobnie nie będzie on odróżniać papieru od podłogi.

Wskazówka 238

Jak najszybciej naucz psa załatwiania się na dworze. Niech robi to w domu jedynie w wyjątkowych sytuacjach. Zostaw go wtedy w klatce, a kiedy już go z niej wypuścisz, postaw na gazetach.

Wskazówka 239

Jeśli pies uporczywie obwąchuje podłogę, zazwyczaj oznacza to, że chce się załatwić.

Wskazówka 240

Prawie w każdym sklepie zoologicznym można kupić rozpylacze ułatwiające naukę załatwiania się. Po spryskaniu danego miejsca jego zapach zachęca szczeniaka do oddania tam moczu.

1000
rad, jak **szkolić**
i wychowywać **psa**

Nagradzaj tuż po wykonaniu komendy

Wyprowadzając psa na ulicę, postaraj się zająć czymś jego uwagę, pokaż mu jedną z zabawek i dopilnuj, żeby się nie załatwił, zanim dotrzecie w wyznaczone miejsce. Kiedy zacznie się tam załatwiać, wydaj polecenie „pospiesz się", a potem go pochwal za prawidłowe zachowanie.

Rutynowe czynności

Wskazówka 241
Najczęściej pies chce załatwić swoje potrzeby po przebudzeniu, zaraz po posiłku albo po wyjściu z klatki. Pamiętaj, że trzymiesięczne szczenię sika zazwyczaj co trzy godziny.

Dobrze wychowany właściciel

Wskazówka 242
Gdy uczysz szczeniaka, bądź opanowany. Karcenie nie przyniesie pożądanych efektów, jeśli nie złapiesz winowajcy na gorącym uczynku.

Wskazówka 243
Zaskocz szczeniaka, gdy załatwia swoją potrzebę w domu; powiedz energicznie „nie" i zabierz go w przeznaczone do tego miejsce.

Aby uniknąć kłopotów, staraj się czuwać nad szczeniakiem przez cały czas. Jeśli to niemożliwe – lepiej zostaw go w klatce.

Odpowiedzialne postępowanie

Pamiętaj, że psie odchody są nie tylko zagrożeniem dla zdrowia publicznego ludzi i innych psów, ale psują estetykę środowiska naturalnego.

Wskazówka 244
Kiedy wyprowadzasz psa w miejsce publiczne, weź ze sobą łopatkę albo zwykłą plastikową torbę.

Przywoływanie

Przeprowadź ćwiczenie, gdy pies jest uważny i głodny. Podziel dzienną rację na dziesięć części i pokazując jedzenie, zachęć go, aby do ciebie przyszedł – zawołaj go po imieniu i wydaj polecenie „do mnie". Pamiętaj, żeby nie ganić psa, kiedy przyjdzie, ponieważ skojarzy to z nieprzyjemnym faktem.

Ćwiczenia w domu

Wybierz spokojne miejsce w domu, stań wyprostowany, tak żeby mieć wszystko pod kontrolą. Ze względu na wielkość dobrym miejscem jest przedpokój.

Trzymając w ręku kawałek jedzenia, tak żeby był widoczny, przywołaj szczeniaka po imieniu i powiedz „do mnie".

Jeśli wykona polecenie, pogratuluj mu entuzjastycznie, mówiąc „dobrze". Uginając kolana i otwierając ramiona, zachęć go, aby się do ciebie zbliżył.

Kiedy się zbliży, uklęknij, by znaleźć się na je-

go poziomie. Pochwal go ponownie, pogłaszcz i daj zasłużoną nagrodę.

Ćwiczenia na zewnątrz

Kiedy pies przybiega na wołanie w domu, poszukaj miejsca na zewnątrz, gdzie będzie bardziej rozproszony. Trzymaj go na długiej lince albo automatycznej smyczy, by mieć pewność, że przybiegnie i wykona polecenie.

Nie ciągnij za smycz, tylko nakłoń psa, żeby przybiegł po nagrodę. Jeśli się zagapi, delikatnym szarpnięciem smyczy zwróć jego uwagę. Najlepiej widoczną nagrodą będzie w tym wypadku zabawka.

▌Pies zmęczony

Psom, w szczególności szczeniakom, trudno jest utrzymać uwagę przez dłuższy czas i dlatego szkolenie jest dla nich męczące.

Wskazówka 245
Żaden trening nie powinien trwać dłużej niż piętnaście minut, żeby szczeniak się nie zmęczył.

Wskazówka 246
Możesz zaplanować trening tak, by poprzedzić go aktywnością fizyczną; dzięki temu pies będzie przygotowany do ćwiczeń psychicznie i fizycznie.

Wskazówka 247
Zmieniając miejsca ćwiczeń, utrzymasz uwagę psa przez cały czas treningu.

▌Brak koncentracji

Gdy pies traci zainteresowanie nagrodami w postaci jedzenia, spróbuj wprowadzić zmiany w żywieniu: zmniejsz mu liczbę posiłków, ale niech będą one obfitsze.

Wskazówka 248
Kiedy jedzenie nie pomaga, zmień rodzaj nagrody. Może to być piszcząca zabawka albo inna rzecz, którą lubi.

▌Upór

Jeśli pies jest bardzo uparty, pomóż sobie smyczą. Lekkimi szarpnięciami przypomnisz mu, że powinien cię słuchać i wykonywać wszystkie polecenia.

▌Siad

Gdy szczeniak prawidłowo reaguje na

wołanie, możesz go nauczyć siadać i się kłaść. By dobrze opanował to ćwiczenie, powinien być na smyczy, żebyś miał go pod kontrolą. Kiedy zacznie wykonywać polecenie rutynowo, można po raz pierwszy przeprowadzić całe ćwiczenie.

Stań przed psem i zacznij się oddalać, trzymając smycz w lewej ręce i duży kawałek jedzenia w prawej. Wydaj mu polecenie, żeby podszedł, i pokaż nagrodę.

Gdy szczeniak to zrobi, przesuń powoli prawą rękę nad jego głowę.

Wskazówka 249
Pies instynktownie usiądzie, żeby widzieć jedzenie. Gdy zobaczysz, że siada, szybko wydaj komendę „siad".

Polecenie to powinieneś wydać, najpierw stojąc przed psem, a następnie z boku. Ograniczaj powoli nagrody w postaci jedzenia, a w końcu chwal go jedynie słowami.

Co zrobić, jeśli pies nie chce siadać?

Wskazówka 250
Jeśli pies nie chce usiąść, uklęknij przy nim, chwytając mocno prawą ręką za obrożę, zegnij mu tylne łapy i jednocześnie wydaj polecenie „siad". Następnie daj mu nagrodę.

▌ Waruj

Wydaj psu polecenie „siad", uklęknij po jego prawej stronie i trzymaj smycz lewą ręką. Jedzenie, które masz w prawej, przenieś tuż nad nos psa, a następnie powoli opuszczaj do dołu.

Kiedy nos podąży za jedzeniem, przesuń je do przodu, trzymając przed psem. Jak tylko zacznie się on kłaść, daj polecenie „waruj".

Przesuwaj cały czas smakołyk do przodu, aż pies się całkiem położy. Poklep go i daj mu smakołyk, który trzymasz w dłoni. Powtarzaj ćwiczenie, aż szczeniak będzie je wykonywał tylko na polecenie słowne.

Co zrobić, jeśli pies nie chce warować?

Wskazówka 251
Uklęknij przy psie, mając go po lewej stronie. Chwyć go za przednie łapy i unieś, tak jakby miał prosić. Z tej pozycji

opuszczaj go, przesuwając stopniowo do przodu, aż się położy. W nagrodę daj mu smakołyk.

Co zrobić, jeśli pies za szybko wstaje?

Wskazówka 252
Jeśli szczeniak chce wstać przed zakończeniem ćwiczenia, powstrzymaj go, naciskając delikatnie na krzyż. Po kilku sekundach puść, mówiąc zdecydowanym tonem „dobrze" lub „dobry pies".

Chodzenie bez smyczy

Ćwiczenia na dworze przynoszą wiele radości, zwłaszcza gdy pies idzie prawidłowo przy nodze bez smyczy.

Wskazówka 253
Na ogół bardzo łatwo można nauczyć szczeniaka chodzenia bez smyczy, ponieważ jest on gotowy ochoczo podążać za właścicielem. Większość szczeniąt idzie również za zapachem smakołyku – dobrze więc jest mieć go w ręku dla zachęty.

Przytrzymaj szczeniaka na smyczy po swojej lewej stronie, a prawą ręką pokaż mu jedzenie. Zwróć na siebie uwagę, wołając go po imieniu.

Idąc wzdłuż linii prostej ze szczeniakiem, który podąża za nagrodą, powiedz „noga". Lewa ręka pozostaje opuszczona, gotowa do chwycenia psa za obrożę.

Wydaj polecenie „stój" i uklęknij po prawej stronie psa, trzymając smakołyk nisko, tak by pies nie poszedł dalej. Obejmij go, kładąc mu lewą rękę pod brzuchem, żeby się nie mógł przemieszczać.

Wstając, trzymaj smakołyk przed nosem psa i obróć się w prawo, powtarzając komendę „noga". Szczeniak powinien szybko zwrócić się w tym samym kierunku.

Aby skręcić w lewo, poprowadź psa za obrożę, trzymając ją lewą ręką. Jednocześnie wydaj komendę „noga".

Trzymaj smakołyk nisko w prawej ręce i przesuń go w lewą stronę. Szczeniak powinien pójść za smakołykiem.

Pytania i odpowiedzi

Co zrobić, jeśli pies jest zdekoncentrowany?

Wskazówka 254
Jeśli pies nie może się skoncen-

trować, ustaw go w prawidłowej pozycji, trzymając mocno lewą ręką za obrożę.

Co zrobić, jeśli nie słucha?

Wskazówka 255
Jeśli pies nie reaguje na bodźce w postaci jedzenia, spróbuj zwrócić jego uwagę za pomocą ulubionej zabawki.

Wskazówka 256
W celu zapewnienia posłuszeństwa stosuj długą linkę.

Co zrobić, jeśli skacze?

Wskazówka 257
Aby powstrzymać psa przed skokiem, przytrzymaj go lewą ręką za obrożę i pokaż nagrodę, trzymając ją w opuszczonej prawej ręce.

Co zrobić, jeśli jest obojętny?

Wskazówka 258
Jeśli szczeniak nie jest zainteresowany nagrodą w postaci jedzenia, spróbuj go zachęcić np. piszczącą zabawką. Sesje szkoleniowe powinny trwać nie dłużej niż 10 minut i zawsze kończyć się zabawą.

Chodzenie na smyczy

Od ciebie zależy bezpieczeństwo i dobre samopoczucie psa. Nie można mu pozwolić na swobodne bieganie bez smyczy, chy-

ba że pod nadzorem, w miejscu do tego przeznaczonym.

Wskazówka 259
Jeśli nauczyłeś szczeniaka poprawnego wykonywania komend „siad" i „waruj" na smyczy, a ponadto chodzi on przy twoim boku bez smyczy, możesz przystąpić do nauki chodzenia na uwięzi, tak by nie ciągnął.

1. Zacznij od nauki w domu. Pozwól, aby szczeniak zobaczył i obwąchał smycz. Następnie przypnij mu ją do obroży, która powinna być tak dopasowana, by czuł się w niej wygodnie.

2. Mając szczeniaka po lewej stronie, przytrzymaj koniec smyczy razem ze smakołykiem w prawej ręce. Lewa ręka trzyma luźno smycz. Wydaj komendę „siad".

3. Idź naprzód, stawiając najpierw lewą nogę. Jeśli szczeniak idzie przy nodze, wydaj komendę „równaj". Jeśli próbuje cię wyprzedzić, przesuń lewą rękę tak, żeby smycz była bardziej naprężona, i szarpnij nią lekko do tyłu. Powtórz to kilkakrotnie.

4. Gdy szczeniak idzie równo przy nodze, daj mu nagrodę i powiedz „dobrze". Następnie wydaj polecenie, aby usiadł, i jeśli to zrobi, powtórz pochwałę „dobrze". Jeśli pies wykonuje poprawnie całą sekwencję poleceń, zwiększaj stopniowo pokonywaną odległość.

5. Jeżeli szczenię chodzi przy nodze i posłusznie wykonuje komendę podczas przechodzenia z nim z pokoju do pokoju, możesz przystąpić do nauki skrętu w prawo. Prowadź psa lewą ręką, wydając polecenie „równaj".

6. Żeby poprawnie wykonać skręt w lewo, przyspiesz kroku, przytrzymując smakołyk przed nosem psa, aby szedł trochę wolniej. Pies powinien iść cały czas przy twoim lewym boku. Jeśli zwolni za bardzo, wydaj komendę „równaj".

Pytania i odpowiedzi

Co zrobić, jeśli szczeniak wspina się po smyczy?

Wskazówka 260

Jeśli pies próbuje skakać ci do twarzy albo wspinać się, powiedz stanowczym głosem „nie" albo „nie wolno". Odsuń się, każ mu siąść i rozpocznij ćwiczenie od początku.

Wskazówka 261
Nie ćwicz z nim w trakcie spaceru, ponieważ najprawdopodobniej będzie rozproszony. Ucz go w domu, a następnie kontynuuj naukę w miejscu bardziej ruchliwym.

Co zrobić, jeśli ciągnie podczas chodzenia na smyczy?

Wskazówka 262
Ty i twój pies powinniście skupić uwagę na ćwiczeniu. Nie krzycz na niego. Psom, które są nieposłuszne, należy założyć specjalną obrożę.

Co zrobić, jeśli nie chce się ruszyć?

Zachęć go łagodnie, pokazując ulubioną piszczącą zabawkę.

Wskazówka 263
Nie zostawiaj go ani się nie denerwuj. Zdobądź jego zaufanie pochwałami.

Odpowiednie zabawki

Szczenięta gryzą różne rzeczy, poznając w ten sposób otaczający je świat. Jeśli zachęcisz psa do gryzienia przeznaczonych do tego zabawek, unikniesz zniszczenia innych przedmiotów znajdujących się w domu.

Zabawka do gryzienia

Jeśli chcesz przygotować psu zabawkę do gryzienia, wysmaruj serem wnętrze wygotowanej wcześniej kości. Daj ją psu,

a zobaczysz, że będzie próbował wydostać ser ze środka. Możesz mu zostawić zabawkę, aż wyliże ser do końca. Taka kość jest idealna do zabawy, gdy pies zostaje sam w domu. Schowaj zabawkę w obecności pupila. Psy uczą się, że zabawki należą do ich właścicieli i że tylko czasami mają do nich dostęp.

Wskazówka 264
Psy są bardzo zaborcze, jeśli chodzi o zabawki. Staraj się, żeby twój pies o nie nie walczył.

Wskazówka 265
Nie dawaj psu do zabawy starych ubrań ani kapci. Jeśli mu je zostawisz, będzie myśleć, że może robić to samo z każdą rzeczą. Psy nie rozróżniają, co jest nowe, a co stare.

Spotkanie z innymi ludźmi

Osoby, które mogą przestraszyć psa

Mężczyzna z brodą, w kapeluszu lub ktoś o innym kolorze skóry niż właściciel zwierzęcia może je przestraszyć.

Wskazówka 266
Porozmawiaj ze znajomymi i zaaranżuj wspólne spotkanie z psem. Nagródź psa, jeśli okaże ciekawość, ale zachowa się spokojnie.

Pozytywne zbliżenie

Poproś dzieci, aby spokojnie podeszły do psa i pogłaskały jego bok. Pochwal psa słowami lub smakołykiem, jeśli będzie spokojny.

Kontakt poza domem

Wskazówka 267
Przyzwyczaj psa do poznawania nowych osób – najpierw w domu, a następnie poza nim. Takie postępowanie przygotuje go na kontakt z ludźmi, którzy będą chcieli go pogłaskać bez zapytania o pozwolenie.

Wskazówka 268
Poproś znajomych, żeby powitali szczeniaka, kucając, tak by go nie wystraszyć.

Poproś jednego ze znajomych, żeby dał psu smakołyk. W ten sposób nauczy się akceptować zbliżające się do niego inne osoby.

Szkolenie zaawansowane

Kiedy twój pies opanuje podstawowe komendy, możesz go nauczyć równego chodzenia przy nodze, dawania głosu na komendę, celowego dotykania i przynoszenia przedmiotów oraz dobrego zachowania w stosunku do dzieci i zwierząt.

Wskazówka 269
Pamiętaj, że niektóre psy trudniej wyszkolić. Ucz psa w najprostszy sposób, sprawdzając, czy potrafi się zachować w towarzystwie innych psów i ludzi.

Wskazówka 270
Obrożę i smycz należy dopasować do wielkości i temperamentu psa.

Chociaż najłatwiej uczyć szczenię, można wyszkolić również dorosłego psa – zajmie to tylko trochę więcej czasu. W obu przypadkach rezultatem będzie dobrze wyszkolony towarzysz, któremu można zaufać.

Panowanie nad psem

Bardzo ważne jest, byś wyszedłszy z nim na ulicę, panował nad swym czworonożnym przyjacielem. Zazwyczaj psy bardzo dobrze reagują na kolczatkę jako środek karcenia. Niektóre muszą jednak nosić szelki lub kaganiec.

Kolczatka

1. Upewnij się, że założyłeś ją poprawnie, płaską stroną na zewnątrz.

2. Aby zacisnąć kolczatkę, należy pociągnąć za smycz, co przeważnie przynosi odpowiedni efekt, nie czyniąc zwierzęciu krzywdy. Nie używaj obroży tego typu, jeśli pies ma delikatną tchawicę.

Rodzaje szelek

Prowizoryczne: przełóż smycz przez przednią część klatki piersiowej psa i umocuj na grzbiecie. W ten sposób będziesz mógł go utrzymać, gdy się wystraszy lub niespodziewanie skoczy.

Gotowe: jeśli zostaną poprawnie założone, będziesz mógł zapanować nad psem dzięki uciskowi na klatkę piersiową.

Wskazówka 271
Szelki przydają się w przypadku ras o słabej tchawicy – jak yorkshire terrier, i o umięśnionej szyi – jak mops.

Kagańce treningowe (typu uzda)

1. Załóż kaganiec, przytrzymując jedną ręką szczękę psa, tak aby unieść mu łeb.

2. Zapnij kaganiec psu na szyi, uważając, żeby go za mocno nie ściągnąć. Kaganiec

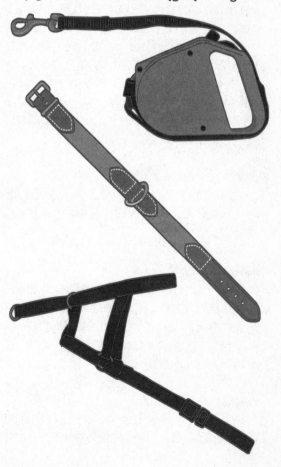

jest założony poprawnie, jeśli po zapięciu możesz włożyć między pasek a szyję zwierzęcia dwa palce.

3. Przyczep smycz do pierścienia kagańca umieszczonego pod dolną szczęką psa. Jeśli pies zacznie ciągnąć, pociągnięcie smyczy popchnie jego głowę ku dołowi i zamknie mu pysk.

4. Zbliżenie ramienia do boku zwierzęcia sprawia, że zwalnia ono aż do zajęcia prawidłowej pozycji obok ciebie.

Zakładanie kagańca

Wskazówka 272
Uklęknij obok psa i załóż kaganiec, zaczynając od dolnej strony pyska. Po umieszczeniu kagańca we właściwej pozycji pociągnij lekko za paski w kierunku szyi psa i zapnij je, przemawiając do niego łagodnie i uspokajająco.

Wskazówka 273
Sprawdź, czy kaganiec jest dopasowany, tak żeby nie uwierał psa.

Wskazówka 274
Pies w kagańcu powinien móc otworzyć pysk i swobodnie ziajać. Na początku będzie prawdopodobnie próbował go zdjąć. Nie pozwól mu na to.

Wskazówka 275
Zajmij go czymś i nie zdejmuj kagańca, aż się trochę uspokoi.

Pies w kagańcu nie powinien długo pozostawać sam.

Kaganiec nie tylko ogranicza niebezpieczeństwo ugryzienia i nie pozwala na grzebanie w śmieciach, ale równocześnie przypomina psu, „kto tu rządzi".

„Siad", „zostań"

Komendy „siad" i „zostań" przydają się, gdy jesteśmy z psem na dworze. Rozpocznij naukę w jakimś spokojnym miejscu w domu i ogranicz lekcję do 15 minut.

Wskazówka 276
Kiedy pies wykonuje poprawnie polecenia słowne, możesz przejść do nauki komend dawanych ręką.

1. Mając psa po lewej stronie, przytrzymaj automatyczną smycz lewą ręką na wysokości pasa, a do prawej weź smakołyk. Gdy pies usiądzie, aby mu się przyjrzeć, wydaj energicznie komendę „siad".

2. Utrzymując napięcie smyczy, zrób prawą nogą krok w przód i w tym momencie powiedz psu „zostań".

3. Zachowując z nim kontakt wzrokowy, podnieś lewą nogę i dostaw do prawej.

4. Odwróć głowę, przez cały czas utrzymując lekko napiętą smycz nad łbem psa. Przyciągaj jego uwagę trzymanym w górze smakołykiem.

5. Daj psu nagrodę, jeśli pozostanie na miejscu. Przespaceruj się spokojnie wokół psa, unosząc smycz nad jego łbem. Wydawaj jak najmniej poleceń, żeby się nie pogubił.

6. Po kilku powtórzeniach pies będzie siadał i zostawał samodzielnie, ze smyczą.

Odepnij psu smycz i powtórz kolejno pięć opisanych wcześniej kroków, chwaląc go za każde poprawnie wykonane polecenie.

7. Daj mu nagrodę, jeśli jest posłuszny i zostaje na miejscu bez smyczy. Ważne jest, żeby dawać nagrodę po wykonaniu polecenia, a nie po zmianie pozycji.

8. Po nagrodzeniu psa przywołaj go, zwracając się w jego kierunku z otwartymi ramionami i mówiąc „dobrze" lub „dobry pies".

Co zrobić, jeśli pies zmieni pozycję

Jeśli uczysz psa zupełnie nowego języka, nie oczekuj, że natychmiast zrozumie komendę. Daj mu na to trochę czasu.

Wskazówka 277
Jeśli nie siądzie na polecenie i nie zostanie na miejscu, oczekując na nagrodę, chwyć go lewą ręką za obrożę, a prawą zegnij mu tylne łapy.

„Do mnie"

Nauczenie psa natychmiastowego przychodzenia na komendę jest niezmiernie ważne dla jego bezpieczeństwa.

Szczeniak zazwyczaj sam przychodzi w po-

szukiwaniu bezpieczeństwa, dorosłego psa trzeba tego nauczyć.

Opanowanie przez psa komendy „do mnie" daje satysfakcję, gdyż świadczy o zdobyciu zaufania naszego przyjaciela.

1. Na początku pies powinien się nauczyć siadania i zostawania na miejscu. Trzymając w lewej ręce smycz, a w prawej smakołyk, wydaj komendę „zostań" i się oddal.

2. Odwróć się twarzą do psa i, przytrzymując smycz, pokaż mu nagrodę. Zawołaj psa po imieniu i wydaj komendę „do mnie".

3. Gdy do ciebie przyjdzie, wydaj mu polecenie „siad". Wiele psów usiądzie spontanicznie, aby nie stracić nagrody z oczu. Jednak polecenie należy i tak wtedy wydać.

4. Gdy pies już przychodzi na smyczy o normalnej długości, przeprowadź ćwiczenie po jej wydłużeniu. W tym wypadku lepszą nagrodą będzie zabawka.

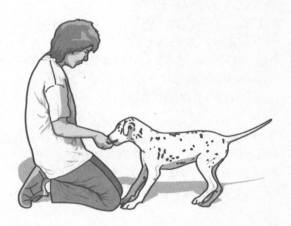

5. Po opanowaniu przez psa komend „do mnie" i „siad" daj mu zabawkę i pochwal go.

6. Ze smyczą na ramieniu i zabawką w kieszeni zawołaj psa i wydaj komendę „siad". Przejdź do tej części ćwiczenia, gdy pies już przychodzi do ciebie na długiej smyczy z dość dużej odległości.

„Waruj"

Nauczenie psa, żeby kładł się zawsze, kiedy chcesz, przydaje się zwłaszcza poza domem, gdzie czyha wiele niebezpieczeństw, na przykład na drogach. Pies uczy się wtedy także, że to ty panujesz nad sytuacją.

Wskazówka 278
Komenda „waruj" może być wykonana dwojako: pierwszy sposób to „sfinks", gdy tylne kończyny są ułożone równolegle do ciała. Drugi – „na płask", gdy pies tylną częścią ciała leży nieco na jednym boku.

Wskazówka 279
Łatwiej nauczyć psa kłaść się w domu lub w ogrodzie. Gdy już opanuje to ćwiczenie, można udać się z nim do bardziej ruchliwego miejsca.

1. Mając psa na smyczy po lewej stronie, każ mu usiąść. Uklęknij przy nim i przytrzymaj smycz między kolanami. Chwyć obrożę lewą ręką, a w prawej trzymaj smakołyk.

2. Pozwól psu powąchać nagrodę ukrytą w zamkniętej pięści. Spowoduje to, że będzie uważny, a ty tymczasem pilnuj, aby nie wysunął łba do przodu.

3. Przesuń prawą rękę w dół, a następnie w przód, pomiędzy przednimi łapami psa. Kiedy pies się położy, aby dosięgnąć nagrody, wydaj komendę „waruj".

4. Gdy ją wykona, daj mu smakołyk. W tym momencie nie jest ważne, jaką pozycję przyjmie pies; ważne jest, by była wygodna.

▌Pytania i odpowiedzi

Jak wzmocnić komendę „waruj"?

Wskazówka 280
Jeśli pies chce się podnieść, zanim wydasz mu odpowiednie polecenie, szybko chwyć obrożę i pociągnij w dół. Ruch ten przeciwdziała zamiarowi psa. Zwracaj się przy tym do niego dobitnie i surowo.

Wskazówka 281
Kiedy pies ponownie się położy, powtórz komendę „waruj". Nie powinien zmienić tej pozycji, aż do momentu gdy mu na to pozwolisz słowami „dobrze" lub „dobry pies".

Co zrobić, gdy pies jest niezdecydowany?

Wskazówka 282
Gdy pies nie reaguje na bodziec w postaci jedzenia, spróbuj zmienić nagrodę. Użyj ulu-

bionej zabawki do gryzienia.

Wskazówka 283
Nigdy nie zmuszaj psa do leżenia siłą albo gdy nie chce, żeby go dotykać. Jeśli jest to osobnik dominujący, działaj tylko za pomocą nagród. Gdy i te metody zawiodą, nie zastanawiaj się dłużej, tylko udaj się do profesjonalisty. Jest to lepsze rozwiązanie niż nauka złych nawyków.

Wskazówka 284
Nie zadawaj psu bólu. Nie naciskaj na najbardziej wrażliwe części ciała psa, jak nerki, klatka piersiowa, pęcherz i okolice wątroby.

„Waruj, zostań"

Wskazówka 285
Skakanie na ludzi i zapalczywy pościg za nimi to naturalne czynności psa. Mogą być jednak uciążliwe, a nawet niebezpieczne, dla przechodniów i samego zwierzęcia.

Wskazówka 286
Ucząc psa komendy „waruj, zostań", możesz uniknąć tych niefortunnych zachowań.

Wskazówka 287
Naucz psa wykonywania tej komendy również na sygnał ręką, by mógł ją także zrozumieć z daleka.

1. Mając psa przy lewym boku i w pozycji „waruj", wydaj komendę „waruj, zostań". Trzymając smycz w prawej ręce, lewą skieruj w kierunku psa i zacznij się oddalać.

2. Utrzymuj kontakt wzrokowy z psem i pamiętaj, żeby nie napinać smyczy, gdy zwiększasz odległość.

Wskazówka 288

Nie dawaj psu nagród w postaci jedzenia, gdy uczysz go zostawania na miejscu, bo będzie przybiegał po nie do ciebie.

3. Utrzymując w dalszym ciągu kontakt wzrokowy, zatrzymaj się i powtórz „zostań". Pochwal go, mówiąc „dobrze". Powtarzaj to, wydłużając czas ćwiczenia, aż pies będzie zostawał w tej pozycji przez kilka minut.

4. Jeśli pies opanował ćwiczenie w twojej obecności, spróbuj je wykonać, oddalając się od niego o trzy kroki, a następnie wychodząc z pokoju. Sprawdź, czy zachował właściwą pozycję, kontrolując ją w przygotowanym po to lustrze.

5. Wróć po kilku minutach i pochwal go, mówiąc „dobrze". Rób to spokojnie, bez zbędnych ruchów. Przez cały czas ćwiczenia pies nie powinien zmienić pozycji. Staraj się go nie pobudzać i nie nagradzaj, jeśli się ruszył z miejsca.

6. Pozwól psu zmienić pozycję, mówiąc „dobrze" lub „dobry pies". Nie przesadzaj z pochwałami, bo nagradzając zwierzę, pobudzisz je i będzie chciało skończyć tylko to ćwiczenie, a pozostałe zlekceważy.

Wskazówka 289

Powinieneś nauczyć psa pozostawania w pozycji leżącej w każdej sytuacji, co gwarantuje bezpieczeństwo wam obu, a jednocześnie jest przykładem posłuszeństwa.

Pytania i odpowiedzi

Co zrobić, jeśli pies nie wykona polecenia?

Wskazówka 290

Jeśli zauważysz w lustrze, że pies zmienia pozycję, wróć do pokoju i poruszaj się po nim tak, by pies cię widział, leżąc.

Jak odwrócić uwagę psa?

Wskazówka 291

Aby przygotować psa do szkolenia w otoczeniu, w którym jest wiele czynników rozpraszających, staraj się robić hałas, obserwując jednocześnie psa w lustrze.

Wskazówka 292

Jeśli pies zaczyna się ruszać, wróć i powtórz komendę „waruj, zostań". Nie popełnij przy tym błędu i nie biegnij w stronę psa ani się na niego nie złość, ponieważ tylko go niepotrzebnie pobudzisz.

Pozostawanie w pozycji leżącej

Nauczenie psa pozostawania przez dłuższy czas w pozycji leżącej przynosi wiele korzyści zarówno tobie, jak i jemu. Możesz go zabierać na zakupy albo nawet do pracy, pewien, że kiedy wydasz mu komendę, będzie na ciebie czekać w tej samej pozycji, aż po niego wrócisz.

Wymaga to cierpliwości, jednak czas i wysiłek poświęcony na naukę sprawi, że pies stanie się przyjacielem godnym zaufania.

1. Przyprowadź psa, usiądź w fotelu i wydaj mu komendę „waruj, zostań". Nie napinaj smyczy.

2. Jeśli pies będzie chciał się ruszyć, chwyć za obrożę i szarpnij, tak aby wrócił do poprzedniej pozycji. Powiedz „nie" i powtórz komendę „waruj, zostań".

3. Gdy pies po kilku minutach ponownie chce wstać, powinieneś natychmiast zareagować. Powiedz „nie", jak tylko zacznie się podnosić, i powtórz zdecydowanie komendę „waruj, zostań".

4. Po chwili zwierzę ułoży się wygodniej. Psu łatwiej jest się poderwać z pozycji „sfinks", więc jeśli się położy „na płask", to znaczy, że zaakceptował polecenie.

5. Po dwudziestu minutach pies będzie ciągle leżał i odpoczywał.

Wskazówka 293
Zwiększaj stale długość tego ćwiczenia, aż do momentu, gdy będziesz całkowicie pewny zachowania psa.

Ważne uwagi

Psy przejawiające chęć dominacji

Wydając zdecydowanie komendę „waruj, zostań", pokazujesz psu, „kto tutaj jest panem", i dajesz mu do zrozumienia, że powinien się podporządkować.

Uczysz go również, żeby spokojnie leżał.

Wskazówka 294
Jeśli pies ma dominujący charakter, powinieneś powtarzać ćwiczenie co najmniej raz dziennie, żeby czuł przed tobą respekt.

Jest to ćwiczenie niezbędne, jeśli nie chcemy, by pies straszył dzieci, kradł jedzenie czy skakał ludziom do twarzy.

Może się wydawać trudne i nużące, ale twój przyjaciel wkrótce da się łatwo opanować.

Poskromienie szczekania

Szczekający pies chroni i służy jako świetny alarm. Powinieneś decydować, kiedy

może szczekać, a kiedy ma zachować spokój.

Wskazówka 295
Jeżeli pies pojmie, że powinien szczekać tylko w specyficznych sytuacjach, będziesz mógł również nauczyć go szczekania na komendę lub na odgłos niektórych dźwięków, jak alarm przeciwpożarowy lub hałas za oknem. Nagradzaj go na początku smakołykami lub zabawkami; później – tylko słowem.

1. Przywiąż smycz do parkanu bądź słupka i stań w odległości około jednego metra od psa. Pokaż mu zabawkę, ale jej nie dawaj. Kiedy zawiedziony zacznie szczekać, daj mu nagrodę w postaci jedzenia.

2. Odłóż zabawkę i zmień nagrodę: zamiast dawać jedzenie, powiedz „dobrze", gdy zaszczeka. Od czasu do czasu jednak nagradzaj go smakołykiem.

3. Jak tylko zaszczeka, wydaj mu komendę „daj głos", a nagrodą niech będzie zabawka.

Wskazówka 296
Bardzo ważne jest w tym wypadku, by wydać komendę w odpowiednim czasie. Jeśli obserwujesz mowę ciała psa, będziesz umiał przewidzieć, kiedy zamierza zaszczekać.

4. Kiedy zrozumie polecenie „daj głos", wydaj mu komendę „spokój", gdy będzie szczekał. Daj zabawkę, jak tylko przestanie, ale zatrzymaj ją, gdy nie posłucha.

5. Jeśli będzie już szczekał lub milkł blisko ciebie, odsuń się dalej.

Powtarzaj cierpliwie ćwiczenie od początku, aż zacznie je wykonywać poprawnie.

6. Wróć do psa i nagródź go ulubioną zabawką. Powtarzaj ćwiczenie dotąd, aż będzie je wykonywać bezbłędnie, dając mu od czasu do czasu nagrodę. Pies przez cały czas powinien być uwiązany. Następnie odwiąż go i kontynuuj naukę, tym razem bez uwięzi.

Dodatkowa wersja ćwiczenia

Jeśli pies reaguje na jedzenie, pokaż mu przed nosem smakowitą kanapkę. W chwili gdy zaszczeka, powiedz „spokój", a gdy przestanie, nagródź jedzeniem. Nie powinien dostać nagrody, dopóki nie przestanie szczekać.

Nauka celowego posługiwania się łapą

Jeśli nauczysz psa, żeby celowo dotykał łapą określonych przedmiotów, będzie to świadczyło o jego zręczności. Jest to wykorzystanie sposobu, w jaki porozumiewają się psy. Gest ten przypomina „podanie ręki". To wartościowa zabawa, gdyż podnoszenie łapy jest dla psa gestem podporządkowania się. Uczestnicząc w niej, potwierdzasz swoją pozycję przewodnika stada.

1. Mając psa po swojej lewej stronie, każ mu usiąść. Przyklęknij z boku, lewą ręką przytrzymaj go za obrożę, a prawą pokaż nagrodę.

2. Przesuń prawą rękę do dołu, do wysokości przednich łap. Przytrzymuj psa za obrożę, żeby się nie położył.

3. Zbliż smakołyk do łap psa. Kiedy pies podniesie jedną z nich, włóż pod nią zaciśniętą pięść i powoli podnoś do góry. Przez cały czas przytrzymuj psa za obrożę.

4. Podnieś łapę psa, trzymając ją opartą na pięści, i wydaj komendę „łapa".

Wskazówka 297
Daj mu nagrodę. Powtórz ćwiczenie, mówiąc „łapa", zamiast nagradzać posłuszeństwo psa.

5. Kiedy pies za każdym razem podnosi już łapę do twojej ręki równocześnie z wydaniem polecenia słownego, pokaż mu jakiś przedmiot i schowaną za nim nagrodę.

6. Wydaj mu komendę „łapa" i nagródź, jeśli dotknie przedmiotu znajdującego się przed nagrodą. Będzie to punkt wyjściowy do zabaw z celowym dotykaniem przedmiotów, co może się okazać pożyteczne w wielu sytuacjach.

Zabawa w celowe dotykanie przedmiotów

Wskazówka 298
Kiedy pies opanuje dotykanie łapami przedmiotów na twoje polecenie, można go nauczyć otwierania drzwi i wielu gier stymulujących jego psychikę.

Natrętne dotykanie łapą

Wskazówka 299
Jeśli pies zbyt często chce zwrócić na siebie uwagę, zaczepiając cię łapą, powiedz zdecydowanie „nie" i każ mu leżeć. Jest to jednak sygnał, że pies się nudzi.

Chodzenie przy nodze

Pamiętaj, że zanim przystąpisz do nauki, pies musi poprawnie reagować na komendę „siad". Rozpocznij szkolenie w pokoju, tak aby wam nic nie przeszkadzało. Skierujcie się powoli w stronę drzwi. Nie mogą to być drzwi wejściowe do domu. Następnie wprowadzaj kolejno różne bodźce, które będą psa rozpraszać, gdy będzie się starał dojść spokojnie do drzwi.

Wskazówka 300
Jeśli pies jest silny lub niesforny, załóż mu kaganiec treningowy, żeby łatwiej nad nim zapanować. Staraj się nie powtarzać za często komendy „równaj".

1. Rozpocznij szkolenie, mając psa w pozycji siedzącej po lewej stronie, na długiej smyczy trzymanej w prawej ręce. Do tej samej ręki weź nagrodę. Lewą ręką przytrzymuj smycz blisko obroży.

2. Jeśli pies potrafi przejść spokojnie dwadzieścia kroków, użyj nagrody, aby go nakłonić do skrętu w prawo.

3. Chwyciwszy smycz krótko przy obroży i lekko powstrzymując psa lewą nogą, przyspiesz kroku, równocześnie hamując nieco psa, żeby skręcić w lewo.

4. Teraz możesz wykonywać obroty. Podczas całkowitego obrotu zachęcaj psa smakołykami, wołaj go po imieniu i wydawaj komendę „równaj".

Chodzenie przy nodze bez smyczy

Po opanowaniu chodzenia przy nodze na smyczy powtórz ćwiczenie bez smyczy.

Wskazówka 301
Przerzuć smycz przez ramię i weź do ręki nagrodę.

Mając psa przy lewej nodze, w prawej ręce trzymając nagrodę, wydaj psu komendę „równaj" i poprowadź go w prawo.

Wskazówka 302
Pokaż psu nagrodę, którą trzymasz w prawej dłoni, wyciągnąwszy rękę przed siebie. Nie pozwól mu skręcić w prawo, przytrzymując go lewą stopą i wydając komendę „równaj".

Pies będzie szedł wolniej, żeby być bliżej nagrody.

Trzymanie przedmiotów w pysku

Jedną z wesołych zabaw jest przynoszenie przedmiotów. Zanim do tego przejdziemy, pies powinien opanować trzymanie ich w pysku.

Nie polecamy piszczących zabawek, ponieważ pies będzie chciał je gryźć. Weź zwinięty kawałek dywanu albo specjalny koziołek, dostępny w sklepach z psimi akcesoriami. Ogranicz się do pochwał słownych i pieszczot, gdyż pies powinien przez ten czas trzymać przedmiot w pysku.

Trzymanie przedmiotu

1. Przyklęknij obok psa, który powinien przyjąć pozycję siedzącą. Przytrzymaj smycz między kolanami i prawą ręką obejmij łeb psa.

Wskazówka 303
Delikatnie otwórz psu pysk i powiedz „dobrze". Opuść żuchwę z wyczuciem, pomagając sobie kciukiem.

2. Pokaż psu koziołek, który ma przynieść, ale mu go nie dawaj. Jeśli jest obrażony albo zdenerwowany, przytrzymaj mu łeb w górze i włóż koziołek do pyska, mówiąc przy tym „trzymaj".

3. Pies powinien go trzymać z własnej woli i we właściwy sposób: tuż za kłami i językiem ułożonym z tyłu. Entuzjastycznie pochwal psa, mówiąc „dobrze", i pieszczotliwie go pogłaszcz.

Podnoszenie przedmiotu

1. Teraz możesz nauczyć psa podnoszenia koziołka z ziemi. Zwróć uwagę psa na koziołek, trzymając go tuż przed jego nosem.

2. Opuszczaj koziołek niżej. Pies powinien być nim zainteresowany i śledzić go uważnie wzrokiem. Pochwal psa, mówiąc „dobrze".

3. Połóż koziołek na ziemi, ale go nie puszczaj. Powiedz „weź", gdy pies się nachyli, aby go wziąć do pyska.

4. Odsuń rękę od koziołka, by pies mógł go chwycić. Równocześnie powtórz „weź", żeby pies go nie wypuścił.

Pytania i odpowiedzi

Co zrobić, jeśli pies upuszcza koziołek?

Wskazówka 304
Jeżeli pies próbuje upuścić koziołek, powiedz „nie" i postaraj się włożyć mu go do pyska. Nie wydawaj komendy „weź", ponieważ skojarzy to z poleceniem trzymania tego, czego nie lubi. Powtórz ćwiczenie jeszcze raz.

Co zrobić, jeśli pies nie chce ponownie podnieść koziołka?

Wskazówka 305
Jeśli pies odsuwa łeb od koziołka, trzymaj go cały czas przed jego nosem, podążając ręką za pyskiem zwierzęcia.

Co zrobić, jeśli psu trudno utrzymać koziołek?

Wskazówka 306
Psy niektórych ras, np. szpice czy boksery, mają krótkie szczęki, dlatego powinny trzymać koziołek przed kłami, a nie z tyłu, jak inne.

Przynoszenie przedmiotów

Gdy pies już potrafi jakąś rzecz trzymać i podnosić z ziemi, naucz go jej szukać i ją przynosić.

Wskazówka 307
Ucząc pupila, używaj piszczącej

zabawki i pozwól, żeby się nią bawił. Jeśli nie masz takiej zabawki, możesz wykorzystać koziołek.

1. Umocuj smycz, by mieć pewność, że pies się nie wyrwie, przytrzymaj go za obrożę i rzuć koziołek na niedużą odległość.

2. Wydaj polecenie „szukaj" i równocześnie spuść psa ze smyczy. Przyuczony do prawidłowego wykonywania komend „weź" i „trzymaj", pies powinien po niego pójść.

3. Kiedy trzyma koziołek, wydaj komendę „do mnie", żeby psa przywołać. Kucnij w celu pobudzenia go, a jeśli trzeba, szarpnij kilka razy delikatnie za obrożę.

4. Nagrodź go za posłuszeństwo, poklepując zdecydowanie po łopatce.

Wskazówka 308
Podłóż rękę pod szczękę psa i nie pozwól, żeby wypuścił koziołek.

5. Wydaj komendę „zostaw" i odbierz mu koziołek. Kiedy go puści, pochwal go, mówiąc „dobrze".

6. Każ mu usiąść, żeby pamiętał, że nad nim panujesz.

Jako końcową nagrodę daj mu zabawkę.

Wskazówka 309
Ćwiczenia te stymulują ogólny rozwój psa.

Pytania i odpowiedzi

Co zrobić, jeśli pies nie chce szukać przedmiotu?

Wskazówka 310
Jeśli pies nie chce szukać koziołka, uatrakcyjnij zabawę, używając w tym celu piszczącej zabawki. Rzuć ją i pobiegnij, trzymając psa na smyczy, do miejsca, gdzie upadła. Zwiększaj stopniowo odległość.

Co zrobić, jeśli pies nie chce wziąć przedmiotu do pyska?

Wskazówka 311
Jeśli pies podbiega do koziołka, ale nie wie, co dalej robić, to znaczy, że nie opanował dobrze trzymania przedmiotów w pysku. Naucz go jeszcze raz poprawnego wykonywania komendy „trzymaj", za pomocą innej zabawki.

Co zrobić, jeśli pies nie przynosi przedmiotu?

Wskazówka 312
Jeżeli chwyta koziołek, ale nie przynosi go na twoje polecenie, powróć do poprzedniego ćwiczenia (szukanie i przynoszenie).

Co zrobić, jeśli wypuszcza przedmiot?

Wskazówka 313
Jeśli pies chwyta rzucony kozio-

łek i go niesie, ale po drodze wypuszcza z pyska, powinieneś powtórzyć ćwiczenia trzymania przedmiotów.

Wskazówka 314
Kiedy wykonuje ćwiczenie poprawnie, utrwalaj nabytą przez niego umiejętność, zwiększając stopniowo odległość.

Przynoszenie przedmiotów przez szczeniaka

W przypadku szczeniaka możesz potraktować to ćwiczenie jako zabawę.

Wskazówka 315
Pozwól szczeniakowi gryźć zabawkę i nie zabieraj mu jej. Pochwal, gdy ją wypuści spontanicznie. Szczeniaki najczęściej mają zabawki w jednym miejscu, dlatego zacznij je rzucać właśnie stamtąd.

Psy i dzieci

Naucz psa, jak ma się zachowywać przy dzieciach. Również dzieci powinny wiedzieć, jak postępować w obecności psa. Powiedz im, że nie każdy pies jest przyjazny i że zanim pogłaskają obce zwierzę, powinny zapytać właściciela o zgodę.

Wskazówka 316
Wytłumacz dziecku, że nie powinno nigdy biegać za psem, denerwować go ani na niego krzyczeć. Nie należy obarczać dziecka cię-

żarem szkolenia czy karmienia psa, zanim nie dorośnie i nie stanie się odpowiedzialne.

Unikanie kontaktu wzrokowego

Wskazówka 317
Zwróć uwagę na to, czy dziecko patrzy psu prosto w oczy. Może go w ten sposób nieświadomie sprowokować. Dzieci bywają częściej atakowane, ponieważ są mniejsze i budzą mniejszy respekt.

Wskazówka 318
Naucz dziecko, aby stawało z boku i głaskało psa po łopatce; uprzedź, że nie wolno bić go po łbie. Pochwal psa, gdy zachowuje się spokojnie. Zwróć uwagę, czy nie warczy albo nie próbuje ugryźć.

Posłuszeństwo w niesprzyjających warunkach

Naucz psa, aby warował nawet w tak ekscytującej sytuacji, jak gra dzieci w piłkę.

Wskazówka 319
Psy lubią chwytać piłki zębami, dlatego podczas gry nie zostawiaj dzieci bez opieki.

▌Pies dobrze wychowany

Wskazówka 320
Naucz psa, że nie wolno mu zabierać dzieciom jedzenia, i przyzwyczaj, że może je brać tylko za pozwoleniem. Pochwal go, gdy siedzi spokojnie, kiedy dziecko je.

▌Obowiązek dorosłych

Wskazówka 321
Karmić psa powinni tylko dorośli członkowie rodziny. Nie pozwalaj dzieciom zanosić psu jedzenia.

▌Obcy pies

Wskazówka 322
Nigdy nie pozwalaj, aby obcy pies obwąchiwał dziecko.

▌Po pierwsze bezpieczeństwo

Wskazówka 323
W obecności dzieci pies powinien mieć założony kaganiec. Jest to bardzo ważne w wypadku psa stróżującego lub myśliwskiego, jeśli się zdarzyło, że kogoś wystraszył albo ugryzł lub jeśli nie został przyuczony do posłuszeństwa.

Jak się bawić z psem

Psy uwielbiają wszelkie bodźce. Są również ciekawskie i bardzo się cieszą z towarzystwa człowieka.

Wskazówka 324
Bawiąc się kreatywnie z psem, możesz poskromić jego temperament, zmniejszyć nudę i ograniczyć niszczycielskie skłonności.

▌Przynoszenie zabawek

Wskazówka 325
Zabawa w przynoszenie przedmiotów działa pobudzająco na psy aktywne i zdrowe. Dla starych i ciężkich może być wyczerpująca, a nawet niebezpieczna. Lepiej używać do zabawy rzeczy o zaokrąglonych krawędziach.

▌Zabawy z piłką

Łapanie i wypuszczanie piłki jest prostą zabawą, która sprawdza reakcje i posłuszeństwo psa. Nie rzucaj nigdy piłki bezpośrednio w jego kierunku; jest to niebezpieczne, gdyż przy chwytaniu pies może ją połknąć.

▌Zabawy aktywizujące

Zadbaj, aby pies brał udział w zabawach, które rozwiną jego aktywność.

Wskazówka 326
Wiele psich klubów organizuje zawody w psich zabawach, co może sprawić przyjemność zarówno tobie, jak i twojemu psu.

Zabawa w chowanego

Wskazówka 327
Zabawa w chowanego stymuluje zdolności psychiczne i węch psa. Możesz go też nauczyć szukania ukrytych przedmiotów, takich jak klucze, portfel albo kapeć, ale tylko na twoje polecenie.

Zabawa w rzucanie

Wskazówka 328
Nie baw się z psem w rzucanie przedmiotów, dopóki nie nauczysz go poprawnego wykony-

wania komendy „zostaw". Stosuj zawsze odpowiednie zabawki, odporne na gryzienie.

Wskazówka 329
Nie zaczynaj zabaw, w których są elementy gryzienia, z psami dominującymi. Mogą one reagować agresją.

Bieganie

Wskazówka 330
Aby pies był zdrowy, potrzebuje dużo ruchu; wspólne bieganie może okazać się przyjemnością i wzmocnić kondycję fizyczną.

Chodzenie po śladzie

Wskazówka 331
Wiele psów, przede wszystkim gończych, cieszy się bardzo

z wysiłku, jaki muszą włożyć w chodzenie po śladzie. Możesz zostawić ślad dla psa, idąc po trawie, a na końcu położyć nagrodę.

W jaki sposób stosować zabawki

Kiedy chowasz zabawki do torby lub skrzynki, dajesz psu jasno do zrozumienia, że zabawa skończona.

Wskazówka 332
Pies szybko pojmie, że zabawki są twoją własnością i może się nimi bawić tylko wtedy, gdy mu na to pozwalasz. Takie postępowanie sprawia, że pies jest nimi bardziej zainteresowany i możesz ich używać jako świetnej nagrody w trakcie szkolenia i po jego zakończeniu.

Zabawki przydają się również, gdy pies sam zostaje w domu.

Nagroda w formie zabawy

Wskazówka 333
Wspólne zabawy są korzystne zarówno dla ciebie, jak i dla psa. Jeśli możesz, baw się z nim po zakończeniu każdego treningu.

Wskazówka 334
Unikaj zabaw przed szkoleniem i gdy pies jest zmęczony.

Możesz włączyć zabawę do programu szkolenia jako nagrodę, żeby wzmocnić komendy „do mnie", „siad" i „zostań".

Wskazówka 335
Jeśli w zabawach biorą udział wszyscy domownicy i znajomi, pies otrzymuje nagrody od różnych osób i uczy się cieszyć z towarzystwa ludzi.

Zabawa z innymi psami

Zazwyczaj psy lubią się bawić ze sobą, jeśli robiły to od szczeniaka. Przeważnie suki bawią się częściej, gdyż są mniej wojownicze i mają mniejsze poczucie własnego terytorium.

Wskazówka 336
Pierwsze spotkania psów powinny się odbywać na gruncie neutralnym. Nie pozwól, żeby twój pies ciągnął smycz, ponieważ jest to bodziec stymulujący agresję.

Spotkania na gruncie neutralnym

Zorganizuj spotkanie, uzgodniwszy wcześniej z innymi właścicielami, że wszystkie psy będą na smyczy. Pozwól zwierzętom na wzajemne poznanie się, ale uważaj na kontakty wzrokowe wyrażające agresję, które z pewnością się zdarzą.

Wskazówka 337
Gdy się pojawi pierwsza oznaka agresji ze strony twojego psa, odwróć jego uwagę, pokazując mu jedną z ulubionych zabawek.

Spotkanie po dwóch stronach ogrodzenia

Jeśli spotkanie przebiega pomyślnie, pozwól, aby dalej toczyło się na terenie, który pies uznaje za swój: przy furtce albo przed domem.

Wskazówka 338
Daj psu nagrodę, jeśli zachowuje się spokojnie.

Reagowanie na komendy

Gdy pies bawi się z innymi zwierzętami, ucz go posłuszeństwa za pomocą komend słownych i gestów. Pamiętaj, że to ty jesteś panem.

Wskazówka 339
Gdy chcesz iść, oprócz wydania komendy słownej wykonaj gest oznaczający siad. Następnie podejdź do psa i przypnij mu smycz.

Poczucie własności

Staraj się nie dopuszczać do sporów o kości lub inne atrakcyjne przedmioty. Dawaj je zawsze psu na osobności.

Wiele psów instynktownie chce tego, co widzi u towarzyszy, mimo że ma dokładnie to samo. Część z nich walczy zarówno o kości, jak i o zabawki do gryzienia.

Przeciwna płeć

Bójki pomiędzy psami różnych płci, w podobnym wieku i podobnej wielkości zdarzają się rzadko. Pierwszy kontakt powinien się odbyć, gdy trzymamy obydwa psy na smyczy.

Psy tej samej płci

Wskazówka 340
Zachowaj ostrożność przy spotkaniu psów tej samej wielkości i płci.

Nie pozwól, aby pies ciągnął smycz, bo może to wywołać agresję. Pochwal psa, jeśli zachowa spokój.

Nowy pies w domu

Nowe zwierzę stanowi zagrożenie na terytorium psa, który zdążył się już zadomowić. Nie pozwalaj nowo przybyłemu szczeniakowi, aby skakał na starszego psa, ponieważ ten może to uznać za zachowanie nieprzyjemne, a nawet prowokacyjne.

Wskazówka 341
Postaraj się, by spotkanie odbyło się wtedy, gdy oba psy będą spokojne i zrelaksowane. Nagródź starszego za posłuszeństwo.

Wskazówka 342
Daj im jeść w tym samym pomieszczeniu, starając się, aby jeden nie widział drugiego.

Wskazówka 343
Przygotuj im legowiska w osobnych kątach. Nagradzaj przez cały czas starszego psa i nie próbuj zmieniać jego przyzwyczajeń.

Spotkanie z kotem

Wskazówka 344
Pierwszy kontakt z kotem powinien przebiegać pod kontrolą. Wszystkim znany jest wzajemny brak zaufania między psami a kotami.

Jak wykorzenić złe nawyki

Wskazówka 345
Jeśli pies ma złe nawyki, spróbuj znaleźć ich przyczynę, aby je wyeliminować.

Wskazówka 346
Kiedy psy zostają same w domu, mogą coś zniszczyć, ponieważ się nudzą, są zawiedzione albo źle znoszą rozłąkę.

Niektóre zwyczaje, takie jak pościg za bydłem czy agresja w stosunku do innych psów, są normalnym elementem psiego zachowania, dlatego trudno je przezwyciężyć. Powolne i konsekwentne wykorzenianie niekorzystnych nawyków przynosi jednak sukces.

Zrozumienie i przeciwdziałanie

Wskazówka 347
Ważne, żebyś najpierw zrozumiał, co jest przyczyną złego przyzwyczajenia psa, by móc je potem skorygować.

Chociaż wydaje ci się, że zachowanie psa jest nie do przyjęcia, dla niego to naturalny sposób bycia.

Wskazówka 348
Zastanów się, dlaczego nie możesz zaakceptować danego zachowania psa i czy on zdaje sobie z tego sprawę.

Wskazówka 349

Zorientuj się, czy możesz uniknąć takiego zachowania, sam je skorygować lub zmienić. Jeśli nie, powinieneś skorzystać z pomocy tresera.

Naturalne zachowanie, możliwe do przyjęcia

Obgryzanie kości czy zabawek, które je przypominają kształtem, to normalne zachowanie psa.

Wskazówka 350

Gryzienie jest jedną z form identyfikowania się psa z otaczającym go środowiskiem i jego poznawania.

Naturalne zachowanie, niemożliwe do zaakceptowania

Gryzienie buta przesiąkniętego ludzkim zapachem to dla psa naturalna forma zachowania, choć dla człowieka nie do przyjęcia.

Wskazówka 351

Jeśli chcesz uniknąć takiego kłopotu, nie dawaj psu do gryzienia starych butów. Nauczy się w ten sposób, że może gryźć tylko to, na co mu pozwalasz.

Zachowanie nabyte

Bicie psa wywoduje u niego późniejszy lęk przed dłońmi człowieka.

Wskazówka 352

Z łatwością unikniesz takiego zachowania psa, jeśli nie będziesz go nigdy karcił w ten sposób.

Gryzienie z zamiłowania

Wielu psom gryzienie różnych rzeczy sprawia przyjemność, drą też gazety czy obdzierają tapety ze ścian.

Wskazówka 353

Powinniśmy zastąpić te sposoby wyładowywania energii czymś, co możemy zaakceptować, na przykład dać psu kość lub zabawkę do gryzienia.

Zachowanie niszczycielskie

Choć takie zachowanie sprawia psu przyjemność, dla człowieka jest nie do przyjęcia. Jeśli damy psu za dużo zabawek, pobudzimy go do niszczenia innych przedmiotów.

Wskazówka 354

Wyznacz psu trzy, cztery dostępne dla niego zabawki, o których będzie wiedział, że są jego. Niech różnią się od innych rzeczy znajdujących się w domu.

Podstawowe metody korygowania zachowań psa

Karcenie

Ważne jest, żeby pies wiedział, jakie zachowania uważasz za naganne. Nie wprowadzaj zamętu: jeśli jakieś zachowanie jest niedopuszczalne, niech tak będzie zawsze. Powinieneś karcić go tylko wtedy, gdy rzeczywiście zachowuje się źle. Gdy robisz to słownie, postaraj się, żeby twój głos brzmiał srogo.

Zapobieganie

Wskazówka 355

Zaimpregnuj rozpylaczem z substancją o gorzkim smaku atrakcyjne dla psa przedmioty, np. stare buty.

Zamykanie psa

Jeśli pies nie przestaje gryźć, zamykaj go w klatce, gdy wychodzisz z domu.

Wskazówka 356

Gdy zostaje w klatce, daj mu do gryzienia zabawki.

Reedukacja

Złe psie nawyki zazwyczaj można skorygować, postępując według określonych zasad.

1. Staraj się, żeby pies wykonywał wydane mu polecenie, np. „siad" lub „waruj", zanim dostanie nagrodę słowną lub smakołyk.

2. Powróć do podstawowej nauki posłuszeństwa. Pies ma cię słuchać – powinien siadać i zostawać na komendę.

3. W każdej sytuacji, w domu i na ulicy, powinieneś nad psem panować. Wyprowadzaj go na normalnej lub długiej smyczy aż do chwili, gdy będziesz pewien, że wykonuje polecenia.

4. Postępuj według planu i pamiętaj, że złe przyzwyczajenia nie znikają z dnia na dzień. Trzeba na to kilku tygodni.

5. W razie poważnych kłopotów zgłoś się po pomoc do profesjonalisty.

Poznaj temperament psa

Schroniska są pełne, ponieważ ludzie najczęściej wybierają psy na podstawie ich wyglądu, a nie charakteru. Psy na ogół boleśnie odczuwają porzucenie przez właścicieli.

Wskazówka 357

Nabywając psa, który skończył sześć miesięcy, możesz rozpoznać za pomocą kilku ćwiczeń, czy będą kłopoty z jego zachowaniem. Nie kupuj psa, po którym się można tego spodziewać, jeśli nie masz czasu i cierpliwości, żeby nad nim popracować.

Nerwowość

Wskazówka 358
Podejdź do psa od strony pyska, patrząc mu w oczy. Spokojny pies się ucieszy, nerwowy zacznie szczekać albo się skuli.

Strach przed ręką

Wskazówka 359
Trzymając psa na luźnej smyczy, pogłaszcz go pod brodą i po łopatce, przemawiając do niego jednocześnie. Pies, który boi się ręki, cofnie się.

Jak poznać, czy pies był szkolony

Wskazówka 360
Weź smycz od opiekuna i wydaj psu komendę „siad". Jego reakcja ci powie, czy był uczony posłuszeństwa.

Jak poznać, czy pies się nadaje do szkolenia

Wskazówka 361
Wymuś na psie, aby usiadł. Jego reakcja ci wskaże, czy się nadaje do szkolenia.

Agresywność względem innych psów

Wskazówka 362
Przyprowadź dominującego psa. Jeśli twój tylko go z ciekawością obwącha, znaczy to, że nie jest agresywny w stosunku do innych.

Strach przed dziećmi

Wskazówka 363
Trzymaj psa na luźnej smyczy i poproś dziecko – które wcześniej pouczyłeś, jak się ma zachować – aby podeszło, unikając z nim kontaktu wzrokowego. Reakcja zwierzęcia będzie odpowiedzią na to, czy lubi dzieci.

Niepokój spowodowany rozłąką

Wskazówka 364
Sprawdź, czy pies szczeka lub się niepokoi, zostawiony przez pewien czas, np. dziesięć minut, sam w drugim pokoju.

Strach przed nieznajomymi

Wskazówka 365
Trzymaj psa na luźnej smyczy i poproś obcą osobę, aby się zbliżyła. Reakcja zwierzęcia poinformuje cię o ewentualnych problemach podczas wizyty u weterynarza lub psiego fryzjera.

Instynkt posiadania

Wskazówka 366
Trzymając psa na smyczy, za-

bierz mu miskę z jedzeniem. Pochwal go i oddaj mu miskę. Jeśli nie zauważysz przejawów agresji, jest mało prawdopodobne, aby pies wykazywał instynkt posiadania związany z jedzeniem. Powtórz ćwiczenie z zabawką i kością.

Reakcja na samochody

Wskazówka 367
Jeżeli zamierzasz zabrać psa w podróż samochodem, sprawdź najpierw jego reakcję, biorąc go na pięciominutową przejażdżkę. Następnie zostaw go samego w aucie na kolejne pięć minut.

Inne formy wrażliwości

Wskazówka 368
Niektóre psy przeraża niespodziewany hałas, inne – nagły

ruch, jak na przykład otwieranie parasola.

Co zrobić, jeśli pies ciągnie smycz

Ciągnięcie smyczy przez psa to jeden z najczęstszych problemów. Może wynikać ze znudzenia czy podekscytowania albo być przejawem dominującego zachowania.

Wskazówka 369
Nie siłuj się z psem, który ciągnie smycz. Jeśli robi to stale, powróć do podstawowych ćwiczeń posłuszeństwa i zastosuj wcześniej podane sposoby.

Wskazówka 370
Czasem pobudza psa do ciągnięcia lęk przed smyczą. Ważne jest więc, żebyś nie używał jej jako środka karcenia. Zanim przystąpisz do oduczenia go tego nawyku, powinieneś znaleźć przyczynę takiego zachowania.

▌Rozwiązanie

1. Zacznij spacerować z psem przy lewej nodze, trzymając smycz w obu rękach. Kiedy pies pociągnie, chwyć ją lewą ręką krótko przy obroży i zdecydowanie szarpnij.

2. Gdy pies powróci do nogi, każ mu usiąść. Rozpocznij ponownie spacer, wydając komendę „równaj". Rób tak za każdym razem, gdy sytuacja się powtórzy.

3. Jak tylko pies zacznie chodzić spokojnie przy nodze, daj mu nagrodę w postaci jedzenia. Zwiększaj powoli długość spaceru, ale czas treningu niech zostanie ten sam.

Inne sposoby

▌Zmiana kierunku

Wskazówka 371
Zaskocz psa, gdy ciągnie: zmień natychmiast kierunek, wydając komendę „równaj". Pochwal go, jeśli poprawnie wykona polecenie.

▌Znak ręką

Wskazówka 372
Jeśli pies wyrywa się do przodu, wydaj polecenie „stój" i zatrzymaj go, dając mu znak prawą ręką przed nosem. Lewą chwyć mocno obrożę.

▌Nie zwracaj uwagi na opór

Wskazówka 373
Owiń się w pasie smyczą przypiętą do obroży. Staraj się, aby nie była naprężona, i utrzymuj psa blisko siebie za pomocą nagrody albo poleceń słownych.

▌Smycz jako szelki

Wskazówka 374
Żeby utrzymać psa blisko i zmniejszyć napięcie na jego szyi, użyj smyczy jako szelek.

Inne problemy

▌Żucie i wspinanie się

Młode psy traktują smycz jako zabawkę, uwielbiają ją żuć i wspinać się po niej.

Wskazówka 375
Skrop smycz czymś gorzkim. Jej gorzki smak będzie dla psa skuteczniejszą karą niż karcenie słowne.

▌Uległe przypadanie do ziemi

Niektóre psy przypadają do ziemi, słysząc polecenie „równaj", inne traktują je jako zabawę i przewracają się na grzbiet.

Wskazówka 376
Jeśli pies się pokłada, zrób krok w tył i pokaż mu zabawkę, aby go pobudzić i zachęcić do wstania.

Co zrobić, jeśli nie chce przyjść

Zanim przystąpisz do ponownej nauki przychodzenia na komendę, znajdź przyczynę takiego zachowania. To niekoniecznie twoja wina. Pies może być znudzony, obwąchiwać śmieci albo mieć ochotę na zabawę z innymi psami. Być może przejawia zachowanie dominujące, boi się smyczy lub ciebie.

Wskazówka 377
Nigdy nie wołaj psa po coś, czego nie lubi.

▌Obwąchiwanie śladów

Pies ma niezwykle czuły węch i zaznajamia się ze środowiskiem, wąchając. Pozwól mu na to, a następnie zawołaj po imieniu, wydaj polecenie „siad", a potem przywołaj komendą „do mnie".

▌Naturalne roztargnienie

Chociaż pies zrozumie twoje wołanie, zignoruje je, jeśli np. obwąchuje właśnie ślady zostawione przez sukę. Wykastrowane psy mniej się interesują sukami i jest bardziej prawdopodobne, że przyjdą na wołanie.

▌Całkowity brak zainteresowania

Pies nie przyjdzie, jeśli uzna, że nie warto. Będziesz musiał powtórzyć podstawowe szkolenie, zanim zabierzesz się do ćwiczenia komendy „do mnie".

▌Nadmiar energii

Młode psy mają nadmiar energii. Jeśli dotyczy to również twojego psa, postaraj się, by się wybiegał, zanim zaczniesz go wołać.

Wskazówka 378
Jeśli masz wątpliwości co do jego posłuszeństwa, używaj automatycznej smyczy, pozwalając, żeby się oddalił: będzie miał złudzenie, że biega bez uwięzi.

Nieposłuszeństwo

Pies może być chwilowo zaabsorbowany czymś ekscytującym. Spróbuj zwrócić na siebie jego uwagę, wołając entuzjastycznie po imieniu i wydając komendę „do mnie".

Buszowanie w śmieciach

Buszowanie w śmieciach i kradzież jedzenia mogą się okazać bardziej satysfakcjonujące niż twoje pochwały czy smakołyki.

Wskazówka 379
Powinieneś walczyć z tym nieprzyjemnym nawykiem, używając długiej smyczy albo kagańca.

Nagradzaj posłuszeństwo

Wzmocnij działanie komendy, przytrzymując psa za obrożę i dając smakołyk.

Wskazówka 380
Jeśli to konieczne, żeby zachęcić psa do powrotu, zastosuj nagrodę, np. jedzenie albo zabawkę.

Czas zabawy

Pozwól psu na zabawę z innymi psami, ale obserwuj jego zachowanie i zawołaj „do mnie", jeśli sytuacja zacznie się wymykać spod kontroli.

Inne środki ostrożności

Wydawaj polecenia z rozwagą

Wydawaj komendę tylko wówczas, gdy możesz od psa wyegzekwować jej wykonanie. Jeśli jest posłuszny w domu, zacznij stopniowo naukę na zewnątrz. Na początku zabieraj długą linkę albo automatyczną smycz, by go przytrzymać za obrożę, i miej zawsze ze sobą smakołyki albo zabawki.

Końcowa nagroda

Zmieniaj miejsca zabaw, ponieważ może się zdarzyć, że będzie cię słuchał tylko w jednym, a w innych nie. Kiedy wołasz psa, rób to energicznie i z entuzjazmem, i nie skąp mu pochwał, kiedy przyjdzie.

Po skończeniu ćwiczenia, zamiast go przywołać, każ mu usiąść, podejdź do niego i przypnij smycz.

Strach przed smyczą

Wskazówka 381
Nigdy nie karć psa, gdy do ciebie wróci, i nie używaj w tym celu smyczy.

Wskazówka 382
Nie chwytaj go za obrożę, kiedy ucieka, bo będzie robił wszystko, żebyś go nie złapał.

Pościg za pojazdami

Chęć polowania to naturalny odruch, a jego siła zależy od rasy i temperamentu psa. Jego instynkt jest pobudzany przez ruch i wzmacniany, jeśli do pościgu dołączają inne psy.

Wskazówka 383
Zamiłowanie to można opanować, ale nigdy całkowicie wykorzenić. Nie pozwalaj mu na to, gdyż wkrótce zmieni się ono w nawyk trudny do przezwyciężenia i może narazić psa na niebezpieczeństwo.

Ściganie samochodów

Przeważnie psa cieszy, ale jest niebezpieczne. Gonitwa za „uciekającym" samochodem jest atrakcyjna, choć może się źle skończyć.

Gonienie za rowerzystami

Widok osoby jadącej na rowerze pobudza psa do jej ścigania. Ponieważ rowerzyści nigdy się nie zatrzymują, pies poczytuje to sobie za sukces.

Szybkie rozwiązanie

Wskazówka 384
Poproś znajomego, żeby przejechał rowerem obok psa. Kiedy ten będzie chciał pobiec, strzel w niego niespodziewanie strumieniem wody z pistoletu wodnego, mówiąc „nie".

Ćwiczenie – rozwiązanie

1. Poproś znajomego, żeby przejechał rowerem, kiedy będziesz z psem na spacerze. Gdy będzie was wolno mijał, każ psu usiąść, pokazując nagrodę w postaci jedzenia.

2. Gdy rowerzysta przejedzie, daj psu nagrodę. Powtarzaj ćwiczenie, aż zwierzę będzie całkowicie posłuszne przy zwiększonej prędkości jazdy mijającego was roweru. Następnie nagródź psa ulubioną zabawką.

3. Powtórz pierwszą i drugą część ćwiczenia, używając zabawki do odwrócenia uwagi psa i przy zwiększonej szybkości rowerzysty.

4. Następnie rzuć zabawkę w kierunku przeciwnym niż jedzie rower, żeby odwrócić uwagę psa i zniechęcić go do pościgu.

Predyspozycje rasy

▌Urodzony biegacz

Wskazówka 385
Charty – szybkobiegacze, i psy pasterskie, wykazują wrodzone skłonności do pościgów.

▌Niezwykła wytrzymałość

Wskazówka 386
Psy północy, takie jak husky czy szpice, są z natury wolniejsze od chartów, ale charakteryzują się olbrzymią wytrzymałością i prowadzą pościg na dłuższych dystansach.

Wskazówka 387
Posokowce, np. bloodhound, czy psy aportujące zwierzynę, jak pointery, setery i retrievery, nie mają w zwyczaju gonitwy za psami innych ras.

Gonienie zwierząt

Przez wiele tysięcy lat ewolucji psy utrzymywały się przy życiu, ścigając i zabijając inne zwierzęta.

Wskazówka 388
Dzięki hodowli selektywnej człowiekowi udało się ten instynkt ograniczyć, ale w przypadku niektórych ras lub osobników jest on wciąż silny. Polowanie jest naturalną czynnością psa, ale równocześnie stanowi poważny problem.

Wskazówka 389
Jednym ze sposobów rozwiązania go jest takie wyszkolenie psa, żeby ścigał wybrany do tego przedmiot, zamiast gonić za zwierzętami.

Jeśli nie jesteś pewien, że poradzisz sobie z tym problemem sam, zasięgnij rady zawodowego tresera.

Wskazówka 390
Jeżeli nie przyzwyczaiłeś młodego psa do towarzystwa innych zwierząt, możliwe, że gdy później pojawi się potencjalna ofiara, będą kłopoty.

Wskazówka 391
Nie pozwalaj psu na swobodne bieganie po polach i pastwiskach, jeśli nie jesteś pewien

jego zachowania w stosunku do innych zwierząt.

Wskazówka 392
Należy przedsięwziąć takie same środki ostrożności jak przy pierwszym spotkaniu z innymi gatunkami.

Rozwiązanie

1. Celem szkolenia jest stłumienie u psa instynktu polowania i zastąpienie go aktywnością, nad którą można zapanować.

2. Wybierz spokojne miejsce i przypnij psu długą linkę. Rzuć mu zabawkę, zatrzymując przy sobie inną, równie dla niego interesującą. Pies instynktownie pobiegnie za tą, którą rzuciłeś.

3. Zanim pies złapie rzuconą zabawkę, zawołaj go po imieniu i każ wrócić. Gdy prawidłowo zareaguje na komendę, okaż przesadną radość, pokazując trzymaną zabawkę i zachęcając do powrotu. Gdy wróci, pochwal go i pobaw się z nim.

4. Trzymając psa za obrożę, idź po rzuconą zabawkę i ją podnieś. Pies zobaczy, że należy ona do ciebie. Powtarzaj to ćwiczenie w warunkach coraz trudniejszych dla psa.

5. Gdy pies się nauczy, że nie wolno mu gonić cudzej własności, przeprowadź szkolenie w obecności bydła. Rzuć mu przedmiot w kierunku przeciwnym do stada i każ go przynieść.

Psy i koty

Psy i koty lubią przebywać w swoim towarzystwie, jeśli były do tego przyzwyczajane od małego.

Wskazówka 393
Najlepiej zapoznać je ze sobą, gdy pies ma mniej niż dwanaście tygodni, a kot poniżej siedmiu.

Wskazówka 394
Gdy jedno z nich jest starsze, pozwól, aby zwierzę, które było w domu wcześniej, obwąchało nowicjusza. Powinieneś kontrolować ich pierwsze spotkania, aby uniemożliwić psu ewentualny pościg.

Konkurencja

Zwierzę, które już się u ciebie zadomowiło, może widzieć w przybyszu konkurenta do miski z jedzeniem lub o twoje względy.

Wskazówka 395
Aby tego uniknąć, karm zwierzęta jednocześnie. Pies może dostawać jedzenie na podłodze, a kot trochę wyżej.

Pochwal psa słowami i daj mu nagrodę, jeśli będzie kotem zainteresowany, ale nic mu nie zrobi. Jeżeli pies nie jest agresywny i nie stara się dominować, kot się podporządkuje.

Agresja w stosunku do innych psów

Dominujące psy często przejawiają agresję względem innych osobników tej samej płci.

Wskazówka 396
Pod tym względem psy sprawiają zdecydowanie więcej problemów niż suki. Są też rasy agresywniejsze niż inne. Agresja psa zwiększa się na jego własnym terytorium.

Wskazówka 397
W większości przypadków agresywność się zmniejsza po wykastrowaniu młodego psa.

Psy agresywne i dominujące szukają okazji do bójki. Zwykle rozpoczyna się ona warczeniem i przyjęciem groźnej postawy. Jeśli żaden z psów się nie cofnie, dochodzi do walki.

Wskazówka 398
Podczas walki pies może ugryźć każdego, kto spróbuje interweniować – nawet właściciela. Dlatego lepiej nie ryzykować.

▌Straszliwy pojedynek

Istnieją psy potencjalnie niebezpieczne i bardzo agresywne, takie jak pitbul czy bulterier. Idąc z nimi na spacer, należy zachować jak największą ostrożność, ponieważ odznaczają się dużą gotowością do walki z innymi psami.

Wskazówka 399
Jeśli masz agresywnego psa, przed wyjściem na spacer załóż mu kaganiec.

▌Kontakt wzrokowy

Wskazówka 400
Gdy twój pies zaczyna mierzyć wzrokiem ewentualnego przeciwnika, powinieneś interweniować. Podniesiony ogon i napięta uwaga są wyraźnym sygnałem do rozpoczęcia walki.

▌Ty a twój pies

Niektóre psy zaciekle bronią swoich właścicieli.

Wskazówka 401
Stojąc pomiędzy swoim psem a jego przeciwnikiem i szarpiąc

przy tym pupila za smycz, wzmacniasz jego gotowość do walki. Skojarzy szarpnięcie z agresją, której nie będzie przejawiał puszczony wolno.

Syndrom napiętej smyczy

Szarpiąc odruchowo smycz, gdy pies jest agresywny, przeważnie pogarszasz sytuację.

Wskazówka 402
Powstrzymywanie psa siłą może zwiększyć jego agresywność.

Wskazówka 403
W takiej sytuacji powinieneś odwrócić psu łeb, aby nie patrzył na inne zwierzę.

Rozwiązanie

1. W spokojnym otoczeniu zacznij trenować przywoływanie psa. Przypnij mu długą linkę albo automatyczną smycz, żeby nie uciekał. Jeżeli poprawnie wykona polecenie, daj ulubione zabawki.

2. Jeżeli szkolenie powiodło się w spokojnym miejscu, ćwicz dalej na wolnym powietrzu, w pewnej odległości od innego psa. Nagródź swego psa, jeśli nie przejawia agresji. Zmniejszaj odległość pomiędzy zwierzętami, nagradzając przyjaciela za każdym razem, gdy zachowa spokój.

Zapobieganie

1. Jeśli pies przejawia agresję, zajmij jego uwagę ulubioną zabawką, a następnie każ mu usiąść. Poprawne zachowanie zawsze nagradzaj.

2. Przyzwyczaj psa do noszenia kagańca.

Kastracja psa

Niektóre osoby zgłaszają nieuzasadnione protesty przeciwko kastracji psów, choć nie mają zastrzeżeń do sterylizacji suk.

Agresja w okresie rui

Wzrost poziomu hormonów żeńskich powoduje u suki wzrost agresywności. Dzieje się tak dwa razy w roku. Niektóre suki łatwo wtedy wpadają w złość, bardziej pilnują zabawek i legowiska. Sterylizacja zmniejsza ten problem.

Inne problemy

Wskazówka 404
Walki podobnych osobników zdarzają się częściej niż psów różnego wieku, różnej wielkości i płci.

Agresywność w stosunku do ludzi

Prawie wszystkie psy są zadowolone, jeśli się je traktuje jak podporządkowanych członków stada. Wykonują wtedy bez protestu polecenia domowników. Jednak niektórzy właściciele nieświadomie czynią psy dominującymi.

Osobnik dominujący pierwszy przechodzi przez drzwi, pierwszy je, a jego wymagania dotyczące wygody i pieszczot są natychmiast spełniane.

Wskazówka 405
Jeśli utwierdzamy psa w przekonaniu, że ma pozycję przewodnika stada, prawdopodobnie będzie się zachowywał agresywne w celu ugruntowania swojego panowania. Aby skory-

gować taką postawę, możesz skorzystać z pomocy zawodowego tresera.

Podstawą agresywnych zachowań zwierząt jest ich przekonanie o własnej dominacji, choć niektóre psy wyrażają w ten sposób strach. Metody korygowania agresywnej postawy zależą od źródła agresji.

Eliminacja wygód

Wskazówka 406
Dopilnuj, aby dominujący pies stale miał na szyi obrożę z przypiętą do niej linką i nie pozwól mu wskakiwać na fotel.

Eliminacja ryzyka

Wskazówka 407
Nałożywszy psu kaganiec lub dopasowany kaganiec treningowy, możesz mieć pewność, że pies będzie miał zamknięty pysk. Podporządkuj sobie psa i zachęć go do posłuszeństwa.

Brak reakcji

Przez pewien czas powstrzymaj się zupełnie od okazywania psu czułości.

Wskazówka 408
Jeśli nie chcesz, żeby pies cię ignorował, przestań ciągle zwracać na niego uwagę. Udawaj, że go nie widzisz,

gdy o coś prosi, aż przestanie; następnie każ mu usiąść i go pogłaskaj. Pies szybko zrozumie, że to ty panujesz nad nim.

Zawsze panuj nad sytuacją

Wskazówka 409
Powinieneś wykonywać zabiegi pielęgnacyjne psa co najmniej raz dziennie i dopilnować, by miał zamknięty pysk i nosił w domu linkę.

Wskazówka 410
Co najmniej przez trzy tygodnie pies powinien prawidłowo wykonywać komendę „waruj, zostań" i pozostawać w tej pozycji przez dłuższy czas.

Pies je ostatni

W stadzie wilków przewodnik zawsze je pierwszy. Przygotuj jedzenie dla psa, pokaż mu je, ale nie dawaj, dopóki sam nie skończysz jeść.

Wskazówka 411
W czasie przywracania twojej pozycji przewodnika nie nagradzaj psa jedzeniem pomiędzy posiłkami.

Wychodzi ostatni

Wskazówka 412
Nie pozwól psu, żeby przechodził przez drzwi przed tobą.

Naucz go, że to ty jesteś przewodnikiem stada i że wychodzisz pierwszy. To on powinien dostosować swoje tempo do twojego.

Legowisko na otwartej przestrzeni

Pies dominujący i agresywny powinien nosić linkę także w miejscu, w którym odpoczywa.

Wyznacz psu legowisko w miejscu, w którym często przebywają domownicy, a nie w odosobnionym kącie.

Wskazówka 413
Psy czują się bezpieczniej w swoich legowiskach – jeśli twój pies jest dominujący, nie należy go w tym utwierdzać.

Ćwiczenia w szukaniu

Prowadź z nim ćwiczenia w szukaniu i przynoszeniu przedmiotów. To pomoże mu się nauczyć, że to ty jesteś przewodnikiem. Pies powinien nosić linkę.

Interwencja medyczna

Wskazówka 414
Agresja dominującego psa może się stać poważnym problemem. Skonsultuj się z weterynarzem – być może zaleci okres readaptacyjny pod nadzorem medycznym.

Gryzienie ze strachu

Gryzienie ze strachu przypomina agresję osobnika dominującego, ale może mieć inne przyczyny. Pies, który gryzie ze strachu, jest bojaźliwy i ma tendencję do chowania się między nogami właściciela.

Wskazówka 415
Takie zachowanie bywa skutkiem braku kontaktu z ludźmi, choć np. u owczarka niemieckiego może być zakodowane genetycznie. Readaptację należy prowadzić powoli i z rozwagą. Najczęściej niezbędna jest pomoc profesjonalisty.

Agresywność spowodowana strachem

Czasami pies gryzący ze strachu wysyła mylące komunikaty: kuli się przy właścicielu i macha poddańczo ogonem, ale potem atakuje.

Wskazówka 416
Jeśli starasz się zdominować takiego psa tradycyjnymi metodami szkolenia, jedynie pogłębiasz jego podejrzliwość.

Rozwiązanie

1. Będziesz potrzebował pomocy któregoś ze znajomych lub zawodowego tresera. Prowadź psa na długiej smyczy i nie karm go przed treningiem. Poproś znajomego, żeby się nieznacznie oddalił, trzymając w ręku nagrodę.

2. Pozwól, by pies pobiegł do znajomego i wziął nagrodę z otwartej dłoni. Znajomy nie powinien się do psa odzywać, tylko uklęknąć, unikając kontaktu wzrokowego.

3. Powtórz to ćwiczenie wielokrotnie, a następnie przeprowadź je jeszcze raz, gdy znajomy będzie klęczał lekko odwrócony w stronę psa, unikając kontaktu wzrokowego.

4. Po kilku dniach poprawnego wykonywania ćwiczenia przeprowadź je ze znajomym zwróconym w kierunku psa, w pozycji klęczącej.

5. Podejdź do znajomego, który powinien dać psu nagrodę, nie ruszając się z miejsca, a następnie się wycofać. Jeśli w tym momencie pies się przestraszy, wróć do poprzedniego etapu.

6. Podejdź do znajomego i kiedy pies weźmie smakołyk, pochwal zwierzę i poklep je po boku. Znajomy powinien kontynuować ćwiczenie, unikając kontaktu wzrokowego z psem, ale może spokojnie z tobą rozmawiać. Prawdopodobnie minie kilka tygodni, zanim osiągniesz ten etap.

7. Pochwal psa, gdy oswoi się z twoim znajomym na tyle, że przyjmie podany przez niego smakołyk. Poproś znajomego, żeby spróbował pogłaskać zwierzę. Po wielokrotnym wykonaniu tego ćwiczenia wprowadź pożyteczną zmianę: nadal unikając kontaktu wzrokowego, znajomy powinien pogłaskać zwierzę, zanim da mu nagrodę.

Strach przed innymi psami

Strach przed psami może być spowodowany brakiem kontaktu z nimi we wczesnym okresie rozwoju, nadopiekuńczością właścicieli lub przykrym doświadczeniem, np. pogryzieniem przez inne zwierzę.

Wskazówka 417
Poproś właściciela spokojnego psa, aby wyszedł z wami na spacer. Spróbuj ustalić odległość, przy której twój pies nie przejawia strachu w obecności drugiego zwierzęcia. Nagródź go pieszczotami i daj smakołyk, jeśli będzie się spokojnie zachowywał.

Zmniejszaj za każdym razem odległość między psami, aż twój pupil będzie bez obawy spacerował obok drugiego psa. Trzeba na to zazwyczaj od trzech do sześciu tygodni.

Pilnowanie

Wskazówka 418
Zaborczy temperament ujawniają najczęściej osobniki dominujące, a także psy niektórych ras.

Wskazówka 419
Psy dominujące zwykle pilnują zabawek, miski z jedzeniem i legowiska bardziej niż psy uległe.

Wskazówka 420
Unikaj konfrontacji z zaborczym psem, nie dając mu zabawek.

Wskazówka 421
Spróbuj rozwiązać ten problem, nie okazując psu swych uczuć. Powróć do podstawowego treningu, używając do ćwiczeń smyczy szkoleniowej.

Pilnowanie jedzenia

Wskazówka 422
Pies uważa się za przewodnika stada, a przewodnicy bronią swej własności i się nią nie dzielą.

Wskazówka 423
Jeśli się cofniesz, gdy pies warczy, będzie wiedział, że to skuteczny sposób i spróbuje stosować go częściej.

Rozwiązanie

1. Nie karm psa przed rozpoczęciem ćwiczenia. Poproś, żeby znajomy albo jeden z domowników przytrzymał go na smyczy szkoleniowej. Podaj psu miskę z jedzeniem, ale niech to będzie coś, za czym niespecjalnie przepada, np. ryż. Pozwól mu obwąchać miskę.

2. W tym czasie dodaj trochę jedzenia. Powtarzaj to ćwiczenie za każdym razem, gdy karmisz psa, a po kilku dniach będzie ci wdzięczny, że zaglądasz do jego miski.

Pilnowanie fotela

Dominujące psy same wybierają miejsce do odpoczynku, np. fotel, i chowają tam ulubione zabawki.

Wskazówka 424
Nie szarp nigdy dominującego psa za obrożę, bo może cię ugryźć.

Rozwiązanie

Pies powinien mieć wcześniej przypiętą smycz szkoleniową, żebyś miał go pod kontrolą. Każ mu zejść z fotela, mówiąc „uciekaj". Gdy nie posłucha, ściągnij go linką. Gdy zejdzie, daj nagrodę.

Pilnowanie zabawek

Wskazówka 425
Niektóre psy chowają swoje zabawki i nie chcą ich oddać. Nie zabieraj ich siłą.

Rozwiązanie

1. Ze smakołykiem w jednej ręce i zabawką w drugiej zachęć psa, żeby wziął zabawkę do pyska.

2. Wydaj polecenie „zostaw", a gdy ją puści, nagródź jedzeniem. Powtórz ćwiczenie: oddaj mu zabawkę, a następnie powiedz „zostaw".

Pilnowanie domowników

Wskazówka 426
Posiadacze psów cieszą się z ochrony, jaką im zapewnia czworonożny przyjaciel, trzeba jednak pamiętać, że niektóre zwierzęta bywają bardzo zaborcze, zwłaszcza jeśli ich właściciel jest odmiennej płci.

Rozwiązanie

Wskazówka 427
Jeśli pies jest bardzo zaborczy, zakładaj mu kaganiec, gdy oczekujesz gości.

Przygotuj kawałek jedzenia, aby przychodzący z wizytą mógł dać go psu. Kiedy gość wejdzie do środka, każ psu usiąść i zostać.

Rywalizacja między psami

Wskazówka 428
Psy też odczuwają emocje. Łatwiej o zazdrość i rywalizację pomiędzy psami tej samej płci i wielkości, w tym samym wieku i o podobnym temperamencie. Mogą one walczyć o kości, legowisko albo uwagę właściciela.

Wskazówka 429
Psy nie mogą się dzielić upragnionymi rzeczami, dlatego każdy powinien mieć własne legowisko i miskę z jedzeniem; ewentualnie mogą mieć wspólne naczynie na wodę. Rywalizacja między rodzeństwem spotykana jest częściej w przypadku ras dominujących, takich jak dobermany.

Wskazówka 430
Jeśli mamy dwa psy płci męskiej, może być potrzebna kastracja tego o słabszym tempe-

ramencie, w celu zwiększenia różnicy między nimi.

Wskazówka 431
Najczęstszym powodem niezgody między psami jest kość.

Unikniesz problemów, jeśli nie będziesz dawał psom kości, a jeśli już – to każdemu w osobnym pomieszczeniu.

Wskazówka 432
Bez względu na to, ile pies dostanie kości, zawsze będzie chciał kość towarzysza.

■ Bez kontaktu wzrokowego

Możesz złagodzić rywalizację, karmiąc psy równocześnie. Staraj się przy tym stawiać miski w przeciwległych kątach, tak aby zwierzęta się nie widziały.

Wskazówka 433
Psy powinny wiedzieć, że czeka je nagroda, jeśli będą jadły obok siebie w spokoju. Zawsze stawiaj miskę najpierw psu dominującemu.

■ Obustronne korzyści

Wskazówka 434
Jeśli psy mają podobne temperamenty i trudno jest określić, który z nich dominuje, wydawaj komendy obydwóm, równocześnie nagradzając. Nauczą się posłuszeństwa jeden przy drugim.

Pierwsza pochwała należy się psu dominującemu

W psim świecie nie istnieje pojęcie demokracji. Jeśli psy ustaliły swoją hierarchię, powinieneś ją uznać i nagradzać najpierw tego, który dominuje. Dzięki temu nie będzie on walczyć o należne mu przywództwo.

Zazdrość

Przedstawienie szczeniaka

Chociaż większość psów akceptuje nowego szczeniaka w domu, na początku może się pojawić zazdrość.

Ograniczysz problemy, przyzwyczajając szczeniaka do codziennych zwyczajów starszego psa.

Wskazówka 435
Poświęcaj możliwie dużo uwagi starszemu psu przy nowym, a wkrótce będzie kojarzył obecność szczeniaka z miłymi doznaniami.

Łagodny brak uwagi

Pod nieobecność szczeniaka nie poświęcaj zbyt dużo czasu starszemu psu. Dzięki temu będzie sobie kojarzył twoje pieszczoty z pojawianiem się przybysza.

Daj psu odetchnąć

Wskazówka 436
Szczeniaki potrafią być rozkoszne, ale i niezwykle nużące. Psa

weterana może męczyć nieustanny harmider, dlatego oddziel przegrodą miejsce, w którym przebywa, tak aby maluch nie mógł się przez nią przedostać.

Problemy z popędem seksualnym

Ostentacyjne zachowania seksualne psów są dla nich czymś naturalnym, najczęściej jednak przeszkadzają ludziom.

Wskazówka 437
Zachowania seksualne, takie jak znaczenie różnych miejsc moczem, włóczenie się, ochrona własnego terytorium, walki i zaborcza ochrona właściciela, są właściwe osobnikom płci męskiej i łatwiej je opanować, jeśli pies jest wykastrowany.

Wskazówka 438
Pozwalanie psu na krycie suki, za każdym razem gdy ma na to ochotę, może na dłuższą metę powodować kłopoty – pies może ostentacyjnie przejawiać samcze zachowania.

Sterylizacja suk może u nich powodować nasilenie zachowań wynikających z chęci dominowania.

Seksualny substytut

Pies rzadko ma okazję znaleźć sukę gotową do pokrycia, dlatego próbuje się wspinać na swych właścicieli. To zachowanie występuje też u niektórych suk. Jest ono nieszkodliwe, ale może przeszkadzać. Pojawia się przed osiągnięciem przez zwierzę dojrzałości płciowej.

Wskazówka 439
Jeśli pozwolisz, żeby szczeniak wspinał się na ludzi, trudno będzie go od tego odzwyczaić, gdy dojrzeje.

Rozwiązanie

1. Za każdym razem, gdy pies stara się objąć przednimi łapami nogę lub ramię jakiejś osoby, odsuń go i powiedz „nie". Odciągnij go za obrożę i zamknij gdzieś na minutę. Psy o silnym popędzie seksualnym, chcąc go zaspokoić, szukają każdej możliwości poczucia dotyku, nawet w formie kary. Nie dotykaj psa w tym momencie.

2. Zamknięcie psa ma tu jedynie symboliczne znaczenie i nie powinno trwać długo.

3. Przez kilka minut nie zwracaj uwagi na zachowanie psa, a następnie każ mu usiąść, nagródź i pobaw się z nim. Wspinanie się na nogę człowieka jest wskazówką, że pies potrzebuje wybiegania. Zapewnij mu wystarczająco dużo ćwiczeń.

Wspinanie się na różne przedmioty

Wskazówka 440
Jeśli pies nie może zaspokoić swojej potrzeby, wspinając się na ludzi lub inne psy, próbuje to zrobić za pomocą zabawek, poduszek czy dywanu.

Rozwiązanie

Wskazówka 441
Kiedy pies zacznie ciągnąć dywan, wydaj mu komendę „zostaw" i strzel strumieniem wody z pistoletu wodnego. Spowoduje to jego dekoncentrację.

Wspinanie się na gości

Wskazówka 442
Niektóre psy mają przykry zwyczaj wspinania się gościom na nogę w celu zwrócenia na siebie uwagi.

Rozwiązanie

Wskazówka 443
Weź psa na smycz i zamknij w drugim pokoju; niech tam będzie aż do zakończenia wizyty. Możesz też nie zwracać na niego uwagi, wydać odpowiednią komendę.

Wskazówka 444
Zamykając psa w innym pomieszczeniu, unikniesz kłopotów podczas wizyt. Możesz również wziąć go na smycz i poprosić gości, żeby go nie głaskali i nie pobudzali.

Kastracja

Jeśli twój pies nie jest przeznaczony do hodowli, a wykazuje jakieś przykre nawyki seksualne, porozmawiaj z weterynarzem na temat korzyści płynących z kastracji.

Wskazówka 445

Kastracja pod żadnym względem nie zmienia podstawowych cech charakteru psa. Zmniejsza po prostu możliwość wystąpienia u niego problemów związanych z pociągiem seksualnym.

Problemy z samochodem

Wskazówka 446

Niektóre zwierzęta bardzo lubią jazdę samochodem, ponieważ to je ekscytuje. Podróż często kojarzy się im z długim spacerem lub spotkaniem z innymi psami.

Wskazówka 447

Inne natomiast nie znoszą jazdy samochodem: nagłe ruchy pojazdu wywołują u nich wymioty. Zabieraj często psa na krótkie przejażdżki, żeby mógł się przyzwyczaić do podróży.

Wskazówka 448

Jeśli pies się ślini albo wymiotuje, nie karm go przed wyjazdem. Wnętrze samochodu zabezpiecz gazetami lub starymi prześcieradłami.

Wskazówka 449

Skarć go słownie, gdy próbuje traktować auto jak swoje terytorium.

Nauka podróżowania

Wskazówka 450

Zachęć psa smakołykiem (jeśli nie wymiotuje) albo zabawką, żeby wskoczył do samochodu. Nie pobudzaj go przy tym za bardzo. Na początek zabierz ze sobą miskę psa i jakąś zabawkę, żeby skojarzył jazdę samochodem z przyjemnymi doznaniami. Schowaj miskę, gdy pies znajdzie się w środku.

Nadmierne szczekanie

Wskazówka 451

Jeśli pies za bardzo przeszkadza i szczeka podczas jazdy, ktoś powinien usiąść obok niego i go uspokoić.

Niszczenie tapicerki

Wskazówka 452

Gdy pies ma za dużo swobody, może poszarpać tapicerkę

i zająć się wypruwaniem tego, co jest pod nią. Spryskaj siedzenia i pasy bezpieczeństwa nietoksyczną substancją o gorzkim smaku i zostaw psu zabawkę, żeby miał co gryźć.

Osłona przeciwsłoneczna

Wskazówka 453
Osłona umieszczona w oknie samochodu ochroni psa przed słońcem. Uspokoi również nadpobudliwe zwierzę, ograniczając mu pole widzenia, a tym samym bodźce związane z podróżą.

Klatka podróżna

Wskazówka 454
Psy przyzwyczajone do przebywania w klatce mogą w niej podróżować. Zapewni to ochronę i pozwoli uniknąć niebezpiecznych sytuacji. Pies będzie się lepiej czuł, gdy zostawisz mu w klatce zabawkę.

Pies pod kontrolą

Wskazówka 455
Załóż psu kaganiec, żeby zanadto nie szczekał, nie niszczył rzeczy i nie przeszkadzał w podróży.

Wskazówka 456
Jeśli przymocujesz smycz do pasa bezpieczeństwa, ograniczysz psu swobodę ruchów.

Wskazówka 457
Niektóre pasy bezpieczeństwa ograniczają ruchy psa, więc kierowca nie musi się obawiać, że zwierzę będzie rozpraszało jego uwagę. Mogą one również zmniejszyć ryzyko zranienia czworonoga podczas wypadku.

Jedna z przyczyn śmierci psa

Wskazówka 458
Nie zostawiaj nigdy psa samego w aucie podczas upałów. Parkowanie w cieniu i zostawianie uchylonej szyby też nie jest wtedy dobrym pomysłem.

Wskazówka 459
Psy nie mają dobrej zdolności regulacji temperatury ciała. Dlatego może dojść do fatalnego w skutkach porażenia słonecznego. Nie zostawiaj także psa samego w samochodzie w mroźne dni, gdy jest włączone ogrzewanie.

Orzeźwianie

Pamiętaj zabrać w podróż pojemnik z wodą.

Wskazówka 460
Zaleca się robienie przystanków co kilka godzin, żeby pies odpoczął, napił się i załatwił swoje potrzeby.

Pies nerwowy

Wskazówka 461

Nerwowe zachowanie jest charakterystyczne dla małych ras i psów izolowanych w młodości. Nerwowość ma różne przyczyny. Może być spowodowana hałasem, np. odgłosami silnika samochodowego czy fajerwerkami – nawet u psów myśliwskich.

Wskazówka 462

Inne boją się ludzi o kulach lub na wózku inwalidzkim, a karcenie ich wtedy za przejawy nerwowości może tylko wzmóc strach przed człowiekiem.

Wiele psów ucieka ze strachu przed hukiem, np. grzmotem piorunów.

Wskazówka 463

Naturalną reakcją właściciela jest uspokojenie psa i odwrócenie jego uwagi od źródła strachu, co tylko wzmacnia bojaźliwe zachowanie zwierzęcia, zapamiętuje ono bowiem, że przejawy strachu są nagradzane dotykiem właściciela, czułymi słowami albo jedzeniem.

Rozwiązanie

Wskazówka 464

Nagraj hałasy, których pies się boi. Odtwórz mu je – na początku cicho – gdy jesteś pewien, że nie wystąpią w tym momencie

w naturze. Daj psu nagrodę, jeśli się nie będzie bał.

Wskazówka 465

Przez kilka tygodni zwiększaj stopniowo natężenie dźwięku aż do takiego, jakie pierwotnie przerażało psa.

Strach przed różnymi przedmiotami

Czasem psy obawiają się nieznanych przedmiotów, zwłaszcza ruchomych, jak np. łyżworolki. Psy mieszkające w bezdzietnych rodzinach często boją się wózków dziecięcych i uciekają przed nimi, nawet jeśli wózek stoi.

Rozwiązanie

1. Umieść smakowity kąsek w pobliżu wózka. Pamiętaj, żeby pies nie był najedzony i miał ochotę na jedzenie. Kładź przynętę coraz bliżej wózka, tak żeby ją

zjadając, zbliżał się do niego coraz bardziej. Ostatni kawałek połóż pod wózkiem. Niech pies, chcąc go dosięgnąć, wsadzi tam łeb.

2. Jeśli pies zje kawałek znajdujący się pod wózkiem, powtórz ćwiczenie, wykorzystując jego miskę. Podczas szkolenia staraj się delikatnie poruszać wózkiem. Nagródź psa, jeśli się nie przestraszy.

Strach przed rękami człowieka

Bojaźliwy pies może chcieć wyrazić człowiekowi wdzięczność, ale będzie się odsuwał ze strachu przed wyciągniętą ręką.

Rozwiązanie

1. Aby oswoić psa z ręką, połóż przed nim na ziemi otwartą dłoń, na której trzymasz smakołyk. Jeśli się boisz, że pies cię ugryzie, zastosuj się do rad podanych wcześniej.

2. Jeśli pies je ci z ręki dobrowolnie, zmniejszaj odległość między wami, aż znajdziesz się tuż przy nim.

Sikanie jako objaw uległości

Psy bardzo bojaźliwe, słysząc polecenie, przylegają poddańczo do ziemi, a gdy są przerażone, potrafią się nawet posikać.

Wskazówka 466
Jeśli pies zachowuje się w podobny sposób podczas szkolenia, to znak, że jesteś dla niego zbyt surowy. Nie powinieneś go wtedy głaskać ani dotykać, bo to pogorszy sytuację.

Rozwiązanie

Wskazówka 467
Aby pies odzyskał pewność siebie, kucnij tak, żeby się znaleźć na jego poziomie, i zachęć go do wzięcia jednej z zabawek. Podczas zabawy w przynoszenie różnych przedmiotów pies zapomni o poddańczej postawie i o tym, że go dotykasz – co wcześniej pogłębiało jego zachowanie.

Wskazówka 468
Jeśli pies się czołga i sika, gdy go ganisz, nie zwracaj na niego uwagi, aż się uspokoi.

Pies znudzony

Psy są zwierzętami towarzyskimi i stadnymi, a ich mózg i ciało potrzebują różnorodnych bodźców.

Wskazówka 469

Gdy wracasz do domu i zastajesz zniszczone mieszkanie, popełniasz błąd, jeśli myślisz, że twój pies to zrobił, bo chciał się na tobie zemścić.

Psy nie są zdolne do popełnienia przestępstwa z premedytacją. Wycie, kopanie, niszczenie, znaczenie moczem swojego terytorium, skakanie czy rytmiczne chodzenie tam i z powrotem to oznaki niepokoju. Niektóre psy wyrażają w ten sposób tęsknotę za właścicielem.

Wskazówka 470

Możesz uniknąć problemów związanych z nudą psa, zapewniając mu odpowiednią dawkę kreatywnych ćwiczeń.

▌Wycie w celu zwrócenia na siebie uwagi

Wskazówka 471

Młode wilczki wyją, żeby zwrócić na siebie uwagę matki. Znudzony i pozostawiony samemu sobie pies szczeka lub wyje, chcąc zwrócić na siebie uwagę właściciela.

▌Kopanie w ziemi

Niektóre psy kopią jamy, żeby ukryć kość albo położyć się w chłodnym miejscu, jednak większość robi to z nudów.

▌Rytmiczne skoki

W ogrodzie znudzony pies może się bawić, podskakując, żeby zobaczyć, co się dzieje za płotem.

▌Niszczenie spowodowane smutkiem

Psy mogą przejawiać działalność niszczycielską w sposób niezwykle spektakularny: szarpią tapety, gryzą tapicerkę samochodową, drą dywany, odzież i pościel. Ciekawe, że to zachowanie obserwuje się u psów niepewnych siebie, którym brakuje ruchu, a przede wszystkim u przygarniętych z ulicy, które są emocjonalnie uzależnione od swych właścicieli.

Jak uniknąć problemów

▌Wykorzystaj zmysły psa

Wskazówka 472

Zanim zostawisz psa samego w domu, zapewnij mu odpowiednią dawkę zróżnicowanych ćwiczeń.

Pies zmęczony nie ma ochoty na szczekanie czy niszczenie.

▌Spotkanie z innymi psami

Nie powinieneś swego czworonoga izolować. Staraj się, by jego spotkania z innymi psami odbywały się w twojej obecności, żebyś miał pewność, że przebiegną pomyślnie.

Zabawy

Kiedy zostawiasz psa samego, daj mu jego ulubioną zabawkę. Jeśli potrzesz ją rękami, przesiąknie twoim zapachem. Dzięki temu pies będzie się czuł pewniej.

Wyjście do pracy

Pies nie powinien przebywać cały dzień sam w domu, ponieważ jest zwierzęciem aktywnym.

Wskazówka 473
Jeśli możesz, zabieraj psa ze sobą do pracy. Ograniczysz w ten sposób jego nudę i chęć niszczenia.

Pomoc

Wskazówka 474
Jeśli musisz zostawić psa samego na długi czas, możesz rozwiązać problem nudy, wynajmując osobę, która zajmuje się zawodowo wyprowadzaniem psów, albo poprosić znajomego, by zapewnił mu wystarczającą ilość ruchu.

Przed wyjazdem

Wskazówka 475
Daj psu zabawkę i zostaw go samego w pokoju, żeby sprawdzić jego reakcję. Po kilku minutach wróć i pochwal zwierzę, jeśli nie przejawiało oznak nudy, jak szczekanie, wycie czy drapanie w drzwi.

Wskazówka 476
Powtarzaj to ćwiczenie w różnych pokojach, zmieniając czas nieobecności, aż będziesz mógł zostawić go samego bez żadnych obaw.

Możesz spokojnie powiedzieć psu „cześć"

Wskazówka 477
Spróbuj po cichu wyjść z domu. Głośno nastawiony telewizor czy radio może odwrócić uwagę psa od odgłosu przekręcania klucza w zamku.

Należy pamiętać, że nawet psy, które na ogół zachowują się poprawnie, mogą mieć problemy z rozłąką w nowym miejscu pobytu.

Leczenie nudy

Wskazówka 478
Trudno będzie się pozbyć problemów związanych z nudą, jeśli nie wyeliminujesz jej przyczyn.

Aktywność fizyczna

Psy potrzebują aktywności fizycznej i najlepszym sposobem na ich nudę są codzienne spacery.

Wskazówka 479
Daj psu okazję do ćwiczeń, poznawania terenu, wąchania i chodzenia po śladzie oraz do znaczenia terenu moczem. Dzięki

temu nabierze pewności siebie i nie będzie się bał samotności.

Weź pod uwagę możliwość kastracji, jeśli twój pies to samiec i dlatego szczeka, kopie, ucieka lub niszczy różne rzeczy. Tylko wyeliminowanie przyczyny pozwoli ci na reedukację, która przezwycięży jego antyspołeczne zachowanie.

Wskazówka 480
Pamiętaj, że pies nie jest mściwy, a jego zachowanie wynika z niepokoju i frustracji.

Wycie

▌Komenda „spokój"

Jeśli podczas twojej nieobecności pies nieustannie szczeka albo wyje, naucz go poprawnego wykonywania komendy „spokój", a następnie udaj, że wychodzisz. Zwróć na siebie uwagę psa, wydaj mu poznaną komendę i wyjdź za drzwi.

Wskazówka 481
Gdy pies zacznie szczekać, upuść metalową tacę albo rzuć w kierunku drzwi pęk kluczy, żeby go wystraszyć.

Wskazówka 482
Kiedy przestanie szczekać, wróć i go pochwal. Następnie wyjdź ponownie za drzwi. Do tego ćwiczenia niezbędne są czas i cierpliwość.

Kopanie

▌Odpoczynek po jedzeniu

Jest mało prawdopodobne, żeby pies był bardziej aktywny z pełnym żołądkiem, niż gdy jest głodny. Psy rzadziej kopią po posiłku.

Wskazówka 483
Jeśli zamierzasz zostawić psa samego w domu na dłuższy czas, lepiej nakarm go rano niż wieczorem.

Kreatywna aktywność

Wskazówka 484
Jeśli pies przekopuje rabatki albo trawnik, spróbuj skanalizować ten instynkt: wyznacz miejsce z piaskiem, gdzie będzie mógł spokojnie kopać.

Skakanie

Dodatkowe zabezpieczenie

Wskazówka 485
Możesz zapobiec przeskakiwaniu psa przez ogrodzenie, położywszy wzdłuż niego metalową siatkę przytrzymywaną cegłami. Utrudni to psu również kopanie.

Hałaśliwa interwencja

Wskazówka 486
Umocuj puste puszki na sznurku, na wysokości jednego metra od ziemi, w odległości około trzydziestu centymetrów od ogrodzenia.

Wskazówka 487
Jeśli pies skoczy i dotknie sznurka, hałas spowodowany przez puszki będzie natychmiastową i zaskakującą karą, o której nieprędko zapomni.

Żucie

Poczucie pewności

Kiedy wychodzisz z domu, zamykaj psa w klatce, zostawiając mu ulubioną zabawkę, albo spryskaj gorzką substancją rzeczy, które zazwyczaj gryzie.

Niepokój wywołany rozłąką

Istnieje prawdopodobieństwo, że psy niepewne siebie – zwłaszcza zabrane ze schroniska – zostawione same w domu będą częściej szczekały, kopały i niszczyły.

Wskazówka 488
Psy niepewne siebie powinny być łagodnie traktowane, ponieważ pozbycie się zachowań spowodowanych rozłąką wymaga czasu.

Wskazówka 489
Przez kilka tygodni wydłużaj czas rozstania, zostawiając psa samego z zabawką, którą wcześniej potarłeś o swoje ręce.

Co zrobić, kiedy pies skacze do twarzy

Szczeniaki witają wracającą matkę, skacząc do jej pyska i starając się ją polizać. Czasem psy, zwłaszcza dorastające – między szóstym a osiemnastym miesiącem życia – zachowują się podobnie względem ludzi, gdy są podekscytowane.

Wskazówka 490
Gdy wracasz do domu, nie podsycaj tej naturalnej skłonności psa do skakania; uderz go dłońmi po łapach i skarć, podnosząc głos.

Wskazówka 491
Powiedz dzieciom, żeby nie wykonywały przesadnych gestów rękami. Jeśli zachowasz spokój, prawdopodobnie pies również będzie spokojny.

▌Podskoki z emocji

Psy najczęściej podskakują, gdy są podekscytowane. Powrót pana do domu, wzięcie obroży do ręki czy wizyta gości – wszystko to może być powodem pobudzenia zwierzęcia.

Wskazówka 492
Choć zdarza się to głównie młodym psom, może się zdarzyć także starszym pozbawionym ruchu. Unikaj takich sytuacji, starając się zapewnić pupilowi dostateczną ilość ćwiczeń.

Rozwiązanie

1. Rozpocznij wykorzenianie nawyku skakania od wzmocnienia działania komend „siad" i „zostań". Zamiast często używać polecenia „na miejsce", wejdź do pokoju i każ psu usiąść. Nie podnoś głosu ani nie wykonuj rękami gwałtownych gestów, bo to pobudza zwierzę.

2. Nagródź psa, gdy poprawnie wykona polecenie, ale nie głaskaj go po łbie, bo prawdopodobnie będzie się wtedy starał polizać cię po twarzy. Lepiej kucnij, zniżając się do poziomu psa, i energicznie poklep go po boku lub podrap pod brodą. Pochwal za to, że był spokojny. Powtarzaj ćwiczenie, aż zupełnie przestanie skakać.

▌Psi pocisk

Niektóre psy skaczą, aby polizać właściciela po twarzy, inne natomiast rzucają się jak pocisk w kierunku ludzi. To normalne między psami, ale niebezpieczne dla człowieka.

Rozwiązanie

Wskazówka 493
Gdy wchodzisz do domu, unikaj jowialnego powitania – miń psa z boku, nie patrząc na niego. Kiedy tylne łapy skaczącego czworonoga dotkną ziemi, każ mu usiąść, a następnie przykucnij. Nagródź go za posłuszeństwo.

Co zrobić, jeśli pies skacze na gości

1. Jeśli pies uparcie skacze na przychodzących z wizytą, załóż mu obrożę i wydaj komendę „siad", zanim otworzysz drzwi.

2. Poproś, żeby następnym razem gość przyniósł ze sobą smakołyk. Niech nagrodzi nim psa, jeśli ten będzie siedział posłusznie.

Zapoznawanie się z dziećmi

Niektóre psy częściej skaczą na dzieci niż dorosłych. Twarze dzieci znajdują się praktycznie na wysokości psich pysków, co najwidoczniej bardzo ekscytuje zwierzęta.

Wskazówka 494
Przedstaw dziecko psu, mając go pod kontrolą po założeniu obroży. Powiedz maluchowi, żeby się nie bał i nie podnosił rąk do twarzy, tylko trzymał je wzdłuż tułowia. Daj psu nagrodę, jeśli nie skoczy, i powtórz ćwiczenie.

Żebranie o uwagę

Niektóre psy, zwłaszcza małych ras, skaczą, szczekają, piszczą lub liżą, chcąc zwrócić na siebie uwagę albo prosząc o jedzenie. To bardzo zły zwyczaj i trzeba im tego zabraniać.

Wskazówka 495
Nigdy nie dawaj psu jedzenia ze stołu ani nie zwracaj na niego uwagi, kiedy cię o nie prosi. W przeciwnym razie nauczysz go, że takim zachowaniem osiągnie korzyści.

Wskazówka 496
Ogranicz uzależnienie psa od siebie, prosząc innych domowników lub znajomych, żeby się z nim bawili i dawali mu jedzenie.

Nie rób psu krzywdy

Używaj zawsze łagodnych metod w celu opanowania zachowań psa. Kiedy skacze, nigdy go nie kop w klatkę piersiową czy tylne łapy ani nie nadeptuj mu na przednie.

Wskazówka 497
Powinieneś rozważnie opanowywać zachowanie psa. Bądź stanowczy, ale nie okrutny.

Pies podekscytowany

Czasem psy zachowują się bardzo dziwnie: histerycznie ujadają, gonią swój ogon, gryzą kamienie i proszą, aby je wziąć na ręce.

Wskazówka 498
Skonsultuj się z weterynarzem

w celu wykluczenia ewentualnej choroby i przeprowadzenia podstawowej reedukacji.

Nadmierne szczekanie

Wiele psów działa jak system alarmowy: zaczynają szczekać, gdy tylko usłyszą niespodziewany hałas.

Wskazówka 499
Teriery, pudle i lhasa apso staną się chronicznymi szczekaczami, jeśli ich nie nauczymy kontrolowania swoich upodobań.

Dla psa o skłonnościach histerycznych komenda „spokój" może oznaczać, że pan chce się dołączyć do szczekania.

Rozwiązanie

Powróć do ćwiczenia komend „daj głos" i „spokój" w odpowiednich warunkach.

Wskazówka 500
Poproś znajomego, żeby zadzwonił do drzwi podczas wykonywania ćwiczenia.

Wskazówka 501
Kiedy pies będzie szczekać, psiknij mu w pysk nietoksyczną i niedrażniącą substancją o niedobrym smaku. Uważaj, by nie trafić w oczy.

Gonienie własnego ogona

Wskazówka 502
Niektóre rasy, jak na przykład bulterier, gonią własny ogon w momencie wielkiego podniecenia.

Wskazówka 503
Choć zachowanie to ma pewne uzasadnienie genetyczne, można je opanować, zapobiegając nasileniu.

Rozwiązanie

Wskazówka 504
Przyciągnij uwagę psa goniącego ogon, dając mu coś atrakcyjniejszego. Każ mu usiąść, a kiedy wykona polecenie, daj zabawkę do gryzienia albo nagrodę w postaci jedzenia. Jeśli to nie poskutkuje, skontaktuj się z weterynarzem.

Wymuszanie uwagi

Czasem psy niepewne siebie histeryzują, jeśli nie zostaną wzięte na ręce. Jest to częstsze u psów, które są uzależnione od swoich właścicieli, zwłaszcza w nowym otoczeniu.

Wskazówka 505
Niektóre psy skaczą, usiłując polizać człowieka po twarzy. Nie traktuj ich ostro. Takie psy potrzebują potwierdzenia własnej wartości.

Rozwiązanie

1. Jeśli pies nieustannie, obsesyjnie skacze na ciebie albo cię drapie, wyjdź bez słowa z pokoju. Pies będzie zaskoczony twoim zachowaniem.

2. Wróć po chwili i jeśli pies się uspokoił, wzmocnij panowanie nad nim, wydając komendę „siad". Jeśli posłucha, powinieneś go nagrodzić.

Zachowania obsesyjne

Szczekanie

Szczekanie jest na ogół normalne i naturalne. Pies szczeka, żeby przywitać nas albo inne psy. W ten sposób również alarmuje albo informuje o zagrożeniu. Szczekanie staje się jednak zachowaniem niepożądanym, gdy nie można nad nim zapanować.

Wskazówka 506
Jeśli jest tak w przypadku twojego psa, chwyć go za kark, spójrz prosto w oczy, szybko i zdecydowanie potrząśnij i wydaj komendę „spokój".

Lizanie

Nieustanne lizanie przednich łap, które nieco przypomina obsesyjne mycie rąk u człowieka.

Wskazówka 507
Gdy to zachowanie przybierze charakter patologiczny, trzeba się zgłosić do weterynarza. Pojawia się ono często u retrieverów i dobermanów.

Problemy z jedzeniem

Od momentu pojawienia się psa w domu przyuczaj go do jedzenia z miski. Jeśli będzie dostawał jedzenie po skończeniu posiłku przez domowników, nauczysz go tym samym posłuszeństwa. Pies zrozumie, że ludzie są istotami dominującymi.

Wskazówka 508
Nie zostawiaj jedzenia w miejscu dostępnym dla psa ani nie karm go przy stole. Nakryj kosz na śmieci pokrywą. Problemy z jedzeniem są przeważnie łatwe do rozwiązania.

Kradzież jedzenia

Psy instynktownie szukają jedzenia, również gdy nie są głodne.

Rozwiązanie

1. Jeśli pies ma zwyczaj buszowania w śmieciach, sprowokuj go, by zrobił to w twojej obecności. Kiedy przystąpi do obwąchiwania śmieci, powiedz zdecydowanie „zostaw", żeby zrozumiał, że takie zachowanie jest niedopuszczalne.

2. Nakryj pokrywą kosz na śmieci, żeby zmniejszyć jego atrakcyjność. Popryskaj go nietoksyczną substancją o gorzkim smaku. Pozwól psu w nim poszperać. Aby ćwiczenie przyniosło pożądany efekt, przykrość z powodu gorzkiego smaku kubła powinna przewyższyć przyjemność z buszowania w śmieciach.

Żebranie o jedzenie

Psy żebrzące przy stole o jedzenie mogą przeszkadzać ludziom.

Wskazówka 509
Jednorazowe poczęstowanie kanapką przy stole jest gorsze, niż gdybyś robił to stale. Łatwiej zmienić stałe przyzwyczajenie niż zachowanie, które się zdarza od czasu do czasu.

Rozwiązanie

1. Naucz psa, żeby jadł tylko wtedy, gdy mu wolno. Każ mu usiąść daleko od stołu, podczas gdy przygotowujesz dla niego posiłek.

2. Postaw miskę na ziemi, ale nie pozwól psu na zmianę pozycji, aż powiesz „dobrze" lub „dobry pies".

Odmawianie jedzenia

Niektóre psy odmawiają przyjmowania jedzenia. Bywa tak w przypadku pudli toy, ale może się zdarzyć również u psów dużych i szczupłych. Psy mogą przetrwać bez jedzenia dłużej niż człowiek.

Rozwiązanie

Wskazówka 510
Zdrowy pies nie umiera z głodu, mając przed sobą jedzenie. Jeśli weterynarz wyrazi zgodę, zostaw mu miskę na dziesięć minut, a potem ją zabierz.

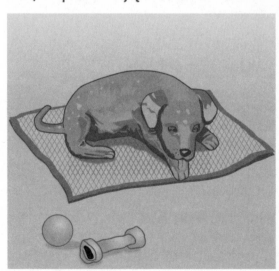

Wskazówka 511
Powtarzaj to codziennie, z mniejszymi porcjami jedzenia, aż będzie zjadał wszystko.

Odrażające zwyczaje

▌Zjadanie odchodów (koprofagia)

To obrzydliwy zwyczaj, choć niestrawione resztki pokarmu mogą być dla psów bardzo pożywne.

Wskazówka 512
Zjadanie odchodów zwierząt roślinożernych (koni, zajęcy, saren) jest naturalne u niektórych ras, zwłaszcza u labradorów i golden retrieverów.

Wskazówka 513
Aby ten zwyczaj wykorzenić, przeprowadź zwykłe ćwiczenie posłuszeństwa. Gdy zauważysz, że pies się interesuje odchodami, powiedz mu „fe". Jeśli chwyci je do pyska, wydaj komendę „zostaw".

▌Własne odchody

Bardziej niebezpieczne dla psa jest jedzenie odchodów własnych lub innych psów, gdyż może się w ten sposób nabawić pasożytów albo spowodować namnażanie się bakterii w jelitach i dostać chronicznej biegunki.

Wskazówka 514
Zawsze sprzątaj po swoim psie, a jeśli zobaczysz świeże odcho-dy innego psa, polej je jakąś pikantną substancją, np. sosem.

Skuteczne szkolenie

Aby szkolenie przynosiło pożądane efekty, pies musi cię uważać za przewodnika stada. Jeżeli o tym, co je, kiedy je czy kiedy ma być wzięty na ręce decyduje pies, to choćby był najłagodniejszy, szybko się stanie dominującym członkiem rodziny.

Wskazówka 515
Twój pies będzie cię słuchał tylko wtedy, gdy go będziesz szanować. Analiza twoich zachowań względem psa pomoże ci odkryć, czy się stosowałeś do podstawowych reguł skutecznego szkolenia.

▌Lekcje posłuszeństwa

Są przeznaczone przede wszystkim dla psów dorosłych, chociaż przyjmowane są na nie również szczeniaki. Prowadzą je przeważnie zawodowi treserzy, którzy uczą podstaw psiego posłuszeństwa zwierzę i jego właściciela.

▌Szkolenie zaawansowane

Większości psów wystarcza pierwszy stopień nauki posłuszeństwa. Szkolenie zaawansowane pozwala na lepsze panowanie nad psem.

Wskazówka 516
Podczas zaawansowanych tre-

ningów możecie wspólnie odkryć przyjemność, jaką dają
sprawne chodzenie po śladzie
czy aktywne działania pod kontrolą prowadzone w formie zabawy. Przyczyni się to do pogłę-
bienia wzajemnych więzi.

Szkolenie profesjonalne

Socjalizacja szczeniąt

Są to cotygodniowe lekcje przeznaczone
dla właścicieli szczeniąt, które nie ukończyły szesnastu miesięcy. W czasie tych lekcji
szczeniak przyzwyczaja się do ludzi i innych
psów. Spotkania te będą podstawą póź-
niejszej tresury.

Szkolenie w klubie

Niektóre psie kluby oferują szkolenie psów
bez obecności właścicieli.

Wskazówka 517
Chociaż kursy te są użyteczne
w przypadku przygotowywania
psa do jakiejś szczególnej czy
trudnej pracy, lepiej, żebyś ty
też uczęszczał na lekcje tresury
i brał udział w nauce trików, które w przyszłości mogą ci się bardzo przydać.

Szkolenie indywidualne

Niektóre problemy z zachowaniem psa, np.

pewne formy agresji lub ściganie bydła, są
na tyle poważne, że warto wykupić indywidualne lekcje u zawodowego tresera.

Wskazówka 518
Zmiana zachowania psa bywa
czasem oznaką choroby. Niekiedy weterynarz może przepisać
leki, które poprawią stan zdrowia zwierzęcia i jednocześnie
wpłyną pozytywnie na jego
sprawowanie.

Pomoc weterynarza

Wskazówka 519
Jeśli zauważysz u psa zmiany
w zachowaniu, zgłoś się do weterynarza.

Jeżeli pies nie jest przeznaczony do hodowli, weź pod uwagę jego kastrację. Wcześnie
przeprowadzona kastracja zmniejsza, a na-

wet eliminuje ryzyko raka sutka i ropomacicza u suk, a także problemy z prostatą u psów.

Wskazówka 520

Wykastrowane psy są również zazwyczaj posłuszniejsze w trakcie szkolenia.

Rozdział 6

Szczegółowy przegląd ras

AIREDALE TERRIER

Wzrost: 55 – 60 cm
Waga: 20 kg
Długość życia: 13 –15 lat

Charakterystyka

Wskazówka 521
Są to psy energiczne, ruchliwe, zawsze czujne na każdy ruch.

Wskazówka 522
Airedale terrier to dobry stróż.

Wskazówka 523
Jego samopoczucie można łatwo odgadnąć po wyrazie oczu, pozycji uszu i wyprostowanym ogonie. Uważna obserwacja pomoże ci w lepszym zrozumieniu zwierzęcia.

Wskazówka 524
Jest otwarty i ufny, przyjacielski, odważny i inteligentny. Zawsze czujny, nie wykazuje agresji, chociaż jest waleczny. Odpowiedni dla dzieci.

Wskazówka 525
Podstawą ułożenia airedale terriera są codzienne ćwiczenia. Najłatwiej mu je zapewnić podczas wspólnej zabawy.

Wzorzec

Airedale terrier jest największy z terierów. To muskularny, aktywny pies o dość zwartej sylwetce; nie powinien mieć zbyt długich łap ani nieproporcjonalnego ciała.

Głowa i czaszka
Czaszka typowa dla wszystkich terierów: długa i płaska, między uszami niezbyt szeroka, zwężająca się ku oczom. Głowa dobrze wymodelowana. Czoło bez zmarszczek, krawędź czołowa nieznaczna. Policzki proste, niewypełnione.

Szczęki
Duże, silne i dobrze umięśnione. Nie powinny być nadmiernie rozwinięte, żeby kufa nie była okrągła ani rozdęta, gdyż duża część twarzowa nie jest dla tej rasy właściwa.

Kufa

Dobrze wypełniona pod oczami, bez wklęsłości, nie może opadać ukośnie. Nie powinna też być zbyt klinowata ani płaska. Nos czarny, wargi przylegające.

Oczy

Ciemne, małe, nigdy nie wybałuszone; o typowym dla terierów wyrazie, bystre i inteligentne. Jasne oczy bez wyrazu są wadliwe.

Uszy

W kształcie litery V, noszone na bokach głowy; małe, ale we właściwej proporcji do całej sylwetki. Linia załamania ucha nieco powyżej szczytu czaszki. Wadliwe są uszy obwisłe lub wzniesione wysoko.

Uzębienie

Zęby mocne. Zgryz nożycowy: górne siekacze ściśle przykrywają dolne i są ustawione pionowo. Akceptowany jest też zgryz cęgowy. Przodo- i tyłozgryz są niepożądane.

Szyja

Smukła, muskularna, średniej długości i szerokości, rozszerzająca się do łopatek; bez podgardla.

Kończyny przednie

Łopatki długie, ustawione ukośnie, zachodzące do tyłu, płaskie; całkowicie proste, o silnym kośćcu. Łokcie przylegające do tułowia, powinny się harmonijnie poruszać po jego bokach, nie powinny krępować ruchów.

Tułów

Krótki, mocny, prosty, wyprofilowany, nie może być wiotki. Lędźwie umięśnione, żebra dobrze wysklepione. Odległość od żeber do biodra niewielka. W przypadku długiego grzbietu ujawnia się jego wiotkość. Klatka piersiowa głęboka (prawie na jednym poziomie z łokciami), ale nie za szeroka.

Kończyny tylne

Uda długie i silne, mocno umięśnione; kolano dobrze ukątowane, niewykręcone ani na zewnątrz, ani do wewnątrz. Stawy skokowe nisko położone, oglądane z tyłu – równoległe.

Łapy

Małe, okrągłe i zwarte, o dużych, masywnych opuszkach; palce umiarkowanie wysklepione, nie mogą być skierowane ani do wewnątrz, ani na zewnątrz.

Ogon

Wysoko osadzony, noszony wesoło, nie może być nigdy wygięty nad grzbietem. Silny i masywny. Na ogół obcięty. Koniec ogona powinien się znajdować na tej samej wysokości co tylna część czaszki.

Ruch

Przednie kończyny powinny być skierowane do przodu; w ruchu swobodne, ułożone równolegle do boków. Oglądane z przodu stanowią przedłużenie bocznej linii frontu; łapy oddalone od siebie tak samo jak łokcie. Tylne kończyny są siłą napędową psa.

Szata

Włos twardy, szorstki, gęsty, niezbyt długi, nie może sprawiać wyglądu rozczochranego. Przylegający, pokrywa całe ciało i kończyny. Od zewnętrznej strony twardy. Partie wewnętrzne są okryte włosem krótszym i miękkim. Twardy włos może być pomarszczony lub nieco falisty. Włos lokowaty jest wadliwy.

Umaszczenie

Tułów czarny lub ciemnoszary, podobnie jak zewnętrzna część szyi i powierzchnia grzbietowa ogona. Pozostałe części ciała podpalane. Uszy najczęściej ciemniejsze. Wokół szyi i po bokach czaszki barwa może być nieco ciemniejsza.

Wzrost i waga

Wysokość: psa 58 – 61 cm, suki 56 – 59 cm; waga ok. 20 kg.

AKITA INU

Wzrost: 61 – 67 cm
Waga: 30 – 40 kg
Długość życia: 13 –15 lat

Charakterystyka

Majestatyczność króla, szlachetność księcia, odwaga i męstwo wojownika, karność i wierność żołnierza, inteligencja nieprzeciętnego człowieka – wszystkie te cechy ma japoński akita inu, niebezpodstawnie obwołany królem psów.

Wskazówka 526
Sprawdza się w wielu rolach: jako wierny przyjaciel, stróż, maskotka, opiekun jednego właściciela.

Wskazówka 527
Zwierzę o spokojnym temperamencie, łagodne i wrażliwe.

Wzorzec

Pies duży, solidnie zbudowany, zrównoważony i silny. Wyraźnie widoczny dymorfizm płciowy. Mocna sylwetka charakteryzująca się szlachetnością i dostojeństwem.

Głowa
Wielkość czaszki proporcjonalna do ciała. Część czołowa szeroka, z wyraźną bruzdą, gładka, bez zmarszczek. Policzki umiarkowanie rozwinięte. Przegroda nosowa prosta; nos duży i czarny.

Kufa
Umiarkowanie długa, mocna, szeroka i głęboka. Zwężająca się, ale nie spiczasta. Zęby mocne, ze zgryzem nożycowym, wargi przylegające.

Oczy
Stosunkowo małe, prawie trójkątne, umiarkowanie szeroko rozstawione, ciemnobrązowe; im ciemniejsze, tym lepiej.

Uszy
Stosunkowo małe, dość grube, trójkątne z lekko zaokrąglonymi końcami. Osadzone niezbyt daleko od siebie, trochę nachylone ku przodowi.

Szyja
Gruba i muskularna, bez luźnej skóry, we właściwej proporcji do głowy.

Tułów

Prosty, silny, w okolicy lędźwiowej szeroki i muskularny. Klatka piersiowa głęboka, dobrze rozwinięta, żebra umiarkowanie wysklepione, brzuch podciągnięty.

Ogon

Wysoko osadzony, gruby, noszony silnie skręcony nad grzbietem; opuszczony sięga prawie do stawów skokowych.

Ruch

Mocny i zwinny.

Kończyny przednie

Lekko ukośne ku dołowi, powinny być dobrze rozwinięte, przedramiona proste, o ciężkim kośćcu, łokcie przylegające do ciała.

Kończyny tylne

Dobrze rozwinięte, silne i umiarkowanie ukątowane.

Łapy

Grube i okrągłe, o wysklepionych i zwartych stopach; palce ściśle do siebie przylegające.

Szata

Włos okrywowy powinien być twardy, szorstki i prosty; podszerstek miękki i gęsty. Kłąb i zad pokryte nieco dłuższym włosem. Włos na ogonie dłuższy niż na reszcie ciała.

Umaszczenie

Czerwone, czerwono-płowe, pręgowane i białe. Wszystkie wymienione kolory z wyjątkiem białego muszą mieć *urajiro* (białawe umaszczenie po bokach kufy, na policzkach, po spodniej stronie żuchwy, szyi, piersi, tułowia i ogona, po wewnętrznej stronie kończyn przednich i tylnych).

Wzrost i waga

Wysokość w kłębie: psa 67 cm, suki 61 cm; średnia waga: 30 – 40 kg.

ALASKAN MALAMUTE

Wzrost: 60 cm
Waga: 35 kg
Długość życia: 13 –15 lat

■ Charakterystyka

Wskazówka 528
Jego obfity włos wymaga nieustannej troski, zwłaszcza w okresie linienia.

Wskazówka 529
Ze względu na energię i inteligencję psy tej rasy powinny być szkolone przez profesjonalistów.

Wskazówka 530
Wymaga dużych przestrzeni i niezwykłego poświęcenia.

Wskazówka 531
Alaskan malamute jest psem czystym, przyjacielskim, spokojnym i lubiącym zabawy. Gdyby nie jego ogromna potrzeba ruchu, byłby świetnym psem do towarzystwa.

Wskazówka 532
Może przejawiać agresję w stosunku do innych psów, ale się posłusznie poddaje konsekwentnej dyscyplinie.

Wskazówka 533
Pomimo spokojnego i cichego charakteru ma niespożytą energię. Odznacza się dużą pewnością siebie.

Malamuty pochodzą z Alaski. Po zasiedleniu Kanady przez Europejczyków zaczęły być używane do przewożenia ekspedycji w rejony górskie. Nazwa rasy wywodzi się od plemienia mieszkającego poza północnym kręgiem polarnym, które używało malamutów w zaprzęgach.

Alaskan malamute to przede wszystkim świetny pies pociągowy. Bez wątpienia należy mu znaleźć sportowe zajęcie, jak biegi na długie dystanse czy wyścigi psich zaprzęgów.

■ Wzorzec

Głowa
Szeroka i głęboka. Nos czarny. Wargi ściśle przylegające. Kufa duża i masywna, lekko się zwęża i spłyca od miejsca, gdzie łączy się z czaszką, do nosa; czaszka szeroka i lekko zaokrąglona pomiędzy uszami, stopniowo się zwęża i spłaszcza na szczycie, gdy zbliża się do oczu,

zaokrągla się ku policzkom. Lekka bruzda między oczami.

Oczy

Brązowe, o kształcie migdałów, skośnie osadzone w czaszce.

Uszy

Małe w stosunku do głowy. Trójkątne, o lekko zaokrąglonych końcach. Szeroko osadzone na zewnętrznych tylnych krawędziach czaszki.

Szyja

Mocna i umiarkowanie wysklepiona.

Tułów

Klatka piersiowa dobrze rozwinięta. Tułów zwarty, mocny, ale nie za krótki. Grzbiet prosty i łagodnie opadający w kierunku bioder. Lędźwie silnie umięśnione.

Kończyny przednie

Widziane od przodu – proste do śródręczy, o grubej kości i dobrze umięśnione. Łopatki umiarkowanie ukośne.

Kończyny tylne

Uda szerokie, mocne, bardzo umięśnione. Łapy lekko zaokrąglone. Kolana szerokie i grube, lekko kątowane. Wilcze pazury powinny być usunięte.

Łapy

Szerokie, sprawiają wrażenie zwartych; palce wysklepione, ściśle przylegające do siebie. Poduszki zwarte i wytrzymałe. Pazury grube i mocne. Łapy pomiędzy palcami porośnięte ochronnym włosem.

Ogon

U nasady jest przedłużeniem linii kręgosłupa. Noszony ponad grzbietem, gdy pies nie pracuje.

Szata

Włos okrywowy gęsty, gruby, twardy, niezbyt długi. Dłuższy na ogonie i szyi, na której tworzy coś w rodzaju pierścienia. Podszerstek gęsty, natłuszczony i wełnisty. Linienie następuje w miesiącach letnich. Wtedy szata jest zazwyczaj krótsza.

Umaszczenie

Od jasnoszarego do czarnego, z białymi łatami w części twarzowej, na kończynach i brzuchu.

Wzrost i waga

Wysokość: psa 63,5 cm, suki 58,5 cm; waga: psa 38,5 kg, suki 34 kg.

AMERICAN STAFFORDSHIRE TERRIER (AMSTAF)

Wzrost: 45 cm
Waga: 13 – 27 kg
Długość życia: 13 – 15 lat

Charakterystyka

Wspaniałe i kontrowersyjne. Dyskusyjne i sławne. Rasa ta zawsze wzbudzała wiele polemik.

Miłośnicy tych zwierząt stają w ich obronie, chwaląc ich wierność i zamiłowanie do zabaw, wytrwałość i inteligencję. Krytycy wskazują na ich agresywność, która może się wymknąć spod kontroli nawet najbardziej konsekwentnemu właścicielowi. Siła szczęk amstafa to wystarczający powód, żeby wzbudzić respekt. W wielu stanach USA i niektórych krajach Europy hodowla tych zwierząt jest zabroniona.

Wskazówka 534
Amstaf podejmie się każdego zadania, żeby zadowolić przewodnika.

Wskazówka 535
Jest dla niego bardzo serdeczny i daje się łatwo układać.

Wskazówka 536
Ma najpotężniejsze szczęki w psim świecie.

Wskazówka 537
To niezrównany pies dla odpowiednich osób.

Wskazówka 538
Amstaf powinien być wychowywany w obecności obcych.

Wzorzec

Jest to rasa stosunkowo zdrowa, wolna od genetycznych problemów zdrowotnych. Prawdopodobnie zawdzięcza to swojemu pochodzeniu, gdyż psy te służyły do drażnienia byków i niedźwiedzi oraz do walk psów.

Widziany z boku jest kwadratowy, to znaczy jego długość jest równa wysokości od łopatki do podłoża. Ma przysadzistą sylwetkę.

Głowa
Widziana z góry lub z profilu ma kształt klina; widziana od przodu jest okrągła i ma szerokość równą 2/3 szerokości ramion. Taka sama proporcja musi być zachowana pomiędzy odległością wierzchołka głowy od stopu i stopu od końca nosa. Szczęka dobrze osadzona, zgryz nożycowy.

Uszy
Przycięte lub nie – wysoko osadzone, pozbawione fałdów. Przycięte stoją pionowo do góry.

Oczy
Okrągłe, czujne, osadzone w dolnej części czaszki. Dopuszczalne wszystkie kolory.

Nos
Wewnętrzna część nosa dobrze rozwinięta. Nozdrza szerokie; kolor nie ma znaczenia.

Szyja
Potężna, dobrze umięśniona aż do podstawy czaszki.

Kończyny przednie
Silne i masywne.

Łopatki
Szerokie, nieco szersze od klatki piersiowej na wysokości ósmego kręgu. Jeśli ramiona są rozstawione zbyt wąsko, uniemożliwia to prawidłowy rozwój muskulatury, w związku z czym pies nie może być dostatecznie szybki i mocny. Ramiona zbyt szerokie powodują spowolnienie oraz ciężkość ruchów i dlatego pies jest wtedy bardziej podatny na obrażenia.

Klatka piersiowa
Głęboka, dobrze wymodelowana i wąska. Sprężysta i elastyczna.

Ogon
Gruby u podstawy, zwężający się ku końcowi, długi, sięgający stawu skokowego. Noszony dość nisko.

Kończyny tylne
Długie, pochylone i szerokie biodra gwarantują dużą siłę ataku.

Łokcie
Płaskie, silne, nadają znaczną elastyczność ruchom.

Skóra
Gruba, bez fałd, dobrze przylegająca na każdej części ciała z wyjątkiem szyi i klatki piersiowej.

Szata
Włos krótki, zwarty, szorstki i gęsty. Dopuszczalne wszystkie kolory.

Ruch
Lekki i elastyczny, uwydatniający siłę i waleczność tej rasy.

Waga
Preferowana: waga psa 16 – 27 kg, suki 13 – 23 kg.

BASSET HOUND

Wzrost: 33 – 38 cm
Waga: 15 – 20 kg
Długość życia: 15 lat

▌Charakterystyka

Zawdzięcza swą popularność raczej sympatycznej i niepowtarzalnej sylwetce niż cechom psa myśliwskiego.

Wskazówka 539
Obdarzony węchem niespotykanym u innych ras, jest z powodzeniem używany do polowań na zające i dziki.

Jest niezbyt szybki, ale charakteryzuje się dużą wytrzymałością. Zjednuje mu sympatię ujmujące, smutne spojrzenie, lecz w rzeczywistości ma wielką słabość do hałasowania i psot.

Wskazówka 540
Jest to pies serdeczny i uparty, o niezależnym charakterze.

Wskazówka 541
To urodzony myśliwy, dlatego nie należy mu pozwalać na samotne spacery. Bassety tradycyjnie polowały w grupie, stąd ich dobry kontakt z innymi psami.

Wskazówka 542
Świetny towarzysz zarówno dla dzieci, jak i dla dorosłych.

Wskazówka 543
Kiedy nie ma nic do roboty, śpi. Pozostawiony sam w domu nie niszczy rzeczy.

Wskazówka 544
Charakteryzuje się olbrzymią szybkością w bieganiu po wąskich ścieżkach i trudnym terenie. Ma krótkie nogi i ciężki kościec, jego ruchy są rozważne, ale nie ociężałe.

Wskazówka 545
Jest to pies łagodny, ale nie bojaźliwy.

Wskazówka 546
Wytrwały myśliwy, który odnajduje potencjalną ofiarę węchem. Ma rozwinięty instynkt przebywania w sforze.

Szczeka głęboko i melodyjnie. Cechuje go olbrzymia wytrzymałość w terenie. Łagodny i czuły, nigdy nie bywa agresywny.

Wzorzec

Jest to pies myśliwski o krótkich nogach i dość przysadzistej, solidnej budowie, z niewielką ilością luźnej skóry. Rasa ta ma wiele zalet.

Głowa

Górna część kufy i górna część czaszki są z profilu prawie równoległe; kufa, mierzona od zagłębienia nosowo-frontalnego do potylicy, nie jest dłuższa od głowy. Skóra na czole i wokół oczu z lekkimi fałdami, na głowie luźno opada; gdy pies opuszcza głowę, tworzy wyraźne fałdy.

Czaszka

Wysklepiona, o wydatnym guzie potylicznym; niezbyt szeroka w okolicach brwi, lekko zwężona w kierunku pyska.

Oczy

O kształcie rombu, dość głęboko osadzone. Ciemne, u psów gończych o jasnym umaszczeniu mogą być również szarobrązowe. Mają spokojny, życzliwy wyraz. Wyraźnie widoczna czerwona śluzówka. Oczy jasne lub żółte niepożądane.

Uszy

Osadzone na tylnym dolnym brzegu czaszki. Długie, ale nie za bardzo, sięgają daleko poza koniec nosa. Szerokie, opadają w fałdach lekko zawiniętych do środka. Wiotkie, delikatne i aksamitne w dotyku.

Szyja

Muskularna, dobrze wysklepiona, dosyć długa. Skóra na szyi lekko obwisła.

Tułów

Długi i poziomy, bez odchyleń; przód prawie na tym samym poziomie co tył.

Ogon

Dobrze osadzony i raczej długi. Mocny u podstawy, stopniowo zwężający się ku górze. Włos na spodzie ogona szorstki. Podczas ruchu ogon wzniesiony i lekko wygięty w kształt szabli, nie może być całkowicie zwinięty ani podniesiony do góry.

Kończyny przednie

Krótkie, mocne, o silnym kośćcu i pofałdowanej skórze po wewnętrznej stronie.

Ramiona

Nie są ciężkie; łopatki skierowane do tyłu.

Łokcie

Nie mogą być skierowane ani do wewnątrz, ani na zewnątrz. Przylegają do klatki piersiowej.

Przedramię

Wyższa część lekko skierowana do wewnątrz, umożliwia jednak swobodny ruch; przednie kończyny nie mogą się stykać, kiedy pies stoi na tylnych łapach lub jest w akcji.

Śródręcza

Łapy załamane w śródręczu są wadliwe.

Kończyny tylne

Muskularne i wydatne. Oglądane od tyłu – równoległe. Między kolanem i stopą mogą występować fałdy, w tylnej części może się tworzyć lekka fałda z powodu luźnej skóry.

Łapy

Masywne, o mocnych przegubach i opusz-kach. Przednie łapy proste lub lekko, rów-nomiernie odstawione na zewnątrz.

Szata

Włos gładki, krótki, przylegający i twardy. Całość sprawia wrażenie czystości. Włos długi, miękki, postrzępiony jest wadliwy.

Umaszczenie

Białe, czarne i brązowe (trójkolorowe) al-bo cytrynowe i białe (dwukolorowe); do-puszczalne wszelkie barwy uznawane u psów gończych.

Wzrost i waga

Wysokość: 33 – 38 cm, średnia waga: 15 – 20 kg.

BEAGLE

Wzrost: 33 – 40 cm
Waga: 8 – 14 kg
Długość życia: 13 – 15 lat

▌Charakterystyka

Pies hodowany pierwotnie na Wyspach Brytyjskich; jego pochodzenie sięga prawdopodobnie epoki elżbietańskiej, gdy skrzyżowano beagle harriera z dawnymi rasami angielskich psów myśliwskich. Rasa ta jest przeznaczona do polowania na zające, bażanty i kuropatwy, była nawet używana do łowienia ryb. Obecnie wciąż służy myśliwym oraz jako pies towarzysz.

Wskazówka 547
Beagle jest czuły i wesoły, czysty, spokojny, o miło brzmiącym głosie.

Jego zwarta, przysadzista budowa nie sprawia wrażenia toporności.

Wskazówka 548
To wesołe zwierzę, którego głównym zadaniem jest tropienie zajęcy podczas polowań.

Jest odważny i działa z determinacją i uporem. Ma wyważony temperament.

Wskazówka 549
Miły i czujny, nie jest agresywny ani bojaźliwy.

▌Wzorzec

Głowa
Umiarkowanej długości. Mocna, ale nie ciężka, delikatniejsza u suk, pozbawiona pionowych i poziomych zmarszczek. Czaszka nieznacznie wypukła, umiarkowanie szeroka, z lekko zaznaczonym guzem potylicznym. Przełom czołowy wyraźnie zaznaczony, dzieli długość czaszki na dwie symetryczne części. Nos duży o szerokich nozdrzach, najlepiej by był całkiem czarny, choć u osobników jaśniejszej maści dopuszczalne jest lekkie rozjaśnienie pigmentu.

Oczy
Ciemnobrązowe lub orzechowe, stosunkowo duże, ani wypukłe, ani głęboko osadzone; dość szeroko rozstawione względem siebie, o ujmującym, miłym spojrzeniu.

Uszy
Długie, u dołu zaokrąglone. Gdy są skierowane do przodu, sięgają końca nosa. Osadzone nisko, o cienkiej skórze, śmiesznie zwisają, dotykając brzegiem policzków.

Szyja

Na tyle długa, że umożliwia psu swobodną pracę na śladzie; lekko wygięta. Dozwolona niewielka ilość luźnej skóry.

Tułów

Linia grzbietu prosta i pozioma, lędźwie krótkie i zwarte, mocne i elastyczne, nieuniesione za wysoko. Klatka piersiowa sięgająca aż do stawu łokciowego. Żebra dobrze wysklepione, zachodzące daleko do tyłu.

Kończyny przednie

Proste i postawione pionowo pod tułowiem, okrągłe; łopatka dobrze kątowana. Łokcie nie mogą być skierowane ani do wewnątrz, ani na zewnątrz. Wysokość do łokcia stanowi prawie połowę wysokości do krzyża. Krótkie śródręcza.

Kończyny tylne

Mocne uda, dobrze kątowane kolana. Mocne i niskie stawy skokowe, podudzia równoległe.

Łapy

Mocne i zwarte, o mocnej kości i dużych opuszkach. Łapy „zajęcze", wydłużone są niepożądane. Pazury krótkie.

Ogon

Mocny i umiarkowanie długi. Osadzony wysoko, wesoło noszony, ale nigdy nie zawinięty nad grzbietem ani nie skierowany u nasady do przodu. Dobrze owłosiony, zwłaszcza na spodniej części.

Ruch

Grzbiet prosty i poziomy. Pies nie powinien się kołysać. Ruch kończyn swobodny, długi i prosty, bez ich zbytniego unoszenia. Tylne łapy o dobrym wykroku. Kończyny nie powinny wykonywać okrężnych ruchów na zewnątrz lub krzyżować się z przodu.

Szata

Krótka, gęsta, dobrze chroniąca przed wpływem złych warunków atmosferycznych.

Umaszczenie

U psów gończych każda maść dozwolona – wyjątek stanowi maść wątrobiana. Koniec ogona biały.

Wzrost i waga

Minimalna wysokość w kłębie 33 cm, maksymalna 40 cm, średnia waga 8 – 14 kg.

1000
rad, jak **szkolić**
i wychowywać psa

BEARDED COLLIE

Wzrost: 55 cm
Waga: 30 – 40 kg
Długość życia: 13 – 15 lat

∎ Charakterystyka

Choć należy do pracujących, wiele lat temu został wyselekcjonowany jako pies towarzysz, czemu zawdzięcza swój rozwój psychologiczny. Jednak gdy ma po temu okazję, potrafi ujawnić naturalną zdolność do ochrony mienia.

Wyglądem, kolorem i obfitością szaty podobny do bobtaila. Nie doczekał się wielkiego powodzenia u miłośników psów. Swoje odrodzenie zawdzięcza kilku zapalonym hodowcom tej rasy, którzy dzięki bardzo ostrożnym krzyżówkom i skomplikowanym programom selekcji zdołali zaskoczyć świat niespotykaną osobowością z rodziny collie.

Wskazówka 550
Należy unikać częstych kąpieli. Najlepiej kąpać psa raz na trzy, cztery miesiące, używając szamponu o neutralnym pH, który nie będzie zmiękczał włosa.

Wskazówka 551
Po wysuszeniu psa można zastosować specjalny spray przeciw elektryzowaniu się włosa, żeby nie był napuszony. W ten sposób łatwiej będzie uzyskać odpowiednią linię grzbietu, a także utrzymać prawidłową strukturę włosa.

Wskazówka 552
Należy uważać, żeby nie zżółkły białe partie szaty, takie jak broda i jej okolice, szyja i przednie części łap. Można stosować preparaty wybielające, które nie uszkadzają włosa.

Wskazówka 553
Żeby zwierzę wyglądało nienagannie, wystarczy przeprowadzać te zabiegi kilka razy w tygodniu, przeznaczając na każdy mniej więcej pół godziny.

Wskazówka 554
Trzeba również uważać, żeby włos się nie kołtunił. W najgorszym wypadku może dojść do sfilcowania, tak jak u komondora czy bergamasco. Aby tego uniknąć, należy czesać bearded collie co trzy, cztery dni, z włosem i pod włos.

Wskazówka 555

Bardzo ważny jest dobór odpowiednich narzędzi do czesania. Należy stosować szczotkę ze świńskiego włosia albo o nylonowych końcówkach. Dopuszczalne są też końcówki metalowe, trzeba jednak uważać, żeby nie były ostre i sztywne.

Wskazówka 556

Powinniśmy zrezygnować ze strzyżenia psa. W zimie czy w lecie szata stanowi jego naturalną ochronę.

Wskazówka 557

Zawsze czujny, żywy, ufny i aktywny. Ma temperament psa pracującego, bez najmniejszych oznak nerwowości czy agresywności.

Wzorzec

Głowa i czaszka

Głowa proporcjonalna do wzrostu psa. Czaszka szeroka, płaska, kwadratowa, odległość od stopu do guza potylicznego jest równa odległości między uszami.

Oczy

Tego samego koloru co maść psa, szeroko rozstawione, ale nie wyłupiaste, o łagodnym i czułym wyrazie. Brwi tworzą grzywkę, ale nie są tak długie, by zakrywały oczy.

Uszy

Średniej wielkości, obwisłe. Gdy pies ma napiętą uwagę, powinny się wznosić u nasady do poziomu wierzchołka głowy, ale nigdy nie wyżej. Powiększa to szerokość czaszki.

Szyja

Umiarkowanej długości, muskularna i lekko wysklepiona.

Tułów

Długość powinna wynikać z długości klatki piersiowej, a nie lędźwi. Grzbiet prosty, żebra dobrze wysklepione, ale nie beczkowate. Lędźwie mocne, klatka piersiowa głęboka i pojemna, dobrze rozwinięta do wysokości serca.

Kończyny przednie

Łopatki ukośne. Kończyny powinny być proste i pionowe, o mocnej kości, pokryte kosmatym włosem. Śródręcza giętkie i mocne.

Kończyny tylne

Dobrze umięśnione, o mocnym podudziu; kolana dobrze ukątowane, stawy skokowe nisko osadzone. Śródstopie prostopadłe do podłoża; gdy pies normalnie stoi, powinno się znajdować tuż za linią pionową przebiegającą przez guz kulszowy.

Łapy

Owalne, o mocnych opuszkach. Palce powinny być wysklepione i zwarte, dobrze uwłosione włącznie z przestrzeniami między opuszkami.

Umaszczenie

Łupkowoszare, płowe wpadające w czerwone, czarne, niebieskie, wszystkie odcienie szarości, brązowe i piaskowe, z białymi plamami.

Ogon

Powinien być nisko osadzony. Nie może być ani słaby, ani skręcony.

Szata

Włos dwojakiego rodzaju: podszerstek miękki, wełnisty i gęsty; włos okrywowy prosty, szorstki, twardy, mocny. Wełnisty i skręcony jest niepożądany.

Wzrost i waga

Wysokość: psa 53 – 56 cm, suki 51 – 53 cm; średnia waga: 30 – 40 kg.

BERGAMASCO

Wzrost: 55 – 60 cm
Waga: 26 – 38 kg
Długość życia: 13 – 15 lat

▮ Charakterystyka

Wskazówka 558
Owczarek bergamasco jest inteligentny, spokojny i cierpliwy. Cechy te powodują, że idealnie się nadaje do stróżowania, do towarzystwa i do innych zadań.

Wskazówka 559
Częste kąpiele nie są dla tego psa korzystne. Wystarczą dwie w roku, w przeciwnym razie może dojść do eliminacji naturalnej powłoki tłuszczowej chroniącej jego skórę.

Wskazówka 560
Do ukończenia szóstego bądź siódmego miesiąca można go czesać raz na piętnaście dni. Od momentu zaobserwowania tworzenia się charakterystycznych kosmyków należy zaprzestać gorliwego szczotkowania.

Wskazówka 561
Chociaż owczarek bergamasco powinien być jak najmniej dotykany, należy zwrócić uwagę na kosmyki tworzące się z jego delikatnego włosa. Trzeba je ostrożnie rozczesywać palcami, zmniejszając ich objętość.

Wskazówka 562
W późniejszym okresie można powierzchownie czesać zwierzę od czasu do czasu, aby rozczesać kosmyki.

Wskazówka 563
Gdy zaczną się tworzyć kosmyki, czesanie powinno się ograniczyć do grzbietu, na którym znajduje się tzw. kozi włos, aby uniknąć sczepiania się podszerstka i powstawania supłów.

Wskazówka 564
Rasa ta nie linieje. Długość włosa wzrasta wraz z przyrostem powstałych wcześniej kosmyków.

Wskazówka 565
Szata kształtuje się w ciągu trzech pierwszych lat życia. Od tego momentu uważa się ją

za charakterystyczną dla dorosłego osobnika. Psa czesze się rzadko i jedynie powierzchownie.

▌Wzorzec

Głowa

Długość kufy jest równa długości czaszki. Taki układ o równoległych liniach powoduje, że głowa wydaje się większa. Skóra nie powinna być gruba ani tworzyć zmarszczek. Czaszka szeroka i lekko wypukła pomiędzy uszami; w okolicy czoła również szeroka i zaokrąglona.

Oczy

Raczej duże; tęczówka ciemnobrązowa, choć jej kolor często zależy od barwy szaty. Wyraz oczu łagodny, uważny i pogodny.

Uszy

Osadzone wysoko, półopadające (opada tylko ostatnie dwie trzecie zaokrąglonego płatka). Gdy pies czuwa, ucho podnosi się lekko u podstawy.

Szyja

Górna linia łagodnie wygięta. Szyja jest trochę krótsza od głowy.

Tułów

Kłąb wyraźnie zaznaczony, wysoki i długi; lędźwie lekko wysklepione, zad lekko opadający.

Ogon

Osadzony na ostatniej jednej trzeciej zadu; gruby i mocny u nasady, zwęża się w kierunku końca; pokryty lekko falistym, kozim włosem. W akcji pies macha ogonem jak flagą.

Kończyny przednie

Oglądane z przodu i z profilu – dosyć solidne; wysokość od ziemi do łokcia wynosi połowę wysokości w kłębie. Są proporcjonalne do wzrostu psa.

Kończyny tylne

Proporcjonalne do wzrostu psa; proste widziane zarówno z tyłu, jak i z profilu. Tylne łapy powinny spełniać te same normy co przednie.

Skóra

Powinna być cienka na całym ciele, a zwłaszcza na uszach i kończynach przednich; ciasno przylegająca do ciała. Szyja bez podgardla, a głowa bez zmarszczek. Kolor śluzówek i trzeciej powieki – czarny.

Szata

Bardzo obfita, długa i zróżnicowana w zależności od regionu. Włos szorstki (kozi włos), zwłaszcza w przedniej części ciała. Od połowy klatki piersiowej ku tyłowi i na wszystkich kończynach włos ma tendencję do tworzenia kosmyków albo, w zależności od wieku psa, jest już spleciony w strączki. Powinny się one zaczynać na linii wierzchniej grzbietu i opadać po bokach ciała. Włos na głowie mniej szorstki, tworzy grzywkę zakrywającą oczy. Na kończynach równomiernie rozłożony w postaci miękkich kosmyków opadających do ziemi, zarówno z przodu, jak i z tyłu, które nie powinny tworzyć strączków. Bardzo krótki, delikatny w dotyku podszerstek utrudnia zobaczenie skóry.

Umaszczenie

Może być jednolicie szare lub z szarymi pasemkami o wszelkich możliwych odcie-

niach: od jasno- do ciemnoszarego, a nawet czarnego. Dozwolone są też pasemka jasnopłowe i izabelowate. Dozwolona jest maść całkiem czarna,
pod warunkiem że jest to czerń matowa.
Umaszczenie nie może być białe, chyba że
są to białe pasemka, których powierzchnia nie przekracza jednej piątej całkowitej
powierzchni ciała.

Wzrost i waga
Idealna wysokość w kłębie: psów 60±2 cm,
suk 56±2 cm; waga: psów 32 – 38 kg,
suk 26 – 32 kg.

BERNARDYN

Wzrost: 65 – 90 cm
Waga: 55 – 80 kg
Długość życia: 13 – 17 lat

▋Charakterystyka

Nie ulega wątpliwości, że pies św. Bernarda jest jedną z najbardziej znanych ras, i to nie tylko wśród miłośników psów.

Jego popularność rosła latami, do czego przyczyniła się praca, którą wykonywał – ratowanie osób zagubionych w śniegu, zwłaszcza w Alpach, skąd pochodzi.

Wskazówka 566
Bernardyn potrzebuje szerokich przestrzeni, ruchu i dużo pokarmu.

Wskazówka 567
Wymaga uważnej pielęgnacji, szczególnie okolic pyska i oczu.

Wskazówka 568
To pies niekłopotliwy i łatwy we współżyciu.

Wskazówka 569
Pracowity, oddany i spokojny. Jego dobrotliwy charakter widać już na pierwszy rzut oka.

Wskazówka 570
Kiedy bernardyn – zwłaszcza samiec – staje w obronie swojej własności, okazuje wielką brawurę i poświęcenie i pomimo swej wielkości atakuje zadziwiająco zwinnie.

Wskazówka 571
Ze względu na wrodzone predyspozycje do obrony bernardyn nie wymaga specjalnego szkolenia. Dostosowuje się do wymagań tresera, chociaż ten powinien się uzbroić w cierpliwość, ponieważ rasa ta jest dosyć uparta.

Wskazówka 572
Odznacza się czułym węchem, co pomaga mu w odnajdywaniu osób uwięzionych pod śniegiem.

Istnieją dwie odmiany bernardyna: długo- i krótkowłosa. Bernardyny długowłose są bardziej popularne, natomiast krótkowłose lepiej się nadają do wykonywania zadań, gdyż są odporniejsze na zmiany temperatury, a do ich krótszej szaty nie przywierają grudki zmarzniętego śniegu.

■ Wzorzec

Typowy bernardyn jest potężny i pełen życia. To pies bardzo umięśniony, średniej wielkości, o dużej głowie i inteligentnym spojrzeniu. Osobniki o ciemnej masce wyglądają groźniej, ale nie mają złego usposobienia.

Głowa

Mocna i szeroka. Po bokach łagodnie zaokrąglona, przechodzi w silnie rozwiniętą, wysoką partię policzkową. Część potyliczna widziana z przodu i z boku lekko wypukła. Czaszka gwałtownie opada w stronę kufy. Stop lekko zaznaczony. Łuki nadoczodołowe bardzo silnie rozwinięte. Od nasady kufy przez środek czoła przebiega bruzda czołowa, która na końcowym odcinku potylicy stopniowo się zaciera. Skóra na czole nad oczami tworzy słabiej lub mocniej zaznaczone fałdy, które schodzą się w bruździe czołowej. Kiedy pies jest podniecony, fałdy się uwypuklają.

Kufa

Krótka, o jednakowej szerokości. Grzbiet nosa prosty, z lekkim żłobkiem przez środek. Długość kufy nie powinna przekraczać jej szerokości.

Oczy

Średniej wielkości. Mogą być od ciemnobrązowych po kolor orzecha laskowego. Umiarkowanie głęboko osadzone w oczodołach. O przyjaznym wyrazie. Powieki powinny się zamykać najbardziej jak to możliwe i być całkiem pigmentowane. Pożądane jest całkowite naturalne zamknięcie. Dopuszczalny jest fałd przy wewnętrznym kąciku oka, ale spojówka powinna

być jak najmniej widoczna, oraz nieznaczny fałd przy kąciku zewnętrznym.

Uszy

Średniej wielkości, wysoko osadzone, z szeroką nasadą. Małżowina silnie rozwinięta. Płat małżowiny delikatny, w kształcie trójkąta, z zaokrąglonym końcem. Tylny brzeg lekko odstający od głowy, przedni ściśle przylegający do policzków.

Szyja

Silna. Dobrze rozwinięte podgardle.

Kończyny przednie

Powinny być proste i równoległe.

Przednie łapy

Szerokie, zwarte, o dobrze wysklepionych palcach. Wilczy pazur może zostać, pod warunkiem że nie przeszkadza w chodzie.

Kończyny tylne

Umiarkowanie kątowane i muskularne. Widziane od tyłu powinny być równoległe, dość szeroko rozstawione.

Tylne łapy

Szerokie, zamknięte. Palce szerokie, dobrze wysklepione.

Klatka piersiowa

Umiarkowanie głęboka, z dobrze wysklepionymi żebrami. Nie powinna schodzić poniżej łokcia.

Ruch

Harmonijny, kroki długie, silny wykrok tylnych kończyn. Kończyny przednie i tylne powinny tworzyć w chodzie linię prostą.

Szata krótka

Zewnętrzny włos gęsty, gładki. Podszerstek gęsty, przylegający do ciała. Na udach włos tworzy niezbyt długie frędzle.

Szata długa

Zewnętrzny włos średniej długości, gładki. Obfity podszerstek. Na grzbiecie i w okolicy biodrowej włos może być nieco pofalowany. Uda z obfitymi frędzlami, na przednich kończynach chorągiew. Na pysku i uszach sierść jest krótka. Ogon okryty bujnym włosem.

Umaszczenie

Dominującą maścią jest biała z większymi lub mniejszymi płoworudymi łatami. Jednakowo cenione są psy o barwie płoworudej na lędźwiach i z białymi plamami na bokach.

Dopuszczalna jest maść płoworuda pręgowana i brązowożółta. Bardzo pożądany ciemny brąz na głowie. Dopuszczalne są lekkie czarne znaczenia na całym ciele. Łaty, obowiązkowo białe, na przedpiersiu, łapach, końcu ogona, wokół nosa, na kufie i karku. Pożądana jest biała obroża i ciemna, symetryczna maska.

Wzrost i waga

Minimalna wysokość: psa 70 cm, suki 65 cm. Maksymalna wysokość: psa 90 cm, suki 80 cm. Waga: 55 – 80 kg.

6

BERNEŃSKI PIES PASTERSKI

Wzrost: 58 – 70 cm
Waga: 60 kg
Długość życia: 13 –15 lat

▮ Charakterystyka

Kto zna trochę tę rasę, zwaną też bouvier bernois, berner sennenhund, durrbachler i bernese mountain dog, wie, że berneński pies pasterski jest dobroduszny, radosny i pewny siebie.

Wskazówka 573
Ten odważny pies stróżujący budzi respekt swym wyglądem i charakteryzuje się dużą wytrzymałością i gotowością do pracy.

Obecnie jest używany przede wszystkim do towarzystwa. Jako zwierzę niezwykle eleganckie, o proporcjonalnej budowie i pięknej, obfitej sierści jest ozdobą niejednego domu.

Jego temperament umożliwia mu połączenie opieki nad rodziną z prawdziwym oddaniem psa pasterskiego, przy czym nie przejawia agresywności.

Wskazówka 574
Jest bezwarunkowo oddany swemu panu, dlatego zmiana właściciela ma na niego niekorzystny wpływ.

Wskazówka 575
W stosunku do nieznajomych zachowuje się z rezerwą; jest czujny i przygotowany na każdą nieprzewidzianą sytuację.

Wskazówka 576
Ma szczególną słabość do dzieci: nie tylko uwielbia wspólną zabawę, ale też stale nad nimi czuwa i nie pozwala, żeby ktokolwiek zrobił im krzywdę.

Jest to pies o długim włosie, trójkolorowej maści, dość wysoki, o krzepkich kończynach, mocny i zwinny, gotowy do różnorodnych prac, proporcjonalny.

Wskazówka 577
Pewny, uważny i czujny, nieustraszony w codziennych sytuacjach; karny i dobrotliwy w relacjach z zaufaną osobą; jego temperament jest powściągliwy i łagodny.

▮ Wzorzec

Głowa
Mocna, mózgoczaszka widziana z przodu i z boku lekko zaokrąglona; przełom czo-

łowy wyraźny, ale niezbyt mocny; bruzda czołowa niezbyt głęboka, silna; kufa średniej wielkości, mocna i prosta.

Oczy

Ciemnobrązowe, o kształcie migdałów; powieki dobrze przylegające.

Uszy

Trójkątne, o lekko zaokrąglonych końcach, wysoko osadzone, średniej wielkości. W spoczynku opadające.

Klatka piersiowa i grzbiet

Sięgająca łokci, o wyraźnym przedpiersiu; szeroka i owalna. Grzbiet prosty i twardy. Lędźwie szerokie i mocne.

Ogon

Mocno owłosiony, sięgający co najmniej do stawu skokowego; w spoczynku noszony nisko, w ruchu – uniesiony do wysokości grzbietu lub nieco wyżej.

Kończyny przednie

Widziane od przodu – rozstawione dosyć szeroko i równolegle. Łopatki długie, mocne i skośnie ustawione, dobrze umięśnione i przylegające do tułowia, z ramionami tworzą kąt umiarkowanie rozwarty.

Kończyny tylne

Widziane od tyłu – proste, rozstawione niezbyt szeroko; stawy skokowe i łapy niewykręcone ani na zewnątrz, ani do wewnątrz; ostrogi powinny zostać usunięte. Uda dosyć długie, dobrze kątowane; szerokie, mocne i dobrze umięśnione.

Ruch

Jednostajny, wydajny w każdej fazie. Krok szeroki, swobodny. W kłusie, widzianym zarówno z przodu, jak i z tyłu, kończyny poruszają się w linii prostej.

Umaszczenie

Mocno czarne, z rudymi znaczeniami na policzkach, nad oczami, na wszystkich kończynach i na piersi. Śnieżnobiała strzałka na głowie, opadając, rozszerza się wokół kufy. Biała łata o jednolitym kształcie przebiega od gardła do piersi. Pożądane białe łapy i koniec ogona. Tolerowane są małe, białe łaty na karku i pod ogonem.

Wzrost

Wysokość psa w kłębie: 64 – 70 cm, idealna: 66 – 68 cm; wysokość suki w kłębie: 58 – 66 cm, idealna: 60 – 63 cm.

BICHON FRISE

Wzrost: 30 cm
Waga: 12 kg
Długość życia: 15 –16 lat

Wskazówka 579
Ogon informuje o stanie psychicznym zwierzęcia. Przyjrzyj mu się uważnie: jeśli pies czuje się dobrze, trzyma ogon wzniesiony wysoko ponad łopatką.

Wskazówka 580
To mały piesek o wesołym chodzie. Przez niektórych nazywany salonowym, ponieważ nieustannie szuka kontaktu z właścicielem.

Wskazówka 581
Ze względu na wagę, wielkość i zachowanie jest to idealny pies do towarzystwa, który ponadto świetnie przystosowuje się do małych przestrzeni.

▎Charakterystyka

Wskazówka 578
Jego wymagania to czułość, towarzystwo do zabaw i odrobina uwagi przy pielęgnacji.

Jest to rasa wyhodowana do towarzyszenia człowiekowi.

Bichon frise odznacza się żywym temperamentem. Jest to pies inteligentny, czuły, o uległym i pogodnym charakterze. Ma elegancki chód, zawsze wysoko nosi głowę. Jego ciemne, bystre oczy są pełne wyrazu.

▎Wzorzec

Głowa
Proporcjonalna do tułowia. Czaszka spłaszczona, chociaż dzięki ozdobie z włosów sprawia wrażenie okrągłej; dłuższa niż kufa.

Nos
Okrągły, czarny, delikatny, zgrabny i lśniący.

Wargi
Cienkie, raczej suche, górna opada tylko na tyle, że zakrywa dolną, chociaż nigdy

nie jest ciężka czy obwisła. Zazwyczaj czarne aż po kąty wargowe. Dolna nie może być zbyt ciężka ani widoczna, nie powinna też być delikatna ani odsłaniać błon śluzowych, gdy pysk jest zamknięty.

Zęby

Zgryz normalny, tzn. siekacze żuchwy zachodzą za siekacze szczęki.

Kufa

Nie może być gruba ani ciężka czy wąska. Policzki płaskie i niezbyt umięśnione. Bruzda między łukami brwiowymi nieznacznie widoczna.

Oczy

Ciemne, w kolorze jak powieki, raczej okrągłe, nie są osadzone skośnie. Bystre, niezbyt duże, nieukazujące białkówek. Gałka oczna nie może za bardzo wystawać.

Uszy

Zwisające, obficie pokryte delikatną, skręconą, długą sierścią. Kiedy pies nasłuchuje, podane nieco do przodu, jednak w taki sposób, że przednia krawędź dotyka czaszki i nie odstaje ukośnie. Płat ucha nie może, jak w przypadku pudli, sięgać nosa, lecz do połowy długości kufy. Uszy bichon frise są delikatne i wąskie.

Szyja

Dosyć długa. Przy czaszce łukowata i wąska, stopniowo się rozszerza i łagodnie przechodzi w obręcz barkową. Długość szyi stanowi w przybliżeniu jedną trzecią długości tułowia (proporcja 11: 33 cm w przypadku psa o wzroście 27 cm); za podstawę przyjmowany jest szczyt łopatek.

Tułów

Łopatka szeroka, dobrze umięśniona i nieco wygięta. Zad lekko zaokrąglony.

Klatka piersiowa

Dobrze rozwinięta; mostek zaznaczony. Wolne żebra są okrągłe i łagodnie zakończone. Z tego powodu klatka piersiowa jest dość długa w linii poziomej.

Brzuch

Wyraźnie podkasany.

Ogon

Osadzony nieco poniżej linii grzbietu, podobnie jak u pudla. Na ogół wzniesiony i śmiesznie wygięty nad kręgosłupem. Nie jest zwinięty. Nie powinien być przycinany i nie może dotykać grzbietu, z wyjątkiem ozdoby z włosa.

Kończyny przednie

Widziane z przodu są proste, prostopadłe do podłoża. Kościec delikatny. Łopatki lekko skośne, chociaż nie wystające, sprawiają wrażenie, że są tej samej długości co ramię, tzn. około 10 cm.

Kończyny tylne

Miednica szeroka; uda dobrze umięśnione, skośne.

Łapy

Energiczne; pazury raczej czarne (nie jest to regułą).

Szata

Delikatna, jedwabista, w formie spiralek, podobna do sierści kozy mongolskiej. Nie jest ani przylegająca, ani sznurowata, ma długość od 7 do 10 cm. Włos na kończynach i na kufie może być lekko przycięty.

Umaszczenie

Śnieżnobiałe.

Wzrost i waga

Wysokość w kłębie nie powinna przekraczać 30 cm, waga: ok. 12 kg.

1000
rad, jak **szkolić**
i wychowywać psa

BOBTAIL (OWCZAREK STAROANGIELSKI)

Wzrost: 60 cm
Waga: 30 kg
Długość życia: 13 –15 lat

▌Charakterystyka

Wskazówka 582
Kluczem do osiągnięcia zgodnego współżycia z bobtailem jest wyznaczenie mu granic.

Wskazówka 583
Popełnisz błąd, jeśli pozwolisz temu wielkiemu pluszakowi wodzić się za nos. Podstawą wspólnej egzystencji jest danie mu do zrozumienia, kto jest osobnikiem dominującym.

Wskazówka 584
Czego sam go nie nauczysz, nauczy się samodzielnie, według własnych upodobań.

Wskazówka 585
To wesoły pies o dobrym charakterze. Nie jest bojaźliwy ani agresywny, chyba że zostanie sprowokowany.

Wskazówka 586
Linieje dwa razy w roku, zmieniając tylko podszerstek.

Wskazówka 587
Liniejący podszerstek łatwo zebrać, jeśli pies jest raz w tygodniu czesany grzebieniem pneumatycznym.

Wskazówka 588
Psa kąpie się zgodnie z potrzebami właściciela i przyzwyczajeniami zwierzęcia (najlepiej co piętnaście dni).

Wskazówka 589
Dokładne wyszczotkowanie sierści umożliwia usunięcie zabrudzeń ziemią i błotem i daje ten sam efekt co kąpiel.

Wskazówka 590
Bobtail jest z natury stróżem. Jego pierwotnym przeznaczeniem było poganianie bydła. Jest odważny, wierny i godny zaufania.

Wskazówka 591
Czuły dla właściciela, chce być stale w centrum uwagi.

Jest to mocny pies o zwalistej, kwadratowej sylwetce. Cały pokryty obfitym włosem. Muskularny, silny, o inteligentnym wyglądzie.

Wskazówka 592
Szata nie powinna być sztucznie modelowana – ani za pomocą nożyczek, ani maszynką do strzyżenia.

▌Wzorzec

Głowa i czaszka
Głowa proporcjonalna do wielkości psa; czaszka graniasta, obszerna, część czołowa bardzo dobrze wysklepiona. Wyraźny stop; kufa mocna, kwadratowa, kanciasta, mniej więcej o długości mózgoczaszki; nos duży i czarny.

Uzębienie
Zęby mocne, duże, równo osadzone, o zgryzie nożycowym.

Oczy
Szeroko rozstawione, ciemne lub każde innego koloru; dopuszczalne obydwoje oczu niebieskich. Pożądana pigmentacja powiek.

Uszy
Małe, płasko przylegające do boków głowy; zwisające.

Szyja
Dość długa, mocna i wygięta.

Kończyny przednie
Idealnie proste, o mocnym kośćcu, utrzymują ciało w dużej odległości od ziemi; łokcie dobrze przylegające do klatki piersiowej.

Tułów
Krótki i zwarty, żebra dobrze wysklepione, klatka piersiowa głęboka i szeroka.

Kończyny tylne
Zad mocny, szeroki i lekko wygięty. Końcowa, trzecia cześć zadu dobrze rozwinięta i umięśniona; udo długie i dobrze uformowane; podudzie dobrze ukątowane; stawy skokowe bardzo niskie; oglądane z tyłu są idealnie równoległe, nie mogą być skierowane ani do wewnątrz, ani na zewnątrz.

Łapy
Małe, okrągłe i zwarte, palce dobrze wysklepione. Poduszki grube i mocne. Wilcze pazury powinny być usunięte.

Ogon
Zwyczajowo bardzo krótko cięty.

Ruch
W stępie ruch zadu toczący, jak u niedźwiedzia; kłus długi, wyciągnięty. Duża siła napędowa tylnych kończyn; kończyny przemieszczają się w płaszczyznach równoległych do osi ciała. Galop bardzo elastyczny. W wolnym chodzie niektóre psy mają tendencję do inochodu. W akcji pies może nosić głowę nisko.

Szata
Obfita, twarda i kosmata. Włos nie jest całkiem prosty, ale też nie lokowaty; podszerstek obfity, nieprzepuszczający wody. Głowa i czaszka porośnięte włosem. Uszy pokryte umiarkowanie, natomiast szyja i kończyny przednie – obficie. Najgęściej pokryta włosem tylna, trzecia część zadu. Struktura, obfitość i jakość szaty znacznie ważniejsze niż jej długość.

Umaszczenie
Wszystkie odcienie szarości, barwy łupkowej lub błękitu. Tułów i tylne kończyny jed-

nolicie umaszczone, z białymi „skarpeta-
mi". Głowa, szyja i kończyny przednie – białe lub z łatami.

Wzrost i waga

Minimalna wysokość w kłębie: psów 60 cm,
suk 56 cm; idealna waga: 30 kg.

BOKSER

Wzrost: 53 – 63 cm
Waga: 35 – 50 kg
Długość życia: 11 –15 lat

▌Charakterystyka

Wskazówka 593
Zachowuje się zawsze jak szczeniak, pełen niespożytej energii. Idealny towarzysz dla dzieci.

Wskazówka 594
Jest bardzo ufny i oddany. Nie żywi do nikogo urazy, szczególnie serdeczny w stosunku do dzieci. Łatwy w układaniu.

Wskazówka 595
Bardzo dynamiczny, wymagający długich spacerów.

Wskazówka 596
Wyjątkowy ze względu na wierność i czułość okazywane właścicielowi. Sprawdza się jednak także znakomicie jako stróż i obrońca.

Wskazówka 597
Łagodny w stosunku do domowników, nieufny wobec obcych.

Wskazówka 598
Ma wesoły i przyjacielski charakter, lecz w razie zagrożenia potrafi budzić respekt.

Wskazówka 599
Wrodzona inteligencja, odwaga, zdyscyplinowanie, ciekawość i świetny węch sprawiają, że boksera szkoli się szybko i z przyjemnością.

Wskazówka 600
Dzięki swej dobroduszności i czystości jest ceniony jako pies towarzysz. Jest też dobrym psem obrończym i myśliwskim.

Dawniej boksery często pracowały w policji, pilnowały domu, broniły ludzi i pomagały osobom niewidomym. Obecnie są doceniane raczej ze względu na takie cechy charakteru, jak wesołość, tolerancja, cierpliwość, chęć do zabawy.

Bokser jest krępym, krótkowłosym psem średniej wielkości. Ma krótką, kwadratową sylwetkę, mocny kościec i silnie rozwinięte, widoczne umięśnienie.

Wzorzec

Głowa
Nadaje bokserowi charakterystyczny wygląd; jej wielkość musi być proporcjonalna w stosunku do całego ciała. Ani za krótka, ani zbyt okrągła, część potyliczna nie powinna być zbyt wysoka. Kość nosowa z czołem tworzą wyraźnie zaznaczoną frontową płaszczyznę kufy. Między czołem a grzbietem nosa wyraźnie zaznaczona krawędź nosowa. Grzbiet nosa nie może przechodzić w czoło (jak u buldoga), ale też nie może być wygięty do dołu.

Ciemna maska ogranicza się do kufy i musi się wyraźnie różnić od maści głowy, żeby część twarzowa nie sprawiała zbyt ponurego wrażenia.

Kufa
Szeroka i mocna. Kiedy uszy są wzniesione, w jej górnej części tworzą się wyraźne fałdy, wznoszące się ku górze od podstawy nosa w kierunku boków głowy.

Uzębienie
Ani język, ani zęby żuchwy nie powinny być widoczne przy zamkniętym pysku.

Uszy i oczy
Uszy spiczasto przycięte, tak aby muszle nie były zbyt szerokie; osadzone wysoko, noszone pionowo. Oczy ciemne, nie mogą być ani zbyt małe, ani wyłupiaste, ani też zbyt głęboko osadzone. Powinny wyrażać energię i inteligencję, spojrzenie nie może jednak być groźne ani zbyt przenikliwe.

Nos
Czarny i szeroki, koniec nosa leży nieco wyżej od nasady; nozdrza daleko rozstawione, między nimi przebiega bruzda.

Szyja
Okrągła, nie za krótka ani nie za gruba, muskularna, silna, bez fałdów podgardla.

Tułów
Kwadratowy, tzn. że linie poziome: podłoża i górna poprowadzona na wysokości kłębu, oraz pionowe: przechodzące przez łopatkę i guz siedzeniowy, tworzą kwadrat.

Klatka piersiowa
Sięgająca aż do łokci. Żebra dobrze wysklepione, ale nie beczkowate, zachodzące daleko do tyłu. Boki lekko podciągnięte, krótkie i napięte. Dolna linia przebiega eleganckim łukiem do tyłu. Ramiona długie i skośne, rozłożone harmonijnie, miernie umięśnione.

Kończyny przednie
Z przodu proste i równoległe, o silnym kośćcu.

Łokcie
Nie powinny zbytnio odstawać ani przylegać do klatki piersiowej. Przedramię pionowe, długie i muskularne; nadgarstki kończyny przedniej krótkie, dobrze zaznaczone, ale nie wzniesione; śródręcze krótkie, lekko zaokrąglone, ustawione raczej pionowo do podłoża.

Łapy
Małe, o zwartych palcach, zaokrąglone; podeszwy twarde.

Grzbiet
Powinien być krótki, prosty, szeroki i silnie umięśniony.

Kończyny tylne

Silnie umięśnione, mięśnie twarde i plastycznie uwidocznione.

Umaszczenie

Żółte – w najróżniejszych odcieniach: od ciemnoczerwonego do jasnożółtego, przy czym najładniejsze są pośrednie (żółtoczerwone). Czarna maska ogranicza się jedynie do kufy, tak że część twarzowa nie sprawia zbyt ponurego wrażenia.

Pręgowane – na żółtym tle w wyżej wymienionych odcieniach ciemne lub czarne pręgi przebiegające w kierunku żeber. Barwa tła musi wyraźnie kontrastować z barwą pręg. Tło nie może być brudne, a obydwa kolory nie mogą się mieszać. Pręgi powinny być wyraźnie zaznaczone.

Wzrost

Wysokość w kłębie: psa 57 – 63 cm, suki 53 – 59 cm.

BOSTON TERRIER

Wzrost: 38 – 45 cm
Waga: 7 – 12 kg
Długość życia: 13 –15 lat

▌Charakterystyka

Wskazówka 601
Pies żywy i inteligentny. Rasa ta charakteryzuje się zwartą budową, krótką głową i gładką szatą.

Średniego wzrostu, proporcjonalnie zbudowany, silny i aktywny, o mocnych kończynach.

Wskazówka 602
Psy tej rasy nie wymagają specjalistycznych zabiegów pielęgnacyjnych. Wystarczy kąpiel raz w tygodniu i wyczesanie martwego włosa.

Wskazówka 603
Jego towarzyski charakter sprawia, że łatwo się przystosowuje do przebywania na małej przestrzeni.

Nosi się naturalnie i z elegancją. Charakterystyczne dla tej rasy jest proporcjonalne połączenie koloru z białymi znaczeniami.

W ocenie wyglądu najistotniejsze są: prostopadłe do podłoża ustawienie kończyn, ekspresja, kolor szaty i jego połączenie z białymi znaczeniami.

Wskazówka 604
Pies sympatyczny i żywy, mający wiele zalet i wysoki poziom inteligencji, co czyni z niego niezastąpionego przyjaciela.

Mimo krępej budowy ciała nie może sprawiać wrażenia ani otyłego, ani wychudzonego. Kości i mięśnie powinny być proporcjonalne do masy i struktury psa i podkreślać jego wyrazistość.

▌Wzorzec

Głowa i czaszka
W części mózgowej graniasta, płaska, bez fałd. Policzki płaskie, czoło proste z dobrze zaznaczoną krawędzią czołową. Idealny boston terrier powinien mieć czujny i inteligentny wyraz pyska. Jest to jedna z jego najważniejszych cech, którą należy docenić.

Oczy
Szeroko rozstawione, duże, okrągłe i ciemne. Usytuowane pod kątem prostym w sto-

sunku do czaszki. Zewnętrzne kąciki, widziane od przodu, powinny się znajdować w jednej linii z policzkami.

Uszy

Małe. Przycięte lub nie – noszone prosto ku górze, tak aby pozostawały w harmonii z kształtem głowy.

Kufa

Krótka, graniasta, szeroka, równoległa i proporcjonalna do mózgoczaszki.

Nos

Czarny i szeroki, z wyraźnie zaznaczoną linią między nozdrzami.

Szczęka

Szeroka i graniasta; zęby krótkie, regularne. Zgryz regularny lub przodozgryz, na tyle duży, żeby nadać kufie kwadratowy kształt. Wargi głęboko zachodzące na żuchwę, lecz nie obwisłe; całkowicie okrywają zęby.

Szyja

Dobrze osadzona w łopatkach, średniej długości, lekko wygięta. Wdzięcznie podtrzymuje głowę.

Ogon

Nisko osadzony, krótki, zwężający się ku końcowi. Prosty lub w kształcie korkociągu; nie może się zwijać w linii poziomej. Idealna długość nie powinna przekraczać jednej czwartej odległości pomiędzy nasadą ogona a stawem kolanowym tylnej kończyny.

Kończyny przednie

Niezbyt rozstawione, pionowe, w tej samej linii co szczyt łopatki. Mocne i proste kości. Łopatki ukośne i wyraźnie skierowane do tyłu, nadające ruchom psa elegancji.

Kończyny tylne

Silnie umięśnione, kolana dobrze kątowane.

Umaszczenie

Pręgowane, czarne z płowym odcieniem lub czarne z białymi znaczeniami.

Wzrost i waga

Wysokość w kłębie nie powinna przekraczać 45 cm, waga: 7 – 12 kg.

BRITTANY (SPANIEL BRETOŃSKI)

Wzrost: 47 – 51 cm
Waga: 25 – 30 kg
Długość życia: 13 –15 lat

▌Charakterystyka

Wskazówka 605
Obecnie brittany znajduje się na jednej z wyższych pozycji w klasyfikacji psów do towarzystwa, ciągle jednak wyróżnia się wśród psów pracujących na wolnym powietrzu i potwierdza wszystkie swoje cechy użytkowe.

Wskazówka 606
Inteligentny, łatwy do ułożenia, bardzo wdzięczny, wylewny, lubiący zabawę.

Wskazówka 607
Okazuje strach w przypadku szorstkiego traktowania.

Wskazówka 608
Nadaje się do terenu każdego typu. Odporny na zimno i wilgoć. Obdarzony szczególnym darem do poszukiwania bekasów, kuropatw i makolągw.

Wskazówka 609
Zawsze aktywny, entuzjastyczny i niezmordowany. Ma świetnie rozwinięty instynkt aportowania w wodzie.

Wskazówka 610
Cieszy się wielką popularnością nie tylko dzięki swym zdolnościom myśliwskim, ale również ze względu na nieduży wzrost, co ułatwia jego transport.

Wskazówka 611
Otwarty charakter, sportowe zamiłowania i szybkie przystosowywanie się do życia w mieszkaniu zjednały mu rzesze wielbicieli.

▌Wzorzec

Czaszka
Średniej długości, zaokrąglona; wyraźne, zaokrąglone łuki jarzmowe. Stop dość dobrze zaznaczony, chociaż nieznacznie pochylony.

Kufa
Krótsza od czaszki, prosta lub nieznacznie zaokrąglona. Stosunek długości kufy do czaszki wynosi 2:3 (jeśli czaszka zostanie podzielona na pięć części, trzy będą

odpowiadały czaszce od guza potylicznego do stopu, a dwie pozostałe należą
do kufy).

Nos

Koloru ciemniejszego niż znaczenia szaty,
niezależnie od tego, czy umaszczenie psa
jest białe z pomarańczowym, białe z brązowym czy też białe z czarnym. Nozdrza
szerokie i lekko ukątowane. Wargi cienkie
i przylegające, górna warga nieco przykrywa dolną.

Oczy

Koloru ciemnobursztynowego; harmonizu-
ją z barwą szaty; żywe i pełne wyrazu.

Uszy

Wysoko osadzone, raczej krótkie, lekko zaokrąglone, pokryte falującym włosem tworzącym frędzle.

Szyja

Średniej długości, dobrze osadzona między łopatkami, bez wiszącego podgardla.

Klatka piersiowa

Głęboka, sięgająca łokcia; żebra szerokie,
dość dobrze wysklepione.

Grzbiet

Krótki o wysokim kłębie, nie łękowaty ani
nie za długi.

Ogon

Prosty lub opadający, jeśli nie jest cięty. Zawsze krótki, o długości około 10 cm, z długim włosem tworzącym pióro na końcu.
Ogon nie może być bez sierści.

Kończyny przednie

Prostopadłe do podłożą, o kościach lekko
skośnych, szczupłe i muskularne, o rzad-
kich i pofalowanych frędzlach. Nie powinny być za bardzo skośne ani bez frędzli.

Kończyny tylne

Szerokie, dość długie; pośladki dobrze
umięśnione; staw skokowy i guz pośladko-
wy w tej samej linii poziomej. Kończyny
prostopadłe do podłoża; powinny mieć
liczne pofalowane frędzle do połowy swojej długości. Staw skokowy nie bardzo zgię-
ty (bez silnego ukątowania). Pies nie powinien mieć prostego lub zbyt skośnego
zadu.

Skóra

Cienka; niepożądana bardzo elastyczna
i gruba.

Szata

Włos powinien być cienki, gładko przylegający i lekko pofalowany.

Umaszczenie

Biało-pomarańczowe, biało-brązowe, biało-czarne, trójbarwne lub jednobarwne nakrapiane jednym z wymienionych kolorów.

Wzrost i waga

Wysokość w kłębie: psa 51 cm, suki 47 cm;
średnia waga: 25 – 30 kg.

BULDOG ANGIELSKI

Wzrost: proporcjonalny do wagi
Waga: 22 – 25 kg
Długość życia: 15 –17 lat

▌Charakterystyka

Buldog angielski to majestatyczne, dostojne zwierzę. Jest niedoceniony, ponieważ niesłusznie przypisuje mu się wiele negatywnych cech.

Wskazówka 612
Właścicielowi, który poświęci mu czas i będzie często przebywał w jego towarzystwie, buldog odpłaci miłością. Ten zgodny, przyjacielski i łagodny pies, trzymany na uwięzi, pozostawiony samemu sobie, staje się zamknięty i trudny do opanowania. Sprowokowany lub w chwili ekstremalnego zagrożenia przeobraża się w jedno z najbardziej niebezpiecznych zwierząt.

Za fasadą powagi i nieustannego zmartwienia szczeniak buldoga angielskiego to prawdziwy pajac, pełen niespożytej energii, który psoci, skacze, a potem błogo zasypia. Dorosłe osobniki też są witalne, choć sprawiają wrażenie surowych i mrukliwych.

Wskazówka 613
Buldog angielski jest zawsze czujny i obserwuje, co się wokół niego dzieje. Wrażliwy, powinien od małego rozwijać swój wspaniały charakter. Należy uczyć go łagodnie, stymulując wrodzoną inteligencję.

Wskazówka 614
W stosunku do dzieci jest niesłychanie wyrozumiały i przyjacielski.

Wskazówka 615
Gdy zbliża się ktoś obcy, okazuje zdecydowanie i gotowość do obrony, nie jest jednak agresywny.

Wskazówka 616
Nie jest hałaśliwy, szczeka mało i tylko wtedy, gdy ma ku temu powód. Tolerancyjny w stosunku do innych psów, chyba że zostanie zaatakowany.

Wskazówka 617
Należy mu zapewnić odpowiednią dawkę ruchu, tak aby utrzymać jego muskulaturę i zwiększyć wydolność oddychania.

Wskazówka 618
Wskazane jest unikanie nad-

miernego podekscytowania, stresów, a przede wszystkim słońca – wroga numer jeden buldoga angielskiego, przed którym pozostaje bezbronny.

Wskazówka 619
Idealny buldog jest średniego wzrostu, ma delikatny włos oraz ciężką, przysadzistą i niską sylwetkę.

Wskazówka 620
Swym wyglądem i zachowaniem powinien sprawiać wrażenie psa żywotnego, odpornego i stabilnego.

Wskazówka 621
Usposobienie buldoga angielskiego jest zrównoważone, uprzejme i śmiałe, co odzwierciedla pokojowy, zacny wyraz pyska.

Wskazówka 622
Porównując osobniki różnej płci pod względem reprezentatywnych cech rasy, należy pamiętać, że suki nie są tak doskonałe i pełne splendoru jak samce.

Wzorzec

Głowa
Bardzo duża; widziana od przodu powinna od żuchwy do wierzchołka czaszki sprawiać wrażenie wysokiej, szerokiej i kwadratowej. Z boku, od potylicy do końca nosa, powinna być wysoka i krótka. Czoło płaskie, niezbyt silnie wykształcone.

Policzki
Zaokrąglone, powinny się rozszerzać na bokach aż do oczu.

Stop
Kości czoła wydatne, szerokie, przez co powstają głębokie i szerokie zagłębienia między oczami, dochodzące do krawędzi czołowej. Od tej krawędzi powinna się ciągnąć głęboka i szeroka bruzda dzieląca głowę w linii pionowej i wyznaczająca szczyt czaszki.

Oczy
Widziane od przodu – głęboko osadzone w czaszce i jak najbardziej oddalone od uszu. Wraz ze stopem leżą na jednej linii tworzącej z bruzdą czołową kąt prosty. Rozstaw oczu szeroki, jednak ich zewnętrzne kąciki powinny się znajdować wewnątrz konturu policzków. Zupełnie okrągłe, średniej wielkości, ani zbyt głęboko osadzone, ani wyłupiaste; kolor bardzo ciemny. Białka nie mogą być widoczne, jeśli wzrok psa jest skierowany do przodu.

Uszy
Powinny być wysoko osadzone, tak aby ich przednia krawędź – widziana od przodu – tworzyła przedłużenie zewnętrznego konturu czaszki w jej najwyższym punkcie. Szeroko rozstawione, wysoko nad oczami i jak najdalej od nich. Powinny być małe, cienkie, w kształcie róży, fałdujące się do wewnątrz w tylnej części i skierowane do tyłu, z górną przednią krawędzią skierowaną na zewnątrz i do tyłu oraz z częściowo widoczną wewnętrzną stroną małżowiny. Nie powinny być skierowane do góry ani przylegające ku przodowi; nie mogą być przycinane.

Część twarzowa

Od przedniej części policzka do nosa powinna być możliwie krótka. Kufa również krótka, szeroka i skierowana ku górze, głęboka od kącika oka do żuchwy.

Nos

Duży, szeroki i czarny, z wyraźnie zaznaczoną linią między nozdrzami; czubek nosa cofnięty w stronę oczu. Nos bardzo krótki, odległość od wewnętrznego kąta oka do czubka nosa nie powinna być większa niż od czubka nosa do krawędzi dolnej wargi. Niepożądany jest kolor inny niż czarny; niedopuszczalna barwa czerwona, brązowa lub wątrobiana.

Fafle

Grube, szerokie, wiszące i bardzo głębokie, po bokach całkowicie zakrywające żuchwę, z przodu powinny sięgać do żuchwy i zakrywać całkowicie zęby, które są nieco widoczne przy zamkniętym pysku.

Szczęki

Masywne, bardzo szerokie, graniaste. Dolna warga wysunięta daleko przed górną, pies może ją podnosić.

Uzębienie

Zęby powinny być mocne; kły szeroko rozstawione; sześć małych siekaczy w przedniej części umieszczonych w linii prostej pomiędzy kłami.

Szyja

Krótka, bardzo gruba, głęboka; dobrze wysklepiona linia karku.

Łopatki

Umięśnione, ciężkie, szeroko rozstawione, z przodu tworzą ukośną linię, dając wrażenie stabilności i mocy zwierzęcia.

Klatka piersiowa

Bardzo szeroka, głęboka i zwarta.

Tułów

Szeroki. Boki pełne; klatka piersiowa głęboka, o wypukłych żebrach. Powinien się znajdować nisko pomiędzy łopatkami i ramionami, tak aby pies sprawiał wrażenie szerokiego, niskiego i o krótkich łapach. Dobrze podebrany do góry. Brzuch podkasany, niewystający.

Grzbiet

Powinien być krótki i silny, szeroki w okolicy barków, węższy w okolicach lędźwiowych. Obniża się bezpośrednio za łopatkami, po czym wznosi się aż do lędźwi (ich najwyższy punkt znajduje się w jednej linii z barkami), gdzie ostrym łukiem opada do ogona (cecha bardzo charakterystyczna dla tej rasy).

Kończyny przednie

Krótkie, masywne, proste, muskularne, szeroko rozstawione. Łydki wygięte na zewnątrz. Kości kończyn przednich nie powinny być wykręcone, a łapy zbytnio rozstawione.

Kończyny tylne

Powinny być mocne, muskularne, dłuższe od kończyn przednich, co powoduje, że lędźwie są wzniesione. Kolana nisko osadzone, nadają odpowiednią długość przestrzeni znajdującej się pomiędzy nimi a lędźwiami. Potęguje to wrażenie siły kończyn przednich. Część wewnętrzna łapy krótka, prosta i mocna. Staw skokowy lekko wykręcony na zewnątrz, odstający od tułowia.

Łapy

Średniej wielkości, zwarte, mocno osadzone. Palce grube, wyraźnie od siebie oddzielone; stawy palców wysokie; paznokcie krótkie i grube. Łapy mogą być lekko skręcone na zewnątrz; tylne łapy wyraźnie skręcone na zewnątrz.

Ogon

Może być prosty albo skręcony (nigdy zakręcony ani położony na grzbiecie); nisko osadzony, u nasady prosty, następnie wygięty na dół. Średniej długości, raczej krótki niż długi, gruby u nasady; zwęża się ku końcowi. Jeśli jest prosty, powinien być cylindryczny, w kształcie regularnego stożka; jeśli jest skręcony, jego skręty i zagięcia powinny być wyraźne; może mieć załamania i węzły. Nigdy nie powinien być unoszony ponad linię grzbietu.

Szata

Włos powinien być krótki, gładki, o delikatnej strukturze, lśniący. Nie może mieć frędzli, skrętów i zawirowań. Umaszcze-

nie powinno być jednobarwne, o głębokim odcieniu, błyszczące. Poniżej podane są kolory według stopnia preferencji:

1) czerwony pręgowany,

2) wszystkie pozostałe kolory pręgowane,

3) czysty biały,

4) czerwono-płowy lub płowy,

5) srokaty,

6) wymienione kolory nieco rozmyte.

Skóra

Powinna być delikatna i luźna, zwłaszcza na głowie, szyi i łopatkach.

Wzrost i waga

Waga nie powinna być mniejsza niż 22 kg ani większa niż 25 kg w przypadku psa w dobrej formie. Wzrost powinien być proporcjonalny do wagi.

1000
rad, jak szkolić
i wychowywać psa

BULDOG FRANCUSKI

Wzrost: proporcjonalny do wagi
Waga: 8 – 14 kg
Długość życia: 13 –15 lat

▌ Charakterystyka

Łagodny z natury, wymaga stałego towarzystwa właścicieli, za którymi wiernie podąża.

Wskazówka 623
Potrafi zachowywać się spokojnie w obecności osób starszych i chorych.

Wskazówka 624
Chętnie bierze udział w zwariowanych zabawach z dziećmi.

Wskazówka 625
Podczas wizyt nigdy nie przejawia wrogości i jest wzorem dobrego wychowania. To pies, który czuje się dobrze jedynie w towarzystwie człowieka, przedkładający domowe ciepło skromnego mieszkania nad samotny żywot w pałacu.

Pragnie nieustannego kontaktu z właścicielem – zabaw, pieszczot czy niemych dialogów. Łatwo się przystosowuje do przebywania w pomieszczeniach, a jednocześnie uwielbia podróże. Jego krótki włos nie sprawia kłopotów przy sprzątaniu.

Wskazówka 626
Wierny swemu pochodzeniu buldog francuski, zwłaszcza samiec, potrafi dać przykład zadziwiającej odwagi. Czasem jego odwaga przechodzi w zuchwałość.

▌ Wzorzec

To typowy piesek o małym wzroście. Potężny jak na swą wielkość, krępy, o gładkiej szacie; pysk krótki i spłaszczony, uszy stojące, ogon krótki z natury. Powinien mieć wygląd zwierzęcia aktywnego, inteligentnego, bardzo dobrze umięśnionego, o zwartej sylwetce i mocnym kośćcu.

Głowa
Mocna, szeroka i graniasta, skóra pokrywająca głowę tworzy niemal symetryczne zmarszczki. Charakterystyczne cofnięcie części szczękowo-nosowej.

Czaszka
Szeroka, prawie płaska, czoło mocno wypukłe; wydatne łuki nadoczodołowe prze-

dzielone bruzdą silnie rozwiniętą pomiędzy oczami. Bruzda nie może przechodzić na czoło. Guz potyliczny słabo rozwinięty.

Stop
Głęboko zaznaczony.

Nos
Szeroki, bardzo krótki, zadarty; nozdrza szerokie i symetryczne, skierowane ukośnie do tyłu.

Kufa
Bardzo krótka, szeroka, z symetrycznymi zmarszczkami schodzącymi koncentrycznie na górną wargę.

Szczęki
Szerokie, graniaste, mocne. Żuchwa tworzy szeroki łuk wychodzący przed szczękę. Przy zamkniętym pysku wysunięcie żuchwy łagodzone jest przez wygięcie jej łuków bocznych.

Uzębienie
Siekacze żuchwy nigdy nie mogą być cofnięte poza siekacze szczęki. Łuk siekaczy dolnych jest zaokrąglony. Żuchwa nie może wykazywać odchylenia bocznego ani skręcenia. Wzajemny układ łuków siekaczy nie jest ściśle określony, najistotniejsze jest schodzenie się warg w taki sposób, by zęby były zupełnie niewidoczne.

Oczy
O żywym wyrazie, osadzone nisko, dość daleko od nosa, a przede wszystkim od uszu. Ciemnego koloru, dość duże, zaokrąglone, lekko wypukłe; białkówki całkowicie niewidoczne, kiedy pies patrzy przed siebie.

Uszy
Średniej wielkości, szerokie u nasady i zaokrąglone na końcach. Osadzone wysoko na głowie, ale niezbyt blisko siebie, noszone prosto.

Szyja
Krótka, lekko wysklepiona, bez obwisłego podgardla.

Tułów
Wznosi się stopniowo na poziomie lędźwi, a następnie gwałtownie opada ku ogonowi. Taka budowa jest wynikiem krótkości partii lędźwiowej.

Ogon
Krótki, osadzony nisko na zadzie, bardzo blisko pośladków; u nasady gruby, przy końcu cienki. Nawet w akcji pozostaje poniżej linii poziomej grzbietu. Ogon względnie długi, złamany i zwężający się jest dopuszczalny, chociaż nieceniony.

Kończyny przednie
Oglądane z profilu i z przodu powinny być ustawione pionowo i równolegle. W pozycji stojącej – w znacznej odległości od siebie.

Łapy
„Kocie", czyli małe i okrągłe, pewnie stawiane na ziemi, lekko odchylone na zewnątrz. Palce zwarte, pazury krótkie, grube i dobrze oddzielone. Opuszki twarde, grube i czarne. U osobników pręgowanych pazury powinny być czarne; u łaciatych (pręgowanych płowych z białymi łatami) i płowych są ciemne.

Kończyny tylne
Silne i muskularne, nieco dłuższe niż przednie, przez co tył jest wzniesiony. Oglą-

dane z boku i z tyłu są ustawione pionowo i równolegle; zwarte. Udo muskularne,
niezbyt zaokrąglone. Staw skokowy mocny i krótki, umieszczony dość nisko
nad podłożem, nie jest zbytnio ukątowany ani zdecydowanie prosty.

Ruch
Swobodny; nogi poruszają się równolegle
do środkowej płaszczyzny tułowia.

Szata
Ładna, delikatna, przylegająca i gładka.

Umaszczenie
Jednolicie płowe (pręgowane lub nie),
ewentualnie z niewielką ilością bieli.
Wszystkie odcienie barwy płowej są dopuszczalne, a także czerwień czy jasny brąz
(„kawa z mlekiem").

U wybitnie pięknych okazów o ciemnym
zabarwieniu nosa, oczu i powiek tolerowane są pewne ubytki pigmentacji na pysku.

Wzrost i waga
Waga nie powinna być mniejsza niż 8 kg
i większa od 14 kg w przypadku psa w dobrej kondycji fizycznej. Wzrost powinien być
proporcjonalny do wagi.

BULMASTIF

Wzrost: 60 – 70 cm
Waga: 40 – 60 kg
Długość życia: 13 –15 lat

▌Charakterystyka

Wskazówka 627
Z powodu srogiego i zawziętego charakteru wymaga właściciela, który potrafi go sobie podporządkować. Okazuje się wtedy niespodziewanie, że bulmastif jest wesołym psem, którego wierność przetrwa każdą próbę.

Wskazówka 628
Dzięki swoim cechom charakteru znany jest na całym świecie jako rewelacyjny pies stróżujący.

Potrafi dać przykłady zadziwiającej, graniczącej z zuchwalstwem odwagi. Często wdaje się w konflikty z osobnikami tej samej płci.

Jego minimalne potrzeby żywieniowe wynoszą od 2500 do 3000 kcal dziennie. W przypadku zwierzęcia prowadzącego szczególnie aktywny tryb życia ilość ta wzrasta do 4500 – 5000 kcal.

Wskazówka 629
W celu zapewnienia mu dobrze zbilansowanej diety wskazane jest wzbogacanie codziennego pożywienia preparatami zawierającymi witaminy i kwasy tłuszczowe.

Wskazówka 630
Pielęgnacja krótkiego i twardego włosa wymaga zaledwie codziennego przeczesania rękawicą do gładkiej sierści.

Z powodu okazałego wyglądu i harmonijnej budowy sprawia wrażenie psa bardzo silnego, choć nigdy ciężkiego. Jest odporny, czujny, aktywny, wierny i oddany, pełen życia.

▌Wzorzec

Nos
Szeroki; nozdrza, widziane od przodu, szerokie.

Kufa
Krótka, odległość od czubka nosa do krawędzi czoła nie powinna przekraczać jednej trzeciej całej długości od czubka nosa do guza potylicznego. Ponadto powinna być szeroka pod oczami i tylko nieznacz-

nie zwężać się ku nosowi. Płaska, pomiędzy grzbietem nosa a frontem kufy kąt prosty; proporcjonalna do szerokiej i masywnej czaszki. Gdy pies natęża uwagę, na czole tworzą się fałdy.

Oczy
Ciemne lub orzechowe, rozstawione na szerokość kufy, oddzielone bruzdą czołową.

Uszy
W kształcie litery V lub załamane do tyłu na wysokości potylicy. Małe, o kolorze ciemniejszym niż umaszczenie tułowia; kiedy pies nasłuchuje, końce uszu powinny się znajdować na wysokości oczu.

Uzębienie
Pożądany zgryz cęgowy, dopuszcza się nieznaczny przodozgryz. Kły duże, szeroko rozstawione; pozostałe zęby silne i regularnie rozstawione w szczęce.

Szyja
Dobrze wysklepiona, średniej długości, bardzo muskularna. Jej obwód jest prawie równy obwodowi głowy.

Kończyny przednie
Mocne, proste, rozstawione szeroko, o mocnym kośćcu. Łopatki muskularne, ukośne i silne, nieprzeładowane. Nadgarstki proste i silne. Łapy nie za duże, palce dobrze wysklepione i zwarte. Opuszki twarde.

Tułów
Grzbiet krótki i prosty, daje wrażenie krępej budowy; nie może być jednak za krótki, żeby nie ograniczał ruchów zwierzęcia.

Kończyny tylne
Lędźwie szerokie i muskularne; boki opadające. Kończyny tylne silne i muskularne, podudzia dobrze rozwinięte, świadczące o sile i zwrotności, ale niezbyt ciężkie. Stawy skokowe umiarkowanie kątowane.

Łapy
Nieduże, tzw. kocie łapy, palce zaokrąglone, dobrze wysklepione. Opuszki twarde, pazury koloru czarnego.

Ogon
Wysoko osadzony, silny u nasady, sięgający do stawu skokowego. Noszony prosto lub zagięty, lecz nigdy nie wzniesiony jak u psów gończych.

Ruch
Demonstruje siłę i zdecydowanie. Ani kończyny przednie, ani tylne nie mogą się krzyżować albo przemieszczać za szybko. Zwarty grzbiet, na który nie wpływa ujemnie mocne przesuwanie tylnych kończyn, powinien gwarantować wyrównany i harmonijny ruch.

Szata
Krótka i twarda; ściśle przylegająca.

Umaszczenie
Wszelkie płowe lub czerwone odcienie pręgowania; kolor powinien być wyraźny i czysty. Dopuszczalne są małe białe znaczenia na piersi. Wymagana jest czarna, ograniczona do kufy maska, która rozjaśnia się w kierunku oczu. Charakterystyczna jest ciemna oprawa oczu.

Wzrost i waga
Wysokość: psa 63,5 – 68,5 cm, suki 61 – 66 cm; waga: psa 50 – 59 kg, suki 41 – 50 kg.

BULTERIER

Wzrost: 36 cm
Waga: 35 – 40 kg
Długość życia: 13 –15 lat

Charakterystyka

Wskazówka 631
Pies o olbrzymim nosie, powstały z krzyżówek pomiędzy buldogiem i różnymi terierami, był uważany za jednego z najstraszniejszych psów na świecie.

Wskazówka 632
I rzeczywiście, jego temperament jest szczególnie żywy i gwałtowny, dlatego bulterier wymaga surowego prowadzenia.

Bulterier jest uparty i przejawia znaczną skłonność do dominacji. Równocześnie lubi się bawić, jest szczery i serdeczny.

Wskazówka 633
Ma bardzo dobry kontakt z dziećmi, ale nie z innymi psami.

Wskazówka 634
Nie jest to zwierzę, które wymaga wielkich zabiegów pielęgnacyjnych. Jego krótkiej sierści wystarczy tylko rutynowe czesanie. Nie wymaga dużo przestrzeni i łatwo się aklimatyzuje w mieszkaniach.

Wskazówka 635
Jest to pies o krzepkiej, proporcjonalnej budowie, muskularny, aktywny, o żywym, zdecydowanym i mądrym spojrzeniu.

Wzorzec

Cechą wyróżniającą bulteriera jest opadająca linia kufy, brak stopu i jajowaty kształt głowy. Niezależnie od wzrostu psy powinny mieć wygląd samczy, a suki suczy.

Bulterier to pies zrównoważony i zdyscyplinowany. Choć uparty, jest wyjątkowo miły.

Głowa i czaszka
Długa, mocna i głęboka aż po koniec kufy, ale nie toporna. Oglądana z przodu, jest jajowata i całkowicie wypełniona, tzn. bez wklęśnięć czy załamań. Mózgoczaszka powinna być prawie płaska między uszami. Widziana z profilu, powinna się zaginać ku dołowi, od szczytu czaszki po koniec nosa. Nos czarny, z koniuszkiem opadającym ku dołowi. Nozdrza dobrze rozwinięte, żuchwa mocna i głęboka.

Kufa

Zęby zdrowe, silne, czyste, dobrej wielkości i regularnie rozstawione. Regularny i kompletny zgryz nożycowy, tzn. że siekacze szczęki przykrywają ściśle siekacze żuchwy i są ustawione pionowo. Fafle dobrze wykształcone i przylegające.

Oczy

Powinny być małe, o przeszywającym spojrzeniu; trójkątne i ustawione skośnie, głęboko osadzone w oczodołach; czarne lub tak ciemnobrązowe, że wydają się prawie czarne. Odległość od czubka nosa do oka powinna być wyraźnie większa niż odległość od oka do guza potylicznego. Niepożądane oczy niebieskie lub częściowo niebieskie.

Uszy

Małe, cienkie, osadzone blisko siebie. Pies powinien umieć trzymać je w pionie, z koniuszkami skierowanymi prosto do góry.

Szyja

Mocno umięśniona, długa, oglądana z profilu tworzy mały, ale wyraźny łuk. Zwęża się stopniowo ku głowie, bez luźnego podgardla.

Kończyny przednie

Łopatki mocne i muskularne, ale nieprzesadnie; szerokie, płaskie, dobrze przylegające do klatki piersiowej, od dołu ku górze pochylają się ku tyłowi, tworząc z ramieniem prawie kąt prosty. Łokcie proste i mocne, śródręcza ustawione pionowo; kończyny przednie o silnych, okrągłych kościach, ustawione całkowicie równolegle. U dorosłych osobników długość kończyn przednich powinna być mniej więcej taka sama jak głębokość klatki piersiowej.

Tułów

Ładnie zaokrąglony, z widocznym wysklepieniem żeber i głęboką klatką piersiową, co powoduje, że mostek jest bliżej ziemi niż brzuch. Grzbiet krótki, mocny; linia grzbietu za kłębem jest prosta i wygina się lekko w kierunku lędźwi, szerokich i muskularnych. Dolna linia od mostka ku słabiznom jest zgrabnie wygięta do góry. Klatka piersiowa widziana od przodu powinna być szeroka.

Kończyny tylne

Widziane od tyłu są równoległe, uda muskularne, podudzia mocne. Stawy kolanowe i skokowe dobrze kątowane. Śródstopia krótkie, o mocnej kości aż po łapy.

Łapy

Okrągłe i zwarte, o dobrze wysklepionych palcach.

Ogon

Krótki, nisko osadzony, noszony poziomo. Gruby u nasady, zwęża się stopniowo ku końcowi.

Ruch

Ruchy skoordynowane, pies porusza się równo. W kłusie kończyny tylne i przednie pracują równolegle, jedynie przy większej prędkości mogą się zbliżać do siebie. Kończyny przednie powinny mieć dobry wykrok, a tylne, przy regularnym ruchu bioder i sprężystości stawów kolanowych i skokowych, dawać dobry napęd.

Szata

Włos krótki, przylegający, szorstki w dotyku, lśniący. Skóra ściśle przylega do ciała.

Umaszczenie

U osobników białych – czysto białe; pigmentacja skóry i łat na głowie nie jest wadą. U psów niebiałych preferowane jest pręgowanie. Dopuszczalne jest również umaszczenie czarne, rude, płowe oraz trójkolorowe.

Wzrost i waga

Nie ma ograniczeń wzrostu ani wagi, ale pies powinien sprawiać wrażenie, że przy swoim wzroście ma maksymalną masę ciała, zgodnie ze swoim typem i płcią.

Wzorzec bulteriera miniaturowego

Jest taki sam jak bulteriera, z wyjątkiem wysokości, która nie powinna przekraczać 35,5 cm. Pies powinien sprawiać wrażenie, że ma solidną sylwetkę w stosunku do wzrostu. Nie ma ograniczeń odnośnie do wagi.

CHART AFGAŃSKI

Wzrost: 70 cm
Waga: 25 – 35 kg
Długość życia: 13 –15 lat

▌Charakterystyka

Chart afgański to jeden z najelegantszych psów. Jest szybki, mocny i dumnie nosi głowę. Wygląda dostojnie.

Wskazówka 636
Charakterystyczny orientalny wyraz oczu psa sprawia, że człowiek odnosi wrażenie, iż jest przez niego uważnie obserwowany.

Wskazówka 637
Poszczególne osobniki znacznie się różnią temperamentem, ale można wyodrębnić pewne cechy wspólne i ustalić ogólny wzorzec rasy.

Wskazówka 638
Chart afgański to pies bardzo odporny, spokojny i wrażliwy. Nigdy nie okazuje otwarcie niechęci do właściciela, choć czasem widać w jego spojrzeniu wyrzut.

Wskazówka 639
Jest to rasa bardzo wymagająca, jeśli chodzi o utrzymanie sierści. Długi, prosty włos potrzebuje nieustannej pielęgnacji.

Wskazówka 640
Psy tej rasy wymagają dużej, stałej dawki ruchu.

Wskazówka 641
Są niezwykle towarzyskie, nie znoszą samotności. Potrafią udawać, że nie poznają właściciela, kiedy ten wraca do domu.

Wskazówka 642
Charta afgańskiego niewątpliwie wyróżnia jego duma, majestatyczność i wielka elegancja.

Wskazówka 643
W odróżnieniu od psów innych ras potrafi prowadzić własne życie i nie dopuści, aby ktokolwiek próbował go sobie podporządkować.

Wskazówka 644
Nie jest polecany rodzinom z dziećmi, ponieważ bywa, że gdy się czuje osaczony, z furią atakuje.

Wskazówka 645

Ogólnie mówiąc, rasa ta jest zdecydowanie przeznaczona dla osób liberalnych, które potrafią żyć i dać żyć innym. U nich chart afgański pozwoli się czesać, dotykać i poddawać zabiegom pielęgnacyjnym przez długie godziny, cierpliwie i karnie.

Wskazówka 646

Chart afgański wymaga szczególnej uwagi podczas czesania.

❚ Wzorzec

Głowa

Długa, lecz niezbyt wąska. Wyraźny guz potyliczny. Kufa długa, stop czołowy nieznaczny.

Kufa

Prawidłowo zachowane proporcje. Okryta długim, gęstym włosem. Czarny nos ceniony wyżej; u osobników o jasnej maści dozwolony nos koloru wątrobianego.

Oczy

Pożądane ciemne, nie jest jednak wadą odcień żółtozłoty. O kształcie prawie trójkątnym, lekko ukośne, wznoszące się od kącika wewnętrznego ku zewnętrznemu.

Uszy

Nisko osadzone, dobrze przylegające do głowy, okryte długim, jedwabistym włosem.

Szyja

Długa, silna. Dodaje wysokości głowie.

Kończyny przednie

Proste, o mocnej kości; oglądane od przodu tworzą z łopatkami linię prostą. Łopatki długie, ustawione ukośnie do tyłu, silne, lecz niezbyt muskularne. Łokcie dobrze przylegające do klatki piersiowej, nieodchylone ani na zewnątrz, ani do wewnątrz.

Kończyny tylne

Silne, szeroki rozstęp między biodrami i stawami skokowymi; odległość od stawu skokowego do łapy jak najmniejsza. Wilcze pazury nie muszą być usunięte – zależy to od decyzji hodowcy.

Tułów

Grzbiet prosty, średniej długości, muskularny, lekko opadający. Kości biodrowe wystające i rozstawione daleko od siebie. Żebra dobrze wysklepione. Pierś głęboka, lędźwie proste, silne, bardzo krótkie.

Łapy

Przednie – silne i duże; tylne długie, nieco mniejsze od przednich, pokryte długim, gęstym włosem. Palce dobrze wysklepione, śródręcze długie i sprężyste, zwłaszcza z przodu, opuszki dobrze przylegające do ziemi.

Ogon

Niezbyt krótki, zakończony pierścieniem, nie za bardzo owłosiony, noszony wysoko.

Szata

Jedną z jej głównych cech jest długi włos, jedwabisty, delikatny, przykrywający żebra, kończyny przednie i tylne oraz całe ciało, z wyjątkiem grzbietu do nasady ogona, gdzie włos powinien być krótki, dobrze przylegający do ciała. Na głowie od czoła do tyłu włos długi, jedwabisty, tworzący grzywę; na czole krótki, przylegający. Uszy i łapy pokryte długim, gęstym włosem. Nadgarstek może być bez frędzli.

Wzrost i waga
Wysokość: psa 69–74 cm, suki 65–70 cm; średnia waga: 25–35 kg.

CHART PERSKI SALUKI

Wzrost: 60 – 70 cm
Waga: 12 kg
Długość życia: 13 – 15 lat

Charakterystyka

Wskazówka 647
Chart perski saluki jest idealny dla osób, które chcą mieć psa dużego, niejedzącego zbyt wiele, łagodnego, łatwego do utrzymania i ułożenia.

Wskazówka 648
Jako szczenię jest bardziej nerwowy i trudniejszy do opanowania. Jednak w starszym wieku respektuje normy ustanowione przez rodzinę, w której przebywa.

Wskazówka 649
Prowadzony w odpowiedni spo-

sób, cieszy się na ogół dobrym zdrowiem fizycznym. Jada mało, a pije jeszcze mniej. Ryż i skrobię należy mu podawać w małych ilościach; woli owoce, jarzyny i chude mięso albo surową rybę.

Wskazówka 650
Jeśli chodzi o pielęgnację szaty, to wystarczy raz w tygodniu przetrzeć mu sierść irchową ściereczką.

Wzorzec

Pies o subtelnej budowie, lekki, szybki i wytrzymały, a jednocześnie bardzo silny i aktywny. Miły, o wiernych oczach, często zapatrzonych w dal.

Pełen rezerwy w stosunku do obcych. Nie jest jednak ani agresywny, ani nerwowy. Inteligentny i niezależny.

Głowa
Długa, wąska.

Czaszka
Umiarkowanie szeroka między uszami, niewysklepiona.

Nos
Czarny lub w kolorze wątrobianym (brązowy).

Uzębienie
Zęby i szczęki mocne; kompletny i regularny zgryz nożycowy – siekacze szczęki przykrywają siekacze żuchwy i ściśle do nich przylegają, a ich ustawienie jest pionowe.

Oczy

Ciemne lub orzechowe, błyszczące, duże, niewypukłe. Powieki owalne.

Uszy

Długie i ruchliwe, osadzone niezbyt nisko, w spoczynku zwisające tuż przy policzkach. Kiedy pies wytęża uwagę, są nieco uniesione i skierowane do przodu. W przypadku odmiany z frędzlami ucho jest pokryte jedwabistym włosem o różnej długości. Prawidłowa długość ucha: dolny koniuszek powinien sięgać kącika warg.

Szyja

Długa, giętka, dobrze umięśniona.

Tułów

Grzbiet umiarkowanej długości. Mięśnie lekko wysklepione nad lędźwiami. Lędźwie powinny być wystarczająco długie, aby nadać psu wydłużony kształt. Zad długi i lekko pochylony. Brzuch dobrze podciągnięty.

Klatka piersiowa

Długa i głęboka, umiarkowanie wąska. Nie może być beczkowata ani płaska. Widziana od przodu jest opadająca, ale nie za bardzo; nie może być zapadnięta. Widoczna rękojeść mostka.

Ogon

Długi, nisko osadzony, naturalnie wygięty (nie może być zakręcony). Dobrze owłosiony od spodu; jedwabiste frędzle różnej długości; nie może być puszysty. Koniec ogona powinien sięgać co najmniej stawu skokowego.

Kończyny przednie

Długie i proste od łokcia do nadgarstka. Kościec płaski.

Łopatki

Ukośne, skierowane do tyłu, o mięśniach płaskich, dobrze rozwiniętych, ale nie ciężkich.

Ramiona

Nieznacznie skierowane do tyłu.

Śródręcza

Silne, lekko ukośne, skierowane do przodu w stosunku do osi ramienia.

Stopy

Silne i giętkie, umiarkowanie długie, nie mogą być krótkie ani zaokrąglone jak kocie łapy. Palce długie, dobrze wysklepione, niezbyt szeroko rozstawione, między palcami mogą występować włosy. Dwa środkowe palce znacznie dłuższe od pozostałych.

Kończyny tylne

Kolana umiarkowanie kątowane. Stawy skokowe nisko umieszczone. Tylne stopy są podobne do przednich, tylko trochę krótsze.

Ruch

W kłusie ruch lekki, bez wysiłku, bardzo sprężysty. Daleki, równy wykrok przednich i tylnych kończyn. Niedopuszczalne wysokie unoszenie nóg ani powłóczenie nimi. W ruchu kończyny prawe i lewe powinny mieć naturalną tendencję do zbliżania się do siebie, jednak nie powinny się krzyżować ani na siebie zachodzić.

Szata

Gładka, o jedwabistej strukturze. Włos okrywy wierzchniej trochę twardszy niż pióra. Pióra – elastyczne, delikatne i jedwabiste – w tylnej części kończyn oraz na uszach. Mogą występować również w okolicy gardła. Szczenięta mogą mieć nieznaczne wełniste pióra na udach i łopatkach. Odmiana krótkowłosa: włos okrywowy jest krótszy i nie tworzy piór.

Umaszczenie

Dopuszczalne wszystkie kolory i ich kombinacje.

Wzrost i waga
Pożądana wysokość w kłębie: 58 – 71 cm, waga: ok. 12 kg.

CHESAPEAKE BAY RETRIEVER

Wzrost: 55 – 65 cm
Waga: 25 – 35 kg
Długość życia: 13 –15 lat

▌ Charakterystyka

Wskazówka 651
Niezwykle wyostrzony węch i znakomity zmysł orientacji sprawiają, że chesapeake bay retriever jest doskonałym psem aportującym.

Wskazówka 652
Ten wytrawny pływak sprawdza się w środowisku wodnym. Jego osobliwa szata chroni go przed zimnem, wilgocią i solą.

Zarówno pod względem budowy, jak i spełnianych funkcji chesapeake przypomina labradora retrievera. Jest od niego szybszy, ale słabszy metodycznie.

Wskazówka 653
Rasa ta odznacza się karnością, łagodnością i chęcią do pracy.

Wskazówka 654
Dla utrzymania równowagi fizycznej i psychicznej wymaga dużej ilości ruchu.

Wskazówka 655
Chesapeake powinien być żywotny i wesoły, sprawiać ogólne wrażenie mądrego i chętnego do pracy.

Bardzo ważna u tej rasy jest sierść, a zwłaszcza jej struktura, ponieważ zwierzęta te są używane do polowań w różnych warunkach atmosferycznych, często w zimnie i śniegu.

Wskazówka 656
Z tego powodu pierwszorzędną rolę odgrywa oleista powłoka jego twardej szaty i wełnistego podszerstka, gdyż zatrzymuje lodowatą wodę, która nie przedostaje się do skóry, i umożliwia jej szybkie wyschnięcie.

Sierść powinna chronić psa przed działaniem wody, jak pióra kaczkę. Po wyjściu z wody i otrzepaniu się zwierzę nie powinno być mokre.

Niezmiernie ważne są odpowiednie umaszczenie i szata, ponieważ chesapeake jest używany do polowań na kaczki.

Wskazówka 657
Ogólne cechy tej rasy, które powinny być uwzględnione przy wy-

borze i hodowli, to odwaga, chęć do pracy, energiczność, węch, inteligencja, zamiłowanie do wody, a ponadto struktura szaty psa.

Wzorzec

Głowa

Nos średniej wielkości; kufa krótka, spiczasta, ale nie zaostrzona; wargi wąskie, napięte; stop średnio zaznaczony. Czaszka szeroka i okrągła.

Oczy

Średniej wielkości, bardzo jasne, żółtawe, szeroko osadzone.

Uszy

Małe, wysoko osadzone, luźno zwisające, szeroko rozstawione.

Szyja

Średniej długości, silna, muskularna.

Tułów

Klatka piersiowa silna i szeroka, zaokrąglona i głęboka.

Kończyny

Tylna część powinna być wysoka, trochę wyższa od łopatek, równie silna jak część przednia. Mocne kończyny tylne nadają psu siłę potrzebną do pływania.

Ogon

Średniej długości: 30 – 37,5 cm u psa; 27,5 – 35 cm u suki. Dość silny u nasady, dopuszczalne pióra.

Szata

Włos powinien być zwarty i krótki, o długości do ok. 3,75 cm. Podszerstek cienki, zwarty i bardzo wełnisty. Na kufie i kończynach włos bardzo krótki i przylegający. Na łopatkach, szyi, grzbiecie i lędźwiach włos ma tendencję do lekkiego pofalowania.

Umaszczenie

Dopuszczalne tony od ciemnokasztanowego do jasnorudego i kolor słomkowy.

Wzrost i waga

Wysokość: psa 58 – 66 cm, suki 53 – 61 cm; waga: psa 29 – 34 kg, suki 25 – 29 kg.

CHIHUAHUA

Wzrost: 20 cm
Waga: 1,3 – 1,8 kg
Długość życia: 15 – 17 lat

▌Charakterystyka

Wskazówka 658
Chihuahua zyskał popularność przede wszystkim jako najmniejszy pies świata.

Jego dzienna dawka pokarmowa to 70 gramów suchej karmy lub 50 gramów mięsa dobrej jakości i drugie tyle zielonych warzyw i produktów mlecznych.

Wskazówka 659
Należy unikać ciągłego dawania psu słodyczy, gdyż może potem odmawiać jedzenia. To z kolei bywa przyczyną zmartwienia właścicieli, którzy sądzą, że pieskowi brak czułości albo

jest chory, gdy tymczasem brak apetytu jest spowodowany przekarmieniem smakołykami.

Ze względu na swoje cechy chihuahua jest unikalną rasą w psim świecie. Najbardziej widoczna jest jego miniaturowa wielkość.

Wskazówka 660
Jest to pies żywy i ruchliwy. Bardzo inteligentny, przywiązany do właściciela, nietolerujący obcych. Doskonały stróż, reagujący zjadliwym szczekaniem na najmniejszy niespodziewany ruch.

▌Wzorzec

Głowa
Głowa chihuahua jest dość specyficzna. Jej piękno opiera się na poprawności kształtu. Powinna być zaokrąglona w kształt jabłka, mieć słabo rozwinięte policzki i wyraźnie zaakcentowany stop. Cechą charakterystyczną tej rasy jest również obecność ciemiączka, które występuje nawet u starych osobników.

Kufa
Powinna być krótka, nieznacznie spiczasta; pożądany nos czarny; u osobników o jasnej barwie nos może być czarny lub jasny; dopuszczalny różowy. U psów brązowych, błękitnych lub czarnych nos może być tego samego koloru co szata.

Oczy
Powinny być bardzo błyszczące, duże, wyraziste, ale nie wyłupiaste, osadzone na bokach; mogą być czarne, rubinowoczerwone, błękitne; u osobników jasno ubarwionych dopuszczalne jasne.

Uszy

Powinny być duże, szeroko rozstawione, w stanie podwyższonej czujności ustawione pionowo, w spoczynku – pod kątem 45°.

Szczęki i uzębienie

Tyło- i przodozgryz wadliwy; zęby drobne, regularnie rozstawione; nie powinny być nigdy widoczne.

Szyja

Powinna być okrągła, proporcjonalna, opadająca w kierunku kłębu.

Tułów

Tułów chihuahua powinien być zwarty, dłuższy niż wyższy. Brzuch lekko podkasany, co nadaje psu wesoły, szczupły wygląd. Łopatki smukłe; żebra giętkie i wysokie, powinny tworzyć otwartą klatkę piersiową.

Kończyny przednie

Proste i dobrej długości; dopuszczalne krótkie i lekko wygięte.

Kończyny tylne

Dobrze umięśnione, równoległe do siebie i ustawione prostopadle do podłoża. W akcji zad powinien być prosty, co nadaje chihuahua lekki, sprężysty wygląd w stępie, kłusie lub galopie.

Ogon

Umiarkowanej długości, noszony nad grzbietem lub lekko na bok. Włos na ogonie powinien być dostosowany do szaty całego ciała. Dopuszczalny jest ogon bez sierści.

Szata

Istnieją dwie odmiany chihuahua: długowłosa i krótkowłosa. Odmiana długowłosa, rzadko spotykana, powinna mieć włos długi i falisty. U krótkowłosej szata jest krótka i przylegająca na całym ciele, błyszcząca i delikatna. Odmiana ta jest znacznie częściej spotykana. Pożądana mała kryza wokół szyi. Włos na szyi może być rzadszy niż na pozostałych częściach ciała. Najbardziej pożądane kolory to: płowy lub brązowy; czekoladowy; płowy lub brązowy pręgowany; biały; kremowy; płowy posrebrzany; srebrny; czarny i rubinowo-czerwony; czarny.

Łapy

Powinny być małe, palce dobrze rozdzielone; pęciny drobne; opuszki okrągłe. Pazury łukowate i długie.

Wzrost i waga

Wzrost: 20 cm; średnia waga: 1,3 – 1,8 kg.

CHOW-CHOW

Wzrost: 46 – 56 cm
Waga: 30 – 40 kg
Długość życia: 13 –15 lat

▌Charakterystyka

Przeznaczeniem chow-chow jest towarzyszenie człowiekowi i stróżowanie. Swój średni wzrost rekompensuje objętością szaty. Chociaż nie szczeka, umie odstraszyć intruza.

Wskazówka 661
Uwielbia niezależność. Na ogół bardzo spokojny, potrafi jednak żywo reagować i wykazać się bardzo szybkim refleksem.

Wskazówka 662
Chow-chow nie jest przeznaczony dla osób wylewnie okazujących uczucia czy próbujących zaspokoić maniakalną potrzebę dominacji. Nie jest zalecany również dla osób mało zdecydowanych, ponieważ przyniesie im rozczarowanie.

Jego wygląd zewnętrzny – psa dobrotliwego, mało ruchliwego – jest mylący i nie ma nic wspólnego z charakterem: zanim chow-chow się podporządkuje, musi to przemyśleć.

Wskazówka 663
Począwszy od trzeciego miesiąca życia albo nawet wcześniej należy psa konsekwentnie wychowywać. Nie znaczy to jednak, że można go traktować brutalnie czy drażnić. Nie należy również popadać w skrajność i ulegać jego naturalnej skłonności do stawiania oporu.

Wskazówka 664
Chow-chow zachowuje się z rezerwą, ale gdy właściciel zdobędzie jego zaufanie, jest psem niezmiernie oddanym.

Wskazówka 665
Mieszkanie z tym zwierzęciem przez lata to czas ciekawych doświadczeń, których łatwo się nie zapomina. Rzadko się zdarza, aby właściciel chow-chow zmienił upodobania co do rasy.

▌Wzorzec

Pies aktywny, zwarty, o krótkim grzbiecie, a przede wszystkim dobrze wyważony; o wyglądzie lwa, dumny, pełen godności.

Ogon nosi zdecydowanie ponad grzbietem.

Spokojny, dobry stróż, o niebieskawo-czarnym języku i niepowtarzalnym, szczudłowatym chodzie.

Usposobienie: niezależny, wierny, chociaż powściągliwy.

Głowa i czaszka

Czaszka płaska i szeroka. Stop nieznacznie zaznaczony. Partie podoczne dobrze wypełnione. Kufa miernie długa i szeroka, od oczu aż do końca nosa.

Nos

Duży, szeroki, zawsze czarny; u osobników o szacie kremowej lub prawie białej dopuszczalny nos w jasnym kolorze; u błękitnych i płowych nos może być w tym samym kolorze.

Oczy

Ciemne, migdałowego kształtu, dosyć małe i czyste; u psów błękitnych i płowych dopuszczalne w kolorze odpowiadającym szacie. Czystego oka bez entropium nie wolno oceniać gorzej tylko dlatego, że jest większe niż wymagane.

Uszy

Małe, grube, lekko zaokrąglone na końcach, noszone sztywno ku górze i szeroko rozstawione; pochylone zdecydowanie do przodu nad oczy i lekko ku sobie.

Uzębienie

Zęby silne i równo rozmieszczone, szczęki mocne, z doskonałym, regularnym, kompletnym zgryzem nożycowym: górne zęby ściśle zachodzą na dolne i są ustawione pod kątem prostym do szczęk. Pożądane czarne dziąsła.

Szyja

Mocna, pełna, nie krótka, dobrze osadzona na łopatkach i lekko wysklepiona.

Kończyny przednie

Łopatki muskularne i ukośne. Kończyny przednie zupełnie proste, umiarkowanej długości, o odpowiednio grubej kości.

Tułów

Klatka piersiowa szeroka i głęboka. Żebra dobrze wysklepione, ale nie beczkowate. Grzbiet krótki, poziomy i mocny. Lędźwie mocne.

Kończyny tylne

Muskularne. Staw skokowy nisko osadzony, minimalnie kątowany, co warunkuje charakterystyczny szczudłowaty chód. Nigdy nie może się zginać daleko do przodu. Śródstopie od stawu skokowego ku dołowi wydaje się proste.

Łapy

Kocie, czyli małe, okrągłe, dobrze oparte na palcach.

Ogon

Wysoko osadzony, noszony zdecydowanie ponad grzbietem.

Ruch

Krótki, szczudłowaty. Kończyny przednie i tylne poruszają się równolegle i prosto do przodu.

Szata

U psów z długim włosem obfita i gładka. Okrywa włosowa o raczej grubej i twardej

strukturze, z miękkim wełnistym podszerstkiem. Włos szczególnie bogaty wokół
szyi, tworzy grzywę lub kryzę oraz portki
z tyłu ud.

U psów o krótkim włosie szata krótka, obfita i gładka; stercząca, nieprzylegająca
płasko, o strukturze podobnej do pluszu.
Nie wolno skracać szaty, zmieniając naturalne kontury.

Umaszczenie

Jednolicie czarne, rude, błękitne, płowe,
kremowe lub białe. Często z nalotem, lecz
nie w łaty. Spód ogona i tył ud często ja-
śniejszego koloru.

Wzrost

Wysokość w kłębie: psa 48 – 56 cm,
suki 46 – 51 cm.

COCKER-SPANIEL AMERYKAŃSKI

Wzrost: 39 cm
Waga: 12 kg
Długość życia: 13 –15 lat

■ Charakterystyka

Wskazówka 666
Jest bardzo przywiązany do osób, z którymi przebywa. Należy mu zapewnić wiele czułości.

Wskazówka 667
Cocker-spaniel amerykański jest energicznym, serdecznym psem, poruszającym się z elegancją i wdziękiem.

Wskazówka 668
Wesoły i wylewny, o proporcjo-

nalnej budowie, wykazuje niezwykłe zamiłowanie do pracy.

Wskazówka 669
Obecnie traktowany głównie jako rasa wystawowa, choć jest także wykorzystywany do polowań.

Wskazówka 670
Doskonały pies rodzinny, natychmiast przywiązuje się do swych właścicieli.

Wskazówka 671
Łatwy do ułożenia, inteligentny i czuły, zrównoważony. Dobry, cichy stróż.

Wskazówka 672
Cocker-spaniel jest najmniejszym z psów myśliwskich. Ma mocną, zwartą budowę.

Wskazówka 673
Wymaga ruchu i stałej pielęgnacji, zwłaszcza uszu i łap.

Wskazówka 674
Potrafi osiągać znaczną prędkość, jest przy tym bardzo wytrzymały.

Ma wyważony temperament, nie jest lękliwy.

Wzorzec

Oczy
Gałki oczne okrągłe i pełne, o jasnym spojrzeniu na wprost; krawędź powiek nadaje im lekko migdałowy kształt. Oczy niezbyt głęboko osadzone, ale nie wybałuszone. Tęczówka ciemnobrązowa, im ciemniejsza, tym lepiej.

Uszy
O kształcie płatka, długie, o cienkiej małżowinie; pokryte obfitym włosem, osadzone wyżej niż dolna część oczu.

Czaszka
Niezbyt zaokrąglona, nie może być spłaszczona; łuki nadoczne i krawędź czołowa (stop) wyraźnie zaznaczone.

Kufa
Szeroka i głęboka, graniasta, o prostych szczękach. Aby czaszka zachowywała proporcje, odległość od stopu do zakończenia nosa powinna stanowić połowę odległości pomiędzy stopem i guzem potylicznym.

Fafle
Górna warga pełna, na tyle głęboka, żeby przykryć żuchwę.

Nos
Wystarczająco duży, by był proporcjonalny do czoła i kufy; przegrody nosowe dobrze rozwinięte, jak u psów myśliwskich.

U psów czarnych koloru czarnego; u czarnych i białych – biały i rudy; w przypadku szaty innego koloru – brązowy, wątrobiany lub czarny, przy czym im ciemniejszy, tym lepiej. Kolor nosa harmonizuje z kolorem krawędzi powiek.

Uzębienie
Zęby mocne i zdrowe, nie za małe, zgryz nożycowy.

Szyja
Wystarczająco długa, żeby pies mógł łatwo dotknąć nosem podłoża. Muskularna i bez wiszącego podgardla.

Tułów
Klatka piersiowa głęboka, w najniższym punkcie nie powinna przekraczać linii łokci; przednia część na tyle szeroka, żeby tworzyła wystarczającą przestrzeń dla serca i płuc, jednakże nie powinna ograniczać swobody ruchu przednich kończyn. Linia grzbietu prosta, lekko opadająca w kierunku podstawy ogona.

Ogon
Przycinany. Powinien być w jednej linii z grzbietem lub lekko wzniesiony, ale nigdy prosty i zwrócony ku górze jak u terierów, czy nisko opuszczony, jakby pies się bał. W akcji ruch ogona powinien być wesoły.

Kończyny przednie
Łopatki dobrze wykształcone, ukośne, niewystające; umieszczone tak, aby najwyższe punkty kłębu tworzyły kąt umożliwia-

jący szerokie wygięcie żeber. Kończyny przednie powinny być równolegle ustawione, proste, o mocnym kośćcu, muskularne, dobrze przylegające do ciała i umieszczone pod łopatką. Śródręcza krótkie i mocne, nie powinny być wykręcone na zewnątrz ani do środka. Wilcze pazury powinny być usunięte. Palce zwarte, duże, okrągłe, twarde.

Kończyny tylne

Biodra szerokie. Kończyny zaokrąglone, bardzo muskularne, o grubym kośćcu. Widziane od tyłu powinny być ustawione równolegle, zarówno w ruchu, jak i w spoczynku. Uda wyraźnie zaznaczone. Kolana mocne, bez oznak wykręcenia w ruchu i w spoczynku. Stawy kolanowe mocne i opadające, o umiarkowanym kątowaniu.

Wskazówka 675

Ostrogi kończyn tylnych mogą być usunięte ze względów estetycznych.

Szata

Włos na głowie powinien być krótki, na ciele średniej długości, o podszerstku wystarczającym, by zapewnić psu ochronę. Na uszach, klatce piersiowej, brzuchu i kończynach włos powinien tworzyć długie frędzle, lecz nie tak długie, żeby zasłaniały rzeczywisty kształt i ruchy zwierzęcia. Frędzle nie powinny także wpływać negatywnie na jego wygląd i utrudniać mu spełniania funkcji psa myśliwskiego. Szata jedwabista, gładka lub lekko pofalowana, umożliwiająca przeprowadzanie zabiegów pielęgnacyjnych. Wadą jest nadmiar wło-

sa lub jego bawełniana struktura. Niezalecane przycinanie włosa na grzbiecie maszynką elektryczną. Wygładzanie włosa powinno przebiegać tak, by pies nabrał jak najbardziej naturalnego wyglądu.

Umaszczenie

Czarne – jednolicie czarne, a także czarne z rudymi plamami. Kolor czarny powinien być agatowy; odcienie koloru kawy niepożądane. Dopuszczalne białe znaczenia na piersi lub szyi.

Różnokolorowe – dwa lub więcej kolorów dobrze widoczne, przy czym jeden z nich musi być biały: np. czarny i biały, rudy i biały (rudy może być od bardzo jasnego do bardzo ciemnego), kawowy i biały. Każda z tych kombinacji kolorów może mieć rude znaczenia. Żaden z głównych kolorów nie powinien stanowić 90% lub więcej całości umaszczenia.

Rude znaczenia – ich tonacja może być różna: od jasnej kremowej do ciemnej rudej. Ich powierzchnia nie może przekraczać 10% całości umaszczenia. Powinny być rozmieszczone w następujący sposób:

– łata nad każdym okiem,

– po bokach kufy i na policzkach,

– po wewnętrznej stronie uszu,

– na kończynach,

– na spodniej stronie ogona.

Łata na piersi nie jest wymagana.

Niepożądane są łaty znajdujące się gdzie indziej, słabo widoczne i których tonacja nie jest wyraźnie zaznaczona.

Ruch

Choć cocker-spaniel jest najmniejszym z psów myśliwskich zwanych płochaczami, porusza się we właściwy im charakterystyczny sposób. Napęd zapewniają silne i potężne kończyny tylne. Dzięki właściwej budowie lędźwi oraz kończyn przednich ma bardzo długi wykrok, który jednak nie powinien być przesadnie długi.

DALMATYŃCZYK

Wzrost: 54 – 60 cm
Waga: 25 – 32 kg
Długość życia: 11 –13 lat

Charakterystyka

Wskazówka 676
Zwinność tej rasy, ignorowana i odsunięta na dalszy plan z powodu pięknego wyglądu, jest niewiarygodna. Dalmatyńczyk jest używany jako pies myśliwski, aportujący, a równocześnie świetnie się sprawdza jako przewodnik osób niewidomych.

Wskazówka 677
To pies wesoły, lubiący zabawy.

Wskazówka 678
Jest dość wymagający, dlatego przeznaczony raczej dla osób, które potrafią mu wyznaczyć granice – bez agresji, ale zdecydowanie.

Wskazówka 679
Potwierdzono jego niezdolność do zamiany kwasu moczowego w alantoinę, co może prowadzić do problemów z nerkami, jeśli nie zastosujemy odpowiedniej diety.

Wskazówka 680
Najczęstszą chorobą dalmatyńczyków jest głuchota.

Wskazówka 681
Zgodnie z przyjętym wzorcem dalmatyńczykowi nie przycina się uszu ani ogona.

Wzorzec

Pies silny, z charakterystycznymi znaczeniami, muskularny i aktywny. Kontury i profil symetryczne, łagodne. Charakteryzuje się olbrzymią wytrzymałością na długich dystansach.

Głowa
Dość długa, czaszka płaska, najszersza między uszami. Stop wyraźnie zaznaczony.

Kufa
Długa i mocna. Wargi ściśle przylegające do szczęk. Nos czarny u psów w czarne cętki i brązowy u osobników o cętkach brązowych.

Uzębienie
Szczęki mocne; zgryz nożycowy.

Oczy

Niezbyt szeroko osadzone, średniej wielkości, okrągłe i błyszczące, o inteligentnym wyrazie. Ciemne, o ciemnej oprawie w przypadku umaszczenia z czarnymi cętkami, i barwy od brązowej do bursztynowej – u psów z brązowymi znaczeniami.

Uszy

Średniej wielkości, wysoko osadzone; szerokie u nasady, stopniowo zwężają się ku końcom; koniuszki uszu zaokrąglone.

Tułów

Klatka piersiowa głęboka, pojemna; żebra dobrze wysklepione. Grzbiet mocny. Lędźwie silnie umięśnione i lekko wypukłe.

Ogon

Sięga mniej więcej do stawu skokowego; mocny u nasady, ale nie za szeroki, zwęża się ku końcowi. Noszony równo z linią grzbietu lub nieco zawinięty w kształt sierpa; nie może się zwijać.

Kończyny przednie

Łopatki umiarkowanie kątowane, proste i umięśnione.

Łokcie

Przylegające do tułowia; ramiona proste, mocne, o dobrej kości. Śródręcza elastyczne.

Kończyny tylne

Silnie rozwinięte mięśnie, dobre kątowanie kolan, stawy skokowe lekko skośne. Kończyny tylne widziane z tyłu powinny być równoległe.

Łapy

Okrągłe, zwarte; palce dobrze wysklepione. Opuszki okrągłe, twarde i elastyczne. Pazury czarne lub białe u psów cętkowanych na czarno, brązowe lub białe – u cętkowanych na brązowo.

Ruch

Wielka swoboda ruchów, rytmiczny i długi wykrok. Kończyny widziane od tyłu poruszają się równolegle. Kończyny tylne postępują za przednimi w tej samej płaszczyźnie.

Szata

Krótka, twarda, gęsta, gładka i błyszcząca.

Umaszczenie

Tło zawsze białe; cętki intensywnie czarne lub czekoladowobrązowe. Preferowane okrągłe, wyraźne, rozstawione w odległości 2 – 3 cm. Cętki na ogonie i głowie powinny być mniejsze niż gdzie indziej. Pies powinien mieć cętki tylko jednego koloru.

Wzrost i waga

Wysokość w kłębie: psa 54 – 61 cm, suki 54 – 59 cm; waga: psa 27 – 32 kg, suki 24 – 29 kg.

DOBERMAN

Wzrost: 58 – 70 cm
Waga: 30 – 40 kg
Długość życia: 15 – 20 lat

Charakterystyka

W przeciwieństwie do ras, które powstały w wyniku selekcji naturalnej, doberman jest przykładem tego, co może zdziałać wola człowieka w dziedzinie hodowli zwierząt.

Przy tworzeniu tej rasy ważna była funkcjonalność, a nie wygląd. Mimo to uzyskano psa, którego piękno, choć niewyszukane, jest dostrzegalne na pierwszy rzut oka.

Wskazówka 682

Dobermany są niezwykle gwałtowne i inteligentne. Ich charakter stał się powodem niezbyt przychylnych komentarzy. Zapewniamy jednak, że nie ma złych dobermanów, są tylko źli właściciele.

Pierwotnie dobermany bardziej przypominały rottweilera. Część z nich miała białe znaczenia na piersi lub na kończynach, a sierść niektórych była pofalowana. Żadna z tych cech nie przetrwała do chwili obecnej.

Wskazówka 683

Jest to pies średniej wielkości, o mocnej, muskularnej budowie i eleganckim wyglądzie. Oddany i posłuszny.

Śmiały, zawsze czujny, zgrabny. Jego sylwetka przydaje mu zwinności, a bystry wzrok świadczy o inteligencji.

Wskazówka 684

Temperament psa znacznie się różni od temperamentu suki. Suka jest spokojna, wrażliwa, czuła dla domowników, nieufna względem obcych.

Wskazówka 685

Pies jest gwałtowny, bardzo inteligentny, często agresywny i powinien być układany energiczną ręką.

Wskazówka 686

Osobowość dobermana rozwija się przez pierwsze dwa lata życia. Zanim ukończy 10 – 12 miesięcy, należy rozpocząć jego zdecydowane, gruntowne szkolenie.

Wskazówka 687

Jest to pies o dużej żywotności, może dożyć 20 lat.

Wskazówka 688
Pielęgnacja dobermana nie nastręcza żadnych trudności, jego sierść jest krótka i ściśle przylegająca do ciała. Rzadko atakują go kleszcze lub inne pasożyty.

Wskazówka 689
Nie wymaga dużo ćwiczeń ani zbyt skomplikowanej diety.

Wskazówka 690
Ze względu na agresywny temperament powinien być prowadzony twardą ręką przez doświadczonego przewodnika. Należy o tym pomyśleć przed kupieniem psa.

Wskazówka 691
Doberman może ujawnić swój agresywny i dominujący charakter już w pierwszym okresie życia.

Wskazówka 692
Korzysta z każdej okazji, żeby pokazać zęby i warknąć. Właściwie i konsekwentnie prowadzony okazuje się psem czułym i posłusznym.

Wskazówka 693
Uznaje tylko jednego właściciela i nie lubi towarzystwa innych psów. Bardzo inteligentny i odważny.

Pierwsze dobermany pracowały dla policji, a następnie dla strażników podczas pierwszej wojny światowej.

Wskazówka 694
Ze względu na swe cechy charakteru jest świetnym psem stróżującym. Jeśli miałby być tylko psem domowym, powinniśmy przemyśleć swoją decyzję i zastanowić się, czy możemy poświęcić wystarczająco dużo czasu na ułożenie dobermana.

Wzorzec

Głowa
Długa w stosunku do tułowia, o wyraźnych liniach. Widziana z góry lub z boku ma kształt tępo zakończonego klina. Górna część czaszki powinna być tak szeroka, jak to możliwe, bez zmarszczek. Czaszka płaska, stop słabo zaznaczony; linia kufy równoległa do górnej części czaszki. Policzki płaskie, wargi przylegające do siebie. Nos czarny; bardzo ciemnobrązowy u psów brązowych i czarny u osobników o barwie czarnej.

Oczy
Ciemne, o inteligentnym spojrzeniu.

Uszy
Przycinane tak, aby były wzniesione (dozwolone również uszy nieprzycinane).

Szata
Krótka, gęsta, twarda i przylegająca do ciała.

Umaszczenie
Dozwolone czarne lub brązowe z rdzaworudym, zdecydowanie odgraniczonym podpalaniem czystej barwy. Podpalanie występuje na kufie, policzkach i górnych

powiekach, na podgardlu, przedpiersiu, śródręczach, palcach, na wewnętrznej stronie ud, w okolicy odbytu. Niedopuszczalne białe znaczenia.

Ogon
Skracany między pierwszym i drugim kręgiem, tak aby sprawiał wrażenie przedłużenia kręgosłupa.

Kończyny przednie
Dobrze wysklepione, nieskierowane ani na zewnątrz, ani do wewnątrz, zwarte; „kocie" łapy. Należy usunąć wilcze pazury. Wadliwe są kończyny wykręcone na zewnątrz lub do wewnątrz bądź płaskie oraz słabe kątowanie kończyn.

Kończyny tylne
Powinny być dobrze wysklepione i zwarte; nie mogą być wykręcone na zewnątrz ani do wewnątrz.

Wzrost
Wysokość w kłębie: psa 62 – 68 cm, suki 58 – 65 cm.

DOG ARGENTYŃSKI

Wzrost: 60 – 65 cm
Waga: 40 – 55 kg
Długość życia: 13 –15 lat

▌Charakterystyka

Bardzo muskularny i mocny.

Wskazówka 695
To pies o małych wymaganiach, dobrze przystosowujący się do życia w każdym środowisku i klimacie.

Wskazówka 696
Dog argentyński to pies z natury pogodny, otwarty i wrażliwy. Bardzo lubi dzieci, mało szczeka. Nie jest jednak bojaźliwym, miernym stróżem. Wprost przeciwnie: jest wytrzymały i waleczny, w obronie właścicieli może pokazać, na co go stać.

Wskazówka 697
Z powodu atletycznej budowy wymaga nieustannego ruchu i otwartych przestrzeni.

Wskazówka 698
Podobnie jak w przypadku wielu psów polujących, aby wyciszyć jego instynkt łowiecki i niezależność, naukę posłuszeństwa należy rozpocząć już od szczeniaka i prowadzić ją konsekwentnie, uzbroiwszy się w cierpliwość.

Wskazówka 699
Pies ten lubi przebywać w domowym zaciszu, choć jego potrzeba niezależności nie idzie w parze z uległością i dlatego wymaga on stałego szkolenia. Czasem potrafi być zaczepny.

Psy te pochodzą od dogów bojowych przywiezionych w XVI w. przez Hiszpanów do Ameryki. Jednak hodowcy argentyńscy rozpoczęli krzyżówki w celu rozwinięcia rasy dopiero na początku XX w. Selekcja podążała w kierunku uzyskania zwierzęcia o znakomitym węchu, które nadawałoby się do polowań, i o białym umaszczeniu, umożliwiającym polującemu łatwe odróżnienie psa od ofiary.

Obecnie dog argentyński jest w swej ojczyźnie uważany za świetnego psa domowego. Oprócz polowań jest używany również do pracy w policji i ratownictwie oraz do pomocy niewidomym. Świadczy to o tym, że mamy do czynienia z inteligentnym zwierzęciem o dużej zdolności adaptacyjnej.

Dog argentyński nigdy nie pozostaje niezauważony – staje się albo powodem do dumy, albo przyczyną dyskusji. Tak czy inaczej, wzbudza podziw na całym świecie. To olbrzym, który często nie cieszy się dobrą sławą.

W przeciwieństwie do historii innych ras, o pochodzeniu doga argentyńskiego wiemy prawie wszystko. Rasa ta powstała w latach dwudziestych ubiegłego stulecia, a jej twórcami byli bracia Agustín i Antonio Norés Martínezowie, którzy wynik swoich badań przedstawili w 1947 r. Zanim jednak uznano doga argentyńskiego za nową rasę, upłynęło jeszcze siedemnaście lat – Argentyński Związek Kynologiczny zatwierdził ją w 1964 r. W 1975 r. zarejestrowała ją Międzynarodowa Federacja Kynologiczna.

Olbrzym w każdym calu. Pierwotnie stworzony do polowań na dzika, lisa i pumę – można więc sobie wyobrazić, jakie to musi być silne i potężne zwierzę.

Jego wielkość i siłę hodowcy uzyskali dzięki skrzyżowaniu dziesięciu innych ras. Dog niemiecki dał mu wielkość, bokser – siłę i łagodność, mastif pirenejski – biel, pies bojowy z Kordoby – postawę, greyhound – instynkt łowiecki, mastif hiszpański – prostotę i siłę, pointer – umiejętność wietrzenia zwierzyny, dog de bordeaux – szeroką szczękę, buldog – szeroką klatkę piersiową i odwagę, bulterier – nieustraszoność.

▌Wzorzec

Głowa
Spłaszczona, masywna. Trzewioczaszka tej samej długości co mózgoczaszka.

Oczy
Ciemne, ładnego orzechowego koloru, przykryte powiekami o czarnych krawędziach. Mogą być jasne. Szeroko osadzone, o bystrym, inteligentnym, choć twardym spojrzeniu.

Uszy
Osadzone na szczycie głowy, stojące lub na wpół uniesione; przycinane w kształcie trójkąta.

Szczęki
Potężne; zgryz nożycowy bez przodozgryzu.

Szyja
Gruba, wysklepiona. Skóra podgardla gruba.

Tułów
Szeroki i głęboki, sprawia wrażenie, że pies ma duże płuca; mostek widziany z przodu opada ku linii łokci.

Kończyny przednie
Proste, prostopadłe do podłoża; palce krótkie.

Linia grzbietowa
Kręgosłup prosty, z wyraźnie zaznaczonymi, dobrze rozwiniętymi mięśniami, dającymi złudzenie łękowatego grzbietu. Kłąb położony wyżej od zadu.

Kończyny tylne
Umiarkowanie kątowane, silnie umięśnione; z krótkim wilczym pazurem.

Palce
Ściśle przylegające do siebie i bez dodat-

kowego palca (jeśli zwierzę się z nim uro-
dziło, należy go usunąć chirurgicznie).

Ogon

Długi i gruby, jednak jego długość nie
przekracza wysokości stawu skokowego.
Noszony nisko, lecz nie podczas walki, gdy
jest wzniesiony i porusza się nieustannie

w płaszczyźnie poziomej.

Szata

Jednobarwna, zupełnie biała.

Wzrost i waga

Wysokość: 60 – 65 cm; waga: psa
50 – 55 kg, suki 40 – 50 kg.

DOG DE BORDEAUX

Wzrost: 58 – 68 cm
Waga: 50 kg
Długość życia: 13 –15 lat

▌Charakterystyka

Dog de Bordeaux nie jest psem kanapowym ani niepewnym siebie, nie jest też bezmyślnym, pozbawionym samokontroli psem obronnym – to szlachetny gladiator.

Wskazówka 700
Wymaga dostatecznej przestrzeni oraz stałego i czułego wychowania. Wystarczy odpowiedni ton głosu, aby wiedział, co jest dobre, a co nie. Nie należy traktować go oschle i szorstko, bo to pogarsza sytuację.

Wskazówka 701
Spokojny i zrównoważony, bardzo przywiązany do właścicie-li, uczuciowy, nieufny wobec obcych. Łagodny i cierpliwy w stosunku do dzieci, które lubi i chroni. Nie znosi samotności i bezczynności, nigdy nie okazuje agresji, chyba że zostanie sprowokowany.

Jego pochodzenie sięga czasów celtyckich, gdy był używany do pilnowania skarbców i do polowań na grubego zwierza. W średniowieczu znane były jego dwie odmiany: „pies rzeźnika" i „pies turecki", trenowane do walk z niedźwiedziami, bykami i innymi psami. Później służył do pilnowania domostw i zamków. W Bordeaux pod koniec XIX w. uważano, że rasa ta jest na wymarciu. Obecnie przeżywa ponowny rozkwit.

Wskazówka 702
To świetny pies domowy, nadający się doskonale zarówno do pilnowania gospodarstwa, jak i całej rodziny.

▌Wzorzec

Głowa
Potężna, graniasta, szeroka, dość krótka, widziana od przodu ma kształt trapezu. Wielkość i kształt nadają głowie silnie rozwinięte kości skroniowe, łuki nadoczodołowe i jarzmowe oraz szerokie rozstawienie żuchwy. Pokrywa czaszki jest lekko wypukła. Stop bardzo wyraźnie zaznaczony, tworzy z grzbietem nosa kąt 95 – 100°. Głęboka bruzda czołowa zmniejsza się ku tyłowi czaszki. Czoło dominuje nad częścią twarzową i dlatego jest raczej szerokie niż wysokie. Głowa jest pokryta symetryczny-

mi zmarszczkami po obu stronach bruzdy czołowej. Te głębokie i kręte fałdy zmieniają swoje położenie w zależności od natężenia uwagi psa.

Kufa

Mocna, szeroka, gruba, dosyć krótka. Górna krawędź nieznacznie wklęsła, z dobrze wykształconymi fałdami. Bardzo umiarkowanie zwężająca się ku końcowi, widziana z góry jest niemal kwadratowa. Linie czaszki i kufy nieznacznie zbieżne. Przy poziomym ustawieniu głowy krawędź kufy wystaje przez linię pionową styczną do przedniej części nosa. Obwód kufy równa się w przybliżeniu dwu trzecim obwodu głowy, jej długość waha się pomiędzy jedną czwartą a jedną trzecią całkowitej długości głowy, tzn. od nosa do guza potylicznego.

Nos

Szeroki; nozdrza rozwarte, o czarnej lub czerwonej pigmentacji w zależności od rodzaju maski. Dopuszczalny nos zadarty.

Szczęki

Bardzo mocne, szerokie, z charakterystycznym dla tej rasy przodozgryzem, żuchwa powinna wystawać minimalnie 0,5 cm, maksymalnie 2 cm. Przy zamkniętym pysku nie powinny być widoczne kły ani siekacze.

Uzębienie

Kły mocne, dolne szeroko rozstawione i zakrzywione; siekacze równo rozstawione, zwłaszcza w żuchwie, gdzie tworzą prawie prostą linię.

Fafle

Grube, umiarkowanie obwisłe, mięsiste, wyginają się łukiem wokół żuchwy.

Oczy

Owalne, szeroko rozstawione. Odległość dzieląca wewnętrzne kąciki powiek jest mniej więcej równa podwójnej długości oka. Łuki brwiowe dosyć dobrze widoczne. Szczere spojrzenie. Kolor oka u psów o czarnej masce: od orzechowego do ciemnobrązowego. U osobników z brązową maską dopuszczalny jaśniejszy.

Uszy

Stosunkowo małe, w kolorze nieco ciemniejszym niż szata. Osadzone z przodu, przednia krawędź lekko uniesiona. Końce zaokrąglone, nie powinny sięgać dalej niż do oka. Uszy osadzone są dosyć wysoko, na poziomie górnej linii czaszki, przez co dodatkowo podkreślają jej szerokość.

Szyja

Bardzo mocna, muskularna, niemal cylindryczna, z bardzo dużą ilością miękkiej, elastycznej skóry. Obwód szyi równa się prawie obwodowi głowy. Szyja od głowy jest oddzielona nieznaczną poprzeczną bruzdą. Linia karku nieco wypukła. Dobrze wykształcona fałda rozpoczyna się na wysokości gardła i biegnie aż do przedpiersia.

Klatka piersiowa

Mocna, głęboka, szeroka, sięgająca poniżej łokci. Przednie żebra zaokrąglone, tylne przylegające i opadające. Obwód klatki piersiowej powinien przekraczać wysokość w kłębie o 25 – 30 cm.

Łopatki

Potężne, o wyraźnie zaznaczonych mięśniach, ustawione pod kątem ok. 45° do poziomu; kąt pomiędzy łopatką i ramieniem wynosi nieco ponad 90°.

Linia grzbietu

Prosta; grzbiet szeroki i muskularny; kłąb dobrze zaznaczony. Lędźwie szerokie, masywne, dosyć krótkie. Zad umiarkowanie opadający ku nasadzie ogona.

Ogon

Bardzo gruby u nasady, koniec nie przekracza stawu skokowego, w spoczynku opadający. Gdy pies jest czujny, ogon podnosi się o 90 – 120° w stosunku do pozycji spoczynkowej.

Kończyny przednie

Kościec silny, ramiona bardzo muskularne. Łokcie ani nie odstawione, ani zbyt przylegające do klatki piersiowej. Przedramiona proste lub skierowane nieco do środka, zwłaszcza u psów o bardzo szerokiej klatce piersiowej. Śródręcze mocne, lekko skośnie nachylone, czasem odstawione na zewnątrz. Łapy silne, zwarte; pazury twarde, zakrzywione, preferowane dobrze pigmentowane; opuszki elastyczne i dobrze rozwinięte.

Kończyny tylne

Uda dobrze rozwinięte i grube, mięśnie wyraziste. Kolana ustawione równolegle lub nieco rozbieżne. Podudzie stosunkowo krótkie, muskularne, sięgające nisko. Staw skokowy krótki, o nieznacznie rozwartym kącie. Kończyny tylne widziane od tyłu równoległe; sprawiają wrażenie silnych, mimo że są nieco węższe niż przednie.

Szata

Może być jednokolorowa, mahoniowa lub w odcieniach płowego. Ceniona dobra pigmentacja. Dopuszczalne białe, niezbyt rozległe znaczenia na piersi i końcach kończyn („skarpetki"). Włos cienki, krótki i miękki w dotyku.

Wzrost i waga

Wysokość w kłębie: psa 60 – 68 cm, suki 58 – 66 cm; waga minimalna: psa 50 kg, suki 45 kg.

DOG NIEMIECKI

Wzrost: 80 cm
Waga: 60 kg
Długość życia: 13 –15 lat

▌Charakterystyka

Znany również jako wielki Duńczyk czy dog ulmski, ten pies „wielki jak koń" łączy łagodność z pewnością siebie.

Wskazówka 703
Łatwy do ułożenia, jeśli od początku będzie obdarzany czułością i prowadzony silną ręką.

Wskazówka 704
To pies o pokojowym usposobieniu, średniej inteligencji, słabo rozwiniętym węchu i dużej wadze. W zasadzie jest to pies do towarzystwa.

Wskazówka 705
Serdeczny, duży i szlachetny, mocny i cierpliwy.

Wskazówka 706
Musi być wychowywany konsekwentnie, zwłaszcza na początku: powinien poprawnie wykonywać polecenia słowne, nie okazywać strachu ani agresji.

Wskazówka 707
Nie wymaga dużo ruchu.

Wskazówka 708
Utrzymanie doga jest kosztowne, za to nie potrzebuje on wielu zabiegów kosmetycznych.

Wskazówka 709
Chociaż z powodu swojej budowy może się wydawać agresywny i okrutny, ma to niewiele wspólnego z rzeczywistością. Dog niemiecki jest przyjacielski, łagodny i czuły, lubi życie rodzinne, a zwłaszcza dzieci.

▌Wzorzec

Dog niemiecki ma szlachetny wygląd: łączy siłę, elegancję i majestatyczność ze zwartą i potężną budową ciała. Charakteryzuje się mocną, harmonijną sylwetką, a zwłaszcza pełną ekspresji głową, która sprawia posągowe wrażenie. Bywa nazywany Apollem wśród psich ras.

Głowa
Długa i wąska, z grubymi faflami i kwadratowym pyskiem.

Nos

Szeroki, z dobrze rozwiniętymi nozdrzami. Powinien być czarny; wyjątek stanowi dog arlekin (w biało-czarne łaty), u którego czarny nos jest pożądany, ale toleruje się również cielisty.

Kufa

Głęboka i jak najbardziej prostokątna. Krawędzie warg dobrze zarysowane, o czarnej pigmentacji. U arlekinów tolerowane są wargi o zabarwieniu częściowym lub cieliste.

Szczęki i uzębienie

Szczęki szerokie, dobrze wykształcone. Zgryz nożycowy, zęby silne i zdrowe. Pełne uzębienie.

Oczy

Średniej wielkości, okrągłe, jak najciemniejsze, o żywym, inteligentnym wyrazie. U doga błękitnego dozwolona nieco jaśniejsza barwa oczu. U arlekinów toleruje się oczy jasne lub każde o innej barwie. Powieki dobrze przylegające.

Uszy

Wysoko osadzone, z natury wiszące, średniej wielkości. Przednie krawędzie przylegają do policzków.

Szyja

Długa i muskularna. Dobrze wykształcona, z lekko wygiętą linią karku. Wzniesiona ku górze, przy tym lekko skierowana do przodu.

Ogon

Sięga stawu skokowego, osadzony wysoko; szeroki u nasady, zwęża się równomiernie ku końcowi. W spoczynku zwisa, tworząc naturalne wygięcie. W ruchu lub w stanie podniecenia noszony z lekkim wygięciem w kształcie szabli, nie przekracza jednak zbytnio linii grzbietu.

Klatka piersiowa

Szeroka, z dobrze wyodrębnionym przedpiersiem, sięga do stawu łokciowego; żebra dobrze wysklepione, skierowane do tyłu.

Kończyny przednie

Łopatki silnie umięśnione, długie i ukośne. Ramiona silne, muskularne, przylegające do tułowia; powinny być nieco dłuższe od łopatek. Łokcie nie są skręcone ani na zewnątrz, ani do wewnątrz. Przedramię silne i muskularne, widziane z przodu i z profilu zupełnie proste. Stopy okrągłe, dobrze wysklepione i zwarte (kocia łapa). Pazury krótkie, mocne, jak najciemniejsze.

Kończyny tylne

Cały szkielet pokrywają silne mięśnie, które powodują, że zad, biodra i uda są szerokie i zaokrąglone. Kończyny dobrze ukątowane, oglądane od tyłu są równoległe do przednich. Uda długie, szerokie i muskularne. Kolana silne, ustawione prawie pionowo pod stawem biodrowym. Podudzia długie, prawie tej samej długości co uda, o dobrze rozwiniętej muskulaturze. Stopy okrągłe, wysklepione i zwarte (kocia łapa). Pazury krótkie, silne i ciemne.

Skóra

Przylegająca, o dobrej pigmentacji u psów jednobarwnych. U arlekinów rozłożenie pigmentacji pokrywa się z łatami.

Szata

Włos bardzo krótki, gęsty, gładki, błyszczący.

Umaszczenie

W zależności od umaszczenia wyróżnia się kilka odmian doga niemieckiego.

Odmiana pręgowana

Barwa zasadnicza jasnożółta albo złotożółta z czarnymi regularnymi i wyraźnymi pręgami przebiegającymi w kierunku żeber. Pożądana jest czarna maska.

Odmiana żółta

Kolor jasnożółty do intensywnego żółtozłotego. Bardzo ceniona czarna maska. Niepożądane małe, białe znaczenia na piersi i palcach.

Arlekin

Podstawowy kolor to czysta biel, najlepiej bez żadnych odcieni. Na całym ciele nieregularne, intensywnie czarne plamy. Niepożądane są plamy szare lub brązowe.

Odmiana czarna

Błyszcząca, intensywna czerń, dopuszczalne białe znaczenia. Do tej odmiany zalicza się także dogi płaszczowe, u których główne partie tułowia pokrywa czerń w formie płaszcza. Kufa, szyja, pierś, brzuch, kończyny i koniec ogona mogą być czarne.

Odmiana błękitna

Czysty, stalowy błękit. Dopuszczalne są białe znaczenia na klatce piersiowej i łapach.

EURASIER

Wzrost: 48 – 60 cm
Waga: 22 – 26 kg
Długość życia: 13 –15 lat

∎ Charakterystyka

Na szczęście rasa ta nie jest w modzie, ponieważ szkoda tak wrażliwego i wymagającego uwagi psa, żeby był on obiektem chwilowego zauroczenia.

Wskazówka 710
To pies inteligentny, rozważny i łagodny, wymagający z jednej strony miłości, szacunku i uwagi, z drugiej natomiast – silnej ręki.

Wskazówka 711
Oddany, spokojny, zrównowa-żony, o wysokim progu pobudliwości, uważny i czujny, nie jest hałaśliwy; przywiązany do właścicieli, nieufny w stosunku do obcych, ale nie agresywny. Nie ma instynktu łowieckiego.

Wskazówka 712
Do pełnego wykształcenia tych cech potrzebuje stałego, ścisłego kontaktu z domownikami, a także zrozumienia i konsekwentnego wychowania.

Wskazówka 713
Oddany całej rodzinie. Dzięki otwartemu i spokojnemu usposobieniu dobrze się adaptuje do wszystkich warunków mieszkaniowych.

Wskazówka 714
Aktywny, czujny; pilnuje, nie robiąc hałasu.

Wskazówka 715
Uważnie szkolony, staje się idealnym psem domowym.

∎ Wzorzec

Głowa
Wykazuje duże podobieństwo do głowy wilka (cecha atawistyczna): kształt klinowaty; uszy wzniesione, średniej wielkości, nie-

zbyt od siebie oddalone. Czaszka harmonijna, niezbyt długa, widziana z góry i z profilu ma kształt stożka. Grzbiet nosa i mózgoczaszka są równoległe. Czaszka spłaszczona, z dobrze zaznaczoną bruzdą czołową. Przełom nosowo-czołowy słabo zaznaczony.

Szyja

Za pomocą dobrze umięśnionej szyi noszona wysoko głowa łączy się harmonijnie z ramionami; skóra ściśle przylegająca, bez podgardla.

Kufa

Zwęża się w kierunku nosa.

Nos

Średniej wielkości, czarny.

Wargi

Brzegi warg dobrze napięte, czarne.

Uzębienie

Zgryz silny, pełny, nożycowy (górne siekacze ściśle pokrywają dolne) lub cęgowy (krawędzie górnych i dolnych zębów stykają się końcami); przedtrzonowce i trzonowce znajdują się w jednej linii bez luk; wszystkie zęby ustawione pionowo.

Oczy

Ciemne, proporcjonalne, niezbyt głęboko osadzone i niewyłupiaste; szpary powiekowe lekko ukośne; brzegi powiek czarne, ściśle przylegające.

Tułów

Dłuższy niż wyższy. Prosty i masywny grzbiet przechodzi w długi i szeroki zad. Miednica ustawiona skośnie jedynie w stosunku do zadu. Klatka piersiowa dobrze wysklepiona i głęboka, proporcjonalna do umiarkowanie szerokiego przedpiersia (żebra owalne). Dolna część klatki piersiowej wydłużona; brzuch podkasany. Kłąb stanowi najwyższy punkt kręgosłupa i jest wyraźnie zaznaczony.

Ogon

Prosty, okrągły, mocny u nasady, o dobrej grubości, zwęża się ku końcowi. Owłosiony, noszony nad grzbietem, lekko wygięty na bok lub zwinięty. W spoczynku powinien sięgać stawu skokowego; w ruchu wygięty nad grzbietem albo na boku.

Kończyny przednie

Łopatki dobrze umięśnione; ramiona skośnie ustawione; przedramiona proste, sztywne. Łapy średniej wielkości, grube; palce dobrze wysklepione, przylegające do siebie; podeszwy grube.

Kończyny tylne

Widziane od tyłu – równoległe, o mocnym kośćcu. Widziane z boku – umiarkowanie kątowane. Udo i podudzie prawie tej samej długości. Uda silnie umięśnione, opadające lekko ukośnie aż do stawu skokowego, który tworzy kąt średnio rozwarty. Staw skokowy nie za głęboko osadzony. Palce dobrze wysklepione, przylegające do siebie i grube.

Szata i umaszczenie

Tułów pokryty gęstym podszerstkiem i włosem średniej długości. Kufa, szczęka i wewnętrzne części kończyn są pokryte krótkim włosem. Pióro na ogonie, portki i frędzle na łapach są utworzone z długiego włosa. Włos na szyi jest nieco dłuższy niż na tułowiu; nie tworzy grzywy. Dopuszczalne wszystkie kolory i ich kombinacje, z wyjątkiem czysto białego, białego w łaty i wątrobianego.

Wzrost i waga

Wysokość w kłębie: psa 52 – 60 cm, suki 48 – 56 cm; waga: 18 – 26 kg. Waga idealna: psa 26 kg, suki 22 kg.

FILA BRASILEIRO

Wzrost: 60 – 75 cm
Waga: 50 kg
Długość życia: 13 –15 lat

▌Charakterystyka

Fila brasileiro to pies łagodny, ufny, odważny, wrażliwy, inteligentny i niewiarygodnie posłuszny, a przy tym oddany swym właścicielom i wspaniały obrońca.

Wskazówka 716
Jest to pies łatwy do utrzymania, szybko przystosowujący się do życia w mieście, co jest powodem, że rasa ta służy przede wszystkim do stróżowania.

Wskazówka 717
Bardzo nie lubi obcych.

Wskazówka 718
Radość sprawiają mu pieszczoty i dobre traktowanie; jest łatwy do ułożenia.

Wskazówka 719
Jest niezwykle wyrozumiały dla dzieci.

Wskazówka 720
Zawsze szuka towarzystwa swego pana, w szczególności gdy domaga się pieszczot. Jedną z jego charakterystycznych cech jest to, że uważnie obserwuje obce osoby, śledząc ich ruchy.

Pies o potężnych kościach, prostokątnej i zwartej, ale harmonijnej i proporcjonalnej budowie.

Mimo swojej masywności fila jest niezwykle zwinny.

Suki swym wyglądem różnią się wyraźnie od psów.

Wskazówka 721
Inną z jego cech jest męstwo, determinacja i niezwykła waleczność.

Wskazówka 722
Jest łagodny dla właściciela i jego rodziny.

Wskazówka 723

Wykazuje spokojne usposobienie, pewność siebie i przekonanie o własnej sile, zarówno gdy nic go nie niepokoi, jak i kiedy znajduje się w nowym środowisku.

Wskazówka 724

Niezrównany strażnik mienia, dzięki instynktowi może służyć do polowania na grubą zwierzynę i do pilnowania bydła.

Wskazówka 725

W spoczynku jest cichy, szlachetny i budzi zaufanie. Nigdy nie ma znudzonej miny i nie sprawia wrażenia, że jest nieobecny. Gdy go pobudzimy, jego wygląd wyraża determinację, zdecydowanie i chęć opieki.

▌Wzorzec

Głowa

Duża, ciężka, masywna, ale zawsze proporcjonalna w stosunku do ciała. Widziana z góry, przypomina trapez. Kufa i czaszka widziane z boku powinny mieć w przybliżeniu proporcje 1:1, przy czym kufa jest nieznacznie mniejsza od czaszki.

Czaszka

Z profilu tworzy łagodny łuk od stopu do potylicy, dobrze zaznaczony zwłaszcza u szczeniąt. Widziana z przodu – jest szeroka, obszerna, z lekko zakrzywioną górną linią.

Stop

Jeśli się patrzy z przodu, jakby nie istniał. Środkowa bruzda przebiega łagodnie w kierunku czaszki. Widziany z boku, jest niewielki, nachylony i utworzony przez bardzo dobrze rozwinięte łuki brwiowe.

Nos

Nozdrza dobrze rozwinięte i szerokie, chociaż nie zajmują całej szerokości szczęki.

Kufa

Silna, szeroka i głęboka, zawsze w harmonii z czaszką. Widziana z góry, jest szeroka pod oczami, zwęża się ku środkowi, a następnie ponownie rozszerza aż do przedniego wygięcia. Grzbiet kufy, widziany z boku, jest prosty lub lekko opadający (rzymski nos). Kufa jest głęboka u nasady, ale jej głębokość nie przewyższa długości.

Wargi

Górna warga jest gruba i obwisła i opada na dolną, tak że nadaje kształt dolnej linii kufy. Górna i dolna linie kufy są prawie równoległe. Obwódki warg są zawsze widoczne. Dolna warga przylega ściśle do siekaczy i kłów, a za kłami jest luźna i ma wygięty brzeg.

Uzębienie

Zęby są szersze niż dłuższe, mocne i białe. Górne siekacze są szerokie u podstawy i spiczaste na końcach. Kły są silne, dobrze osadzone w szczęce. Idealny jest zgryz nożycowy, ale dozwolony również cęgowy.

Oczy

Od średnich do dużych, migdałowego kształtu, szeroko rozstawione. Dopuszczalny kolor oczu: od ciemnoorzechowego do żółtego, powinien harmonizować z kolorem szaty. Z powodu dużej ilości luźnej skóry wiele osobników ma opadające dolne powieki, co nie jest uznawane za wadę. Szczegół ten, typowy dla tej rasy, nadaje psu melancholijny wyraz.

Uszy

Zwisające, grube, duże, w kształcie litery V. Szerokie, zwężają się ku zaokrąglonym koniuszkom. Osadzone w tylnej części czaszki; w spoczynku znajdują się na poziomie oczu, w ruchu się unoszą. Opadają przy policzkach lub są odgięte do tyłu, ukazując środek.

Szyja

Nadzwyczajnie silna i muskularna, wydaje się krótka. Lekko wygięta ku górze i wyraźnie rozgraniczona od głowy. Ma wyraźne podgardle.

Tułów

Silny, szeroki i głęboki, pokryty grubą i luźną skórą. Klatka piersiowa jest dłuższa od brzucha. Długość tułowia mierzona od szczytu łopatki do szczytu pośladka jest o 10% większa od wysokości w kłębie.

Linia grzbietu

Kłąb jest nieco niższy niż zad. Za kłębem linia grzbietu wznosi się lekko do zadu. Grzbiet nie powinien być ani łękowaty, ani karpiowaty.

Lędźwie

Krótsze i nie tak głębokie jak klatka piersiowa, wyraźnie od niej oddzielone. Niższa część lędźwi jest bardziej rozwinięta u suk. Widziane z góry, lędźwie są węższe niż klatka piersiowa i zad, ale nie powinny tworzyć wcięcia.

Zad

Szeroki i długi, tworzy z linią poziomą kąt ok. 30°. Lekko zaokrąglony; ustawiony nieco wyżej niż kłąb. Widziany od tyłu, ma taką samą szerokość jak klatka piersiowa, a u suk może być nieco szerszy.

Klatka piersiowa

Głęboka i szeroka. Żebra dobrze wysklepione. Mostek wyraźnie zaznaczony.

Linia dolna

Klatka piersiowa długa i równoległa do podłoża na całej długości. Linia brzucha lekko się wznosi do tyłu, chociaż podkasanie nie jest jak u charta.

Ogon

Bardzo szeroki u nasady; osadzony

na średniej wysokości, sięgający poziomu stawu skokowego, zwężający się stromo ku końcowi. Kiedy pies natęża uwagę, ogon unosi się wyżej i zagięcie na końcu jest podkreślone. Ogon nie może być zawinięty nad grzbietem.

Kończyny przednie

Łopatka i kość ramieniowa powinny być równej długości. Łączą się one stawem ramieniowym na poziomie przedpiersia, tuż za nim. Pionowa linia poprowadzona od kłębu przez łokcie powinna sięgać łap. Kończyny przednie są równoległe, skierowane do przodu. Kościec mocny. Palce mocne i dobrze wysklepione, oddalone od siebie. Opuszki grube, szerokie i głęboko osadzone. Stopy nie powinny być wygięte ani na zewnątrz, ani do środka.

Kończyny tylne

Kości lżejsze od kości kończyn przednich, ale nigdy nie tworzą razem lekkiego kośćca. Uda zaokrąglone dzięki silnie rozwiniętej muskulaturze. Mięśnie tworzą zewnętrzną granicę tylnych kończyn. Z tego powodu kość kulszowa musi być wystarczająco długa. Tylne kończyny są równoległe, a stawy skokowe silne. Stopy trochę mniej owalne niż przednie, ale poza tym identyczne. Nie powinny mieć wilczych pazurów (piątego palca).

Pazury

Twarde i ciemne. Białe pazury dopuszczalne, pod warunkiem że szata palców i łap jest również biała.

Ruch

Powinien być elastyczny i o długim wykroku, przypominający ruch wielkich kotów. Charakterystyczną cechą jest inochód („wielbłądzi krok"), który polega na tym, że pies stawia najpierw dwie nogi z jednej strony, następnie dwie z drugiej, co powoduje kołyszący się ruch tułowia i tylnych kończyn. W stępie pies utrzymuje głowę poniżej linii grzbietu. Kłus jest elastyczny, swobodny i lekki, z energicznymi krokami. Galop żywy, jak na tak duże i ciężkie zwierzę nieoczekiwanie szybki.

Skóra

Jedną z charakterystycznych cech tej rasy jest gruba, luźna skóra na całym ciele. Bardzo luźna na szyi, tworzy wyraźne podgardle. Niektóre psy mają fałdy na bokach głowy, a także na kłębie, schodzące do łopatek. W spoczynku głowa psa jest wolna od zmarszczek; kiedy fila jest czujny, skóra na czaszce tworzy niewielkie zmarszczki wzdłuż czaszki.

Szata

Krótka, gładka, zwarta i szczelnie przylegająca do skóry.

Umaszczenie

Dopuszczalne są wszystkie jednolite kolory, z wyjątkiem białego i mysioszarego, jak również umaszczenia cętkowanego i łaciatego. Pręgi na podstawowym kolorze mogą być jasne lub bardzo ciemne. Pies może mieć czarną maskę, lecz nie musi. Na stopach, klatce piersiowej i końcu ogona mogą być białe znaczenia. Na innych częściach ciała są niepożądane. Niedopuszczalne są białe łaty pokrywające ponad jedną czwartą całego ciała.

Wzrost i waga

Wysokość w kłębie: psa 65 – 75 cm, suki 60 – 70 cm; minimalna waga: psa 50 kg, suki 40 kg.

FOKSTERIER

Wzrost: 39 cm
Waga: 7 – 8 kg
Długość życia: 13 –15 lat

▌Charakterystyka

Rasa ta ma dwie odmiany, różniące się od siebie szatą. Każda z nich ma swych zwolenników, którzy do upadłego będą bronić jej wyższości nad drugą.

Wskazówka 726
Foksteriery mają bardzo powolną przemianę materii i dobrze jest karmić je rano, żeby w ciągu dnia mogły spokojnie trawić.

Dieta obydwu odmian jest identyczna. Lepiej przygotowywać im domowe jedzenie, bo jest to ekonomiczniejsze i praktyczniejsze.

Wskazówka 727
Dzienna dawka żywieniowa dla dorosłego psa wynosi 150 – 170 gramów.

Wskazówka 728
Foksterier jest raczej niejadkiem.

Wskazówka 729
Obydwie odmiany są bardzo towarzyskie.

Wskazówka 730
Foksterier szorstkowłosy jest bardziej niezależny i potrafi cierpliwie oczekiwać powrotu właściciela.

Wskazówka 731
Foksterier krótkowłosy lubi przebywać blisko swego pana i siedzieć u jego stóp. Bardzo potrzebuje ludzkiego towarzystwa.

Wskazówka 732
Jeśli chodzi o szkolenie, w obydwóch przypadkach należy je rozpocząć wcześnie.

Wskazówka 733
Psy te są pojętne i mają niezwykłą pamięć. W czterdzieści osiem godzin po przybyciu do domu nowego właściciela znają już jego mocne i słabe strony.

Wskazówka 734
Pies powinien jak najwcześniej zrozumieć, kto jest panem domu. Dawne opinie o agresyw-

ności tej rasy nie znajdują dziś potwierdzenia.

Foksterier jest psem myśliwskim i nie utracił żadnej ze swoich umiejętności. Do polowań używane są najczęściej foksteriery krótkowłose.

Wskazówka 735
U foksterierów nie występują problemy ze zdrowiem.

Wskazówka 736
Foksterier jest silny, bardzo dobrze znosi zimno: nie trzeba mu sprawiać ubranka na zimę. Uwielbia biegać po śniegu. Dobrze znosi też upały.

Wskazówka 737
Pielęgnacja odmiany krótkowłosej jest prostsza – wystarczy wyczesać psa raz dziennie.

Wskazówka 738
Szata teriera szorstkowłosego wymaga większej uwagi. Jednym z rozwiązań jest trymowanie (usuwanie martwego włosa), które nadaje włosowi twardość i intensywny kolor. Trymowanie zapobiega także nadmiernemu brudzeniu się szaty. Temu zabiegowi należy poddać psa przynajmniej trzykrotnie. W tym czasie trzeba go czesać raz w tygodniu.

Wskazówka 739
Innym rozwiązaniem jest strzyżenie, czego jednak hodowcy nie polecają, ponieważ powo-

duje skręcanie się włosa oraz jego depigmentację.

Foksterier szorstkowłosy nie linieje.

Wskazówka 740
Aktywny, o szybkich ruchach i bystrym spojrzeniu, reaguje na każdą prowokację.

Wskazówka 741
Warto zabierać fokateriera na długie spacery, gdyż w ten sposób może wyładować nagromadzoną energię.

Wskazówka 742
Przyjacielski, towarzyski, niezmordowany i odważny.

Foksterier szorstkowłosy

Wzorzec

Wygląd ogólny
Ruchliwy i wesoły, o mocnym kośćcu, mimo niewielkich wymiarów silny. Nie może być jednak ociężały ani o topornej budowie. Jest proporcjonalnie zbudowany, zwłaszcza jeśli chodzi o proporcje między czaszką a kufą. Wysokość w kłębie i długość tułowia mierzona od stawu barkowego do guza siedzeniowego są w przybliżeniu równe. Przy swoim krótkim grzbiecie pies pewnie stoi na szeroko rozstawionych nogach.

Głowa
Górna linia mózgoczaszki jest prawie płaska, delikatnie pochylona. Szerokość czasz-

ki zmniejsza się stopniowo ku oczom. Praktycznie nie ma różnicy pomiędzy długością czaszki i kufy. Jeśli kufa jest wyraźnie krótsza, głowa sprawia wrażenie słabej i niedostatecznie ukształtowanej. Kufa zwęża się stopniowo od oczu do czubka nosa, leki stop łączy ją z czołem. Nie jest on wydatny i nie załamuje się ostro pod oczami. Niepożądane są zbyt rozwinięty kościec i nadmierna muskulatura szczęk, gdyż nadaje to psu nieprzyjemny wygląd. Policzki pełne i zaokrąglone nie są estetyczne. Nos powinien być czarny.

Oczy

Ciemne, znamionują żywotność i inteligencję, dość małe, jak najbardziej zaokrąglone. Osadzone głęboko, niezbyt szeroko, nie bardzo wysoko ani za blisko uszu. Niedopuszczalne są oczy jasne.

Uszy

Małe, w kształcie litery V, nie za grube, elegancko zagięte, opadają do przodu, przylegając do policzków. Linia załamania ucha powinna przebiegać ponad poziomem czaszki. Uszy stojące w kształcie tulipana albo płatka róży są wadliwe.

Uzębienie

Szczęki mocne, o regularnym i kompletnym zgryzie nożycowym, co znaczy, że siekacze górne zakrywają w ścisłym kontakcie siekacze dolne i są ustawione pionowo.

Szyja

Zgrabna, muskularna, dobrej długości, bez podgardla, stopniowo poszerza się ku barkom. Oglądana z boku, tworzy wdzięczny łuk.

Kończyny przednie

Łopatki oglądane z przodu opadają prawie pionowo od swego zwieńczenia, które jest jednocześnie połączeniem z szyją. Widziane z boku powinny być długie i skierowane skośnie do tyłu. Kłąb zawsze dobrze zaznaczony. Klatka piersiowa głęboka, ale nie szeroka. Kończyny widziane z każdej strony są proste, o mocnym kośćcu na całej długości. Łokcie powinny być ustawione prostopadle do ciała; nie mogą utrudniać ruchu psa; poruszają się bez przeszkód prosto do przodu.

Tułów

Grzbiet krótki, mocny i prosty, bez jakichkolwiek oznak słabości. Lędźwie muskularne, nieznacznie wysklepione. Klatka piersiowa głęboka. Żebra przednie umiarkowanie wysklepione, żebra tylne długie i dobrze wysklepione. Odległość pomiędzy kłębem a guzem siedzeniowym powinna być bardzo mała.

Kończyny tylne

Mocne, muskularne, nie mogą być za bardzo kątowane. Uda długie i potężne, o dobrym kątowaniu stawu kolanowego. Kolana nie mogą być skierowane ani do wewnątrz, ani na zewnątrz. Stawy skokowe nisko osadzone, widziane od tyłu są proste i równoległe.

Łapy

Okrągłe, zwarte, o małych, mocnych

i grubych opuszkach; palce umiarkowanie wysklepione. Nie wykręcają się ani na zewnątrz, ani do wewnątrz.

Ogon

Zazwyczaj przycięty; osadzony dosyć wysoko, niezakręcony, noszony pionowo, nie nad grzbietem. Silny i o odpowiedniej długości.

Ruch

Kończyny przednie i tylne poruszają się prosto i równolegle do przodu. Łokcie poruszają się prostopadle do tułowia, nie utrudniając ruchu. Kolana nie powinny być skierowane ani na zewnątrz, ani do wewnątrz. Pies ma znaczną siłę wypychającą do przodu, którą dają dobrze ukątowane kończyny tylne.

Szata

Włos gęsty, szorstki, o długości od 1,9 cm na łopatkach do 3,8 cm w okolicach kłębu. Grzbiet, żebra, tylne kończyny pokryte krótkim i delikatniejszym podszerstkiem. Włos na grzbiecie i tylnych kończynach jest bardziej szorstki niż na bokach. Włos na szczękach powinien być kędzierzawy i wystarczająco długi, aby nadać kufie silny wygląd. Włos na kończynach powinien być również gęsty i kędzierzawy.

Foksterier krótkowłosy

▌Wzorzec

Umaszczenie

Dominuje biały kolor w czarne i podpala-

ne łaty. Niepożądane są łaty pręgowane, czerwone, wątrobiane i niebieskołupkowe.

Wzrost i waga

Wysokość w kłębie nie powinna przekraczać 39 cm w przypadku psa; suki są nieznacznie mniejsze. Idealna waga psa w dobrej kondycji wynosi 8,25 kg; suki są nieco lżejsze.

Wygląd ogólny

Mimo niewielkich wymiarów jest to pies silny, o mocnym kośćcu. Nie może być jednak ociężały. Kończyny nie powinny być ani za krótkie, ani za długie. Przy swoim krótkim grzbiecie pies pewnie stoi na szeroko rozstawionych nogach.

Głowa i czaszka

Czaszka płaska, umiarkowanie wąska, jej szerokość zmniejsza się stopniowo ku oczom. Stop lekko zaznaczony, policzki nie powinny być wystające. Szczęki mocne i muskularne, nieco pochylone poniżej oczu. Nos powinien być czarny.

Oczy

Ciemne, małe i dość głęboko osadzone. Powinny być okrągłe, o bystrym, inteligentnym wyrazie.

Uszy

Małe, w kształcie litery V, opadają do przodu, przylegając do policzków. Nie powinny opadać na boki głowy. Linia załamania uszu znajduje się powyżej szczytu czaszki. Małżowiny średniej grubości.

Kufa

Szczęki mocne, o regularnym i kompletnym zgryzie nożycowym – siekacze górne
zakrywają w ścisłym kontakcie siekacze
dolne i są ustawione pionowo.

Szyja

Zgrabna, muskularna, bez podgardla,
dobrej długości, stopniowo poszerza się ku
barkom.

Kończyny przednie

Łopatki długie i skośne, pochylone do tyłu; zwieńczenie łopatek o delikatnym ob-
rysie. Kłąb wyraźnie zaznaczony. Widziane z każdej strony, kończyny przednie są
proste. Kościec mocny.

Tułów

Klatka piersiowa głęboka, ale nie szeroka.
Grzbiet krótki, mocny i prosty, bez jakichkolwiek oznak słabości. Lędźwie mocne, nieznacznie wysklepione. Przednie żebra umiarkowanie wysklepione; tylne są długie.

Kończyny tylne

Mocne, muskularne, nie mogą być za bardzo kątowane. Uda długie i potężne, o dobrym kątowaniu stawu kolanowego. Stawy skokowe znajdują się nisko, kolana są
dobrze ukątowane.

Łapy

Okrągłe, zwarte, o małych, mocnych
i grubych opuszkach; palce umiarkowanie
wysklepione. Łapy nie wykręcają się ani
na zewnątrz, ani do wewnątrz.

Ogon

Zazwyczaj przycięty; osadzony dosyć wysoko, noszony pionowo i radośnie, nigdy
nie zakręcony nad grzbietem. Powinien od-
zwierciedlać siłę psa.

Ruch

Kończyny przednie i tylne poruszają się
prosto i równolegle do przodu. Łokcie poruszają się prostopadle do tułowia, nie
utrudniając ruchu. Kolana nie powinny być
skierowane ani na zewnątrz, ani do wewnątrz. Stawy skokowe nie powinny się łączyć.

Szata

Włos prosty, przylegający, krótki, twardy,
gęsty i obfity. Brzuch i wewnętrzna strona
ud powinny być porośnięte.

Umaszczenie

Przeważa kolor biały. Może być tylko białe lub białe w rude bądź czarne łaty. Ła-

ty pręgowane, czerwone lub wątrobiane nie są pożądane.

Wzrost i waga

Wysokość psa w kłębie nie przekracza 39 cm, a jego waga waha się od 7,3 kg do 8,2 kg. Suki są nieco mniejsze.

GALGO ESPAÑOL (CHART HISZPAŃSKI)

Wzrost: 60 – 70 cm
Waga: 15 – 20 kg
Długość życia: 13 –15 lat

█ Charakterystyka

Nie ma wątpliwości, że to niesamowity sprinter. Powstały w wyniku krzyżówek greyhounda, jest jednym z najszybszych psów, a przy tym wiernym przyjacielem.

Wskazówka 743

To zwierzę bardzo wytrzymałe, stworzone, żeby zaspokoić wymagania myśliwych. Jego specjalnością jest łapanie zajęcy, ale sprawdza się również jako bardzo dobry stróż.

Jego aerodynamiczna sylwetka, atletyczne ciało i mocne, długie kończyny pozwalają mu rozwinąć szybkość około 50 km/h.

Wskazówka 744

Chart hiszpański jest psem spokojnym, przyjacielskim i serdecznym, ufnym i bardzo przywiązanym do właściciela. Nie okazuje lęku, ostrożny wobec obcych, dlatego najlepiej zacząć jego socjalizację od małego. Pomimo że jest karny, na każdym kroku przejawia chęć dominacji, dlatego wymaga konsekwentnego prowadzenia.

Wskazówka 745

Ponieważ ma charakter sportsmena, jego właściciel powinien mu zapewnić przestrzeń, żeby się mógł codziennie wybiegać. Nie jest zalecany jako pies kanapowy, nie nadaje się dla osób, które nie mogą zaspokoić jego potrzeby ruchu.

█ Wzorzec

Pies średniej wagi, o wydłużonej sylwetce, nieznacznie wypukłej czaszce, zwartym szkielecie, długiej i wąskiej głowie, szerokiej klatce piersiowej, cofniętym brzuchu. Zachowujący się bardzo poważnie w niektórych sytuacjach, podczas polowań pełen energii i zapału.

Głowa

Proporcjonalna do ciała, długa, sucha; widziana z profilu – wydłużona i jednolita; linie czaszki i kufy rozbieżne; stop lekko zaznaczony; czaszka wąska, o wypukłym profilu, szersza niż dłuższa; bruzda czołowa zaznaczona w pierwszych 2/3 długości; guz potyliczny słabo zaznaczony.

Nos

Mały, wilgotny, czarny.

Szczęki

Zęby silne, białe i zdrowe; zgryz nożycowy. Pies powinien mieć wszystkie zęby
przedtrzonowe oraz rozwinięte kły. Wargi
suche, przylegające, cienkie, napięte,
ciemnego koloru; ich kąciki nie powinny
być widoczne.

Oczy

Małe, skośne, w kształcie migdała, preferowane ciemnego koloru albo orzechowe. Spojrzenie miłe, spokojne i zdystan-
sowane. Powieki pokryte cienką skórą,
o ciemnej pigmentacji, dobrze przylegające.

Uszy

Szerokie i mięsiste u nasady, trójkątne,
cieńsze i węższe na zaokrąglonych końcach; osadzone wysoko; kiedy pies natęża uwagę, uszy są wzniesione do połowy,
z zagiętymi końcami skierowanymi w bok;
w spoczynku przylegają do czaszki i mają
kształt płatka róży. Lekko wyciągnięte powinny sięgać kącików warg.

Szyja

Długa, płaska, szczupła, silna i elastyczna;
wąska przy połączeniu z głową, rozszerza
się stopniowo ku ramionom. Górny profil
lekko wypukły, dolny prawie prosty, z nieznaczną wypukłością pośrodku.

Kończyny przednie

Idealnie kątowane, szczupłe, proste i równoległe. Łopatki krótkie i ukośne, powinny być nieznacznie krótsze niż mostek. Ramiona długie, silnie umięśnione; łokcie
luźne, nieznacznie przylegające do tułowia.

Przedramiona bardzo długie, o dobrym
kośćcu, z zaznaczonymi ścięgnami, równoległe. Nadgarstki i stawy skokowe lekko
pochylone, cienkie i krótkie. „Zajęcze" stopy, palce przylegające i wysokie, z umiar-
kowaną błoną międzypalcową; człony
palca silne i długie; poduszki twarde i rozwinięte.

Tułów

Lekko prostokątny, mocny i elastyczny.
Górny profil lekko wklęsły na poziomie
klatki piersiowej i wypukły w okolicy lędźwiowej, ale nieutrudniający ruchu.
Kłąb średnio zaznaczony. Grzbiet prosty,
długi i dobrze zaznaczony. Klatka piersiowa silna, chociaż niezbyt szeroka; wysoka, ale nie sięgająca łokci; głęboka, do-
chodząca do końca żeber. Rękojeść
mostka wyraźnie zaznaczona. Żebra
spłaszczone, widoczne i dobrze zaznaczone, przestrzenie międzyżebrowe szerokie. Obwód klatki piersiowej przewyższa nieco wysokość w kłębie. Zad długi,
masywny, opadający pod kątem ponad 40° względem linii poziomej. Brzuch
mocno podciągnięty począwszy od mostka; typowo podkasany. Boki krótkie; słabizny dosyć rozwinięte.

Kończyny tylne

Mocne, silnie umięśnione. Uda bardzo silne, długie (stanowią 3/4 całkowitej długości tylnych kończyn), muskularne i napięte; widziane od tyłu – o wyraźnie
zaznaczonych mięśniach; długie, płaskie
i silne. Kość udowa powinna być jak najbardziej prostopadła do podłoża. Podudzie
bardzo długie, o cienkim i dobrze widocznym kośćcu, w górnej części muskularne,
w dolnej nieco mniej. Widoczne naczynia
krwionośne i ścięgna.

Ogon

Silny u nasady, nisko osadzony, zwęża się stopniowo ku końcowi, tworząc cienki koniuszek. Elastyczny i bardzo długi. W spoczynku opuszczony w kształcie sierpa, zakrzywiony na końcu i skierowany na bok. Jedną z charakterystycznych postaw tej rasy jest trzymanie ogona między kończynami, zakrzywionego na końcu i sięgającego prawie do podłoża.

Szata

Gęsta, bardzo cienka, krótka i przylegająca; rozłożona równomiernie na całym ciele, łącznie z przestrzeniami pomiędzy palcami. Włos nieznacznie dłuższy na tylnej stronie ud. U odmiany o włosie szorstkim i półdługim szata jest bardziej szorstka i dłuższa, ale musi być rozłożona równomiernie na całym ciele; włos tworzy brodę, wąsy, brwi i grzywę.

Umaszczenie

Dopuszczalne wszystkie kolory. Preferowane umaszczenie pręgowane jaśniejsze lub ciemniejsze oraz czarne.

Ruch

Chodem typowym dla charta hiszpańskiego jest galop. Kłus powinien być wyciągnięty, z kończynami tuż nad ziemią; elastyczny, mocny. Pies nie może mieć kończyn wykręconych na boki ani kołysać ciałem.

Wzrost

Wysokość w kłębie: psa 62 – 70 cm, suki 60 – 68 cm. U osobników o perfekcyjnych proporcjach dopuszczalna jest tolerancja ±2 cm.

1000
rad, jak **szkolić**
i wychowywać psa

GOLDEN RETRIEVER

Wzrost: 50 – 60 cm
Waga: 27 – 36 kg
Długość życia: 13 –15 lat

▌Charakterystyka

Golden retriever to wszechstronny, doskonały pies myśliwski. Od 1920 r. rośnie liczba hodowli i popularność, jaką rasa ta cieszy się zarówno wśród specjalistów i miłośników psów, jak i u zupełnych laików. Boom, jaki nastąpił w sprzedaży goldenów, spowodował, że jest to obecnie jedna z najbardziej poszukiwanych ras na świecie.

Wskazówka 746
Łagodny, inteligentny, przyjacielski, pewny siebie, stworzony do pracy.

Wskazówka 747
Ma wspaniały węch i niewyczerpaną energię.

Wskazówka 748
Golden retriever jest zwierzęciem wymagającym częstego ruchu, nie lubi przebywać zamknięty w domu.

Wskazówka 749
Szkolenie nie nastręcza żadnych problemów: golden to pies o wielkiej łagodności, spokojny i zacny, który szybko przyswaja każdą lekcję.

Wskazówka 750
To bez wątpienia bardzo sprawny pies myśliwski, który potrafi chodzić po śladzie nawet w terenie bagnistym i w gęstych krzakach.

Harmonijnej budowy ciała, aktywny i mocny, o eleganckim chodzie i ujmującym wyglądzie. Jednym słowem golden to pies łączący z powodzeniem cechy psa myśliwskiego i wystawowego.

▌Wzorzec

Pies o proporcjonalnej budowie ciała, płynnych ruchach, mocnej sylwetce i miłym wyglądzie.

Głowa
Dobrze wyrzeźbiona, harmonijna. Czaszka długa, nie może sprawiać wrażenia ciężkiej. Głowa powinna być dobrze osadzona na szyi. Kufa mocna i szeroka. Długość kufy zbliżona do długości czaszki. Stop wyraźnie zaznaczony. Preferowany nos czarny.

Oczy

Ciemne, szeroko osadzone, z oprawą o intensywnej pigmentacji.

Uszy

Średniej wielkości, umieszczone mniej więcej na wysokości oczu.

Uzębienie

Szczęki mocne o regularnym zgryzie nożycowym.

Szyja

Długość proporcjonalna do reszty ciała, sucha (bez nadmiaru skóry i tłuszczu), muskularna.

Kończyny przednie

Proste prawie na całej długości, o mocnym kośćcu; łopatki ustawione ukośnie, długie; długość łopatek równa długości ramion, co powoduje, że kończyna jest ustawiona prostopadle pod tułowiem. Łokcie ściśle przylegające do klatki piersiowej.

Tułów

Proporcjonalny, zwarty; klatka piersiowa głęboka i szeroka, dobrze wysklepione żebra. Linia grzbietowa idealnie prosta.

Kończyny tylne

Mocne, muskularne, z potężnymi udami i dobrze zaznaczonym zgięciem udowym.

Stawy skokowe bardzo niskie, widziane od tyłu – proste. Stawy skokowe koślawe („krowie") są poważną wadą.

Łapy

Zaokrąglone, „kocie", z palcami ściśle przylegającymi.

Ruch

Sposób poruszania się energiczny i zdecydowany. Wykrok długi, swobodny, bez tendencji do zbyt wysokiego podnoszenia kończyn.

Szata

Włos prosty lub lekko falujący, tworzący liczne frędzle. Gęsty, chroniący przed wilgocią. Obfity podszerstek.

Umaszczenie

Dopuszczalne są wszystkie odcienie koloru złotego i kremowego, nigdy czerwonego czy mahoniowego.

Wzrost i waga

Wysokość w kłębie: psa 56 – 61 cm, suki 51 – 56 cm; waga: psa 31 – 36 kg, suki 27 – 31 kg.

GREYHOUND

Wzrost: 68 – 76 cm
Waga: 27 – 32 kg
Długość życia: 13 –14 lat

Charakterystyka

Ten chart angielskiego pochodzenia potrafi osiągnąć prędkość 80 km/h i niewątpliwie jest najszybszym zwierzęciem domowym na świecie. Prędkością przewyższa nawet konie wyścigowe.

Wskazówka 751

Ci, którzy uważają, że to mało inteligentne psy biegające za kawałkiem szmatki, są w błędzie.

Wskazówka 752

Złośliwi twierdzą, że w małej głowie greyhounda niewiele może się zmieścić, ale trudności w szkoleniu tego psa wynikają z jego niezależności.

Wskazówka 753

W domu zadziwiająco spokojny i cichy. Uwielbia wygodę i ciepło, bywa serdeczny dla właścicieli, choć okazuje to tylko wtedy, gdy ma na to ochotę.

Wskazówka 754

Jest przyzwyczajony do towarzystwa dzieci i bardzo dobrze zachowuje się w ich obecności. Zazwyczaj nie lubi, gdy mu za bardzo przeszkadzają, ale wie, kiedy się należy oddalić.

Wskazówka 755

Wobec obcych zachowuje się obojętnie lub z rezerwą, która często wynika ze strachu.

Wskazówka 756

Greyhound potrafi się świetnie zaadaptować do życia w domu, pod warunkiem że zapewnimy mu codziennie długi spacer, żeby mógł dać upust nadmiarowi energii i ćwiczyć mięśnie.

Wskazówka 757

Cieszy się żelaznym zdrowiem i może przeżyć 13 – 14 lat. Jest jedną z nielicznych ras, które nie cierpią na dysplazję stawów biodrowych.

Wzorzec

Jest to pies silnie zbudowany, o mocnym kośćcu, doskonałych proporcjach, potężnych mięśniach i harmonijnej sylwetce. Giętkość kończyn podkreśla wyjątkowość i klasę tej rasy.

Głowa

Długa, średniej szerokości; czaszka płaska; stop lekko zaznaczony.

Oczy

Błyszczące, owalne, ukośne, o inteligentnym wyrazie, preferowane ciemnego koloru.

Uszy

Małe, w kształcie płatka róży, delikatne w dotyku.

Szczęki

Silne i dobrze wymodelowane; regularny i kompletny zgryz nożycowy, czyli siekacze górnej szczęki zachodzące dokładnie na siekacze dolnej szczęki.

Szyja

Długa, muskularna, harmonijnie wygięta; linia górna lekko wypukła. Dobrze związana z łopatkami.

Kończyny przednie

Łopatki ukośne, skierowane do tyłu, muskularne, ale nieprzesadnie, wąskie, dobrze zaznaczone w górnej części. Kończyny przednie (począwszy od łokcia) długie, proste, o silnie rozwiniętym kośćcu dobrej jakości. Łokcie swobodne, dobrze ustawione pod łopatkami. Łokcie, śródręcza i palce nie są skierowane ani do wewnątrz, ani na zewnątrz.

Tułów

Klatka piersiowa szeroka i pojemna, zapewniająca wystarczającą przestrzeń dla serca. Żebra długie, dobrze wysklepione i zachodzące daleko do tyłu. Boki dobrze wykrojone. Grzbiet dość długi i szeroki. Lędźwie potężne, lekko wysklepione.

Kończyny tylne

Uda i podudzia szerokie i muskularne, zapewniają dużą siłę napędową; dobrze ukątowane. Stawy skokowe nisko położone, niewykręcone ani na zewnątrz, ani do wewnątrz. Kończyny tylne dobrze rozwinięte i proporcjonalne do tułowia. Pies zajmuje dużą powierzchnię, stojąc.

Łapy

Średniej długości, o zwartych palcach charakteryzujących się wyrazistymi kostkami. Mocne opuszki.

Ogon

Długi, osadzony dość nisko, silny u nasady, zwężający się ku końcowi, noszony nisko, lekko wygięty.

Umaszczenie

Czarne, niebieskie, czerwone, białe, pręgowane, płowe, jasnopłowe lub którykolwiek z podanych kolorów z białymi znaczeniami.

Szata

Przylegająca i delikatna.

Ruch

Prosty, swobodny; kończyny nisko unoszone, co zapewnia duży zasięg przy dużej prędkości. Tylne kończyny zachodzą daleko pod tułów, dając dużą siłę napędową.

Wzrost i waga

Idealna wysokość w kłębie: psa 71 – 76 cm, suki 68 – 71 cm; waga 27 – 32 kg.

HISZPAŃSKI PIES WODNY

Wzrost: 40 – 50 cm
Waga: 14 – 22 kg
Długość życia: 13 – 15 lat

▌Charakterystyka

Istnieje wiele hipotez dotyczących korzeni tej rasy: od twierdzenia, że pochodzi ona w prostej linii od prastarego psa wodnego żyjącego na Półwyspie Iberyjskim, po sugestię, że dała początek wszystkim europejskim psom wodnym.

Wskazówka 758
To pies pełen zalet; najbardziej widoczna jest jego naturalna radość.

Wskazówka 759
Zawsze gotowy do zabaw, charakteryzuje się świetną pamięcią, dzięki czemu z łatwością się uczy.

Wskazówka 760
Na południu Hiszpanii, w Andaluzji i niektórych rejonach Estremadury jest z powodzeniem używany jako pies pasterski – do pilnowania stad owiec, kóz, krów, świń i koni.

Wskazówka 761
Niesamowite wrażenie robi widok pięciuset kóz gnanych przez hiszpańskiego psa wodnego. Do zapędzenia sztuki, która odłączyła się od stada, lub do wprowadzenia zwierząt do zagrody używa on głosu o różnych barwach.

Wskazówka 762
Jego kędzierzawy włos powinien być przystrzyżony. Jeśli szczenię rodzi się z ogonem, zazwyczaj się go skraca. Wymaga stanowczego, ale serdecznego układania.

Wskazówka 763
Psy te towarzyszyły również rybakom. Pomagały głównie przy zastawianiu sieci, podpływając z pływakami do innych łodzi, wyławiając zaczepy, które spadły z boi, a nawet nurkując, żeby je wyciągnąć na powierzchnię. Chwytały w wodzie koniec cumy i płynęły z nią do brzegu.

Wskazówka 764
Hiszpańskie psy wodne nurkują bez strachu na głębokość kilku metrów, żeby wydobyć znajdu-

jący się tam przedmiot albo rybę. Zadziwiająca jest ich zdolność do poruszania się w wodzie z taką samą swobodą, z jaką chodzą po stałym lądzie.

Potwierdza się też ich użyteczność w myślistwie przy aportowaniu drobnych zwierząt, takich jak zające. Bez wahania skaczą w głębokie zarośla i prawidłowo reagują na wołanie myśliwego.

Wskazówka 765

Wierny, posłuszny, wesoły, pracowity, waleczny i zrównoważony, niezwykle pojętny, adaptuje się do każdej sytuacji i temperatury.

▌Wzorzec

Pies wiejski, średniego wzrostu, o proporcjonalnej budowie ciała. Długogłowy, o dość wydłużonym, harmonijnym kształcie i atrakcyjnym, muskularnym wyglądzie, dzięki regularnemu wysiłkowi, jaki mu zapewnia wykonywana praca. Ma prosty profil i bardzo dobrze rozwinięte zmysły: wzrok, węch i słuch.

Głowa

Mocna, noszona z elegancją. Stosunek długości czaszki do długości pyska wynosi 1,5:1. Czaszka płaska ze słabo zaznaczoną kością potyliczną. Stop delikatny, słabo zaznaczony. Profil nieznacznie wypukły, z tendencją do prostolinijności. Nos z wyraźnie zaznaczonymi nozdrzami; pigmentacja taka sama jak najciemniejszego odcienia umaszczenia lub odrobinę ciemniejsza.

Wargi i zęby

Wargi tworzą wyraźnie zaznaczony kąt wargowy. Zęby dobrze wykształcone i białe; dobrze rozwinięte kły.

Oczy

Lekko skośne, bardzo wyraziste; tęczówka od orzechowej po kasztanową, przy czym pożądana jest barwa zgodna z umaszczeniem. Spojówki są widoczne.

Uszy

Trójkątne, opadające, osadzone na średniej wysokości.

Szyja

Krótka i umięśniona, idealnie osadzona na łopatkach, bez podgardla.

Tułów

Mocny, żebra wysklepione; średnica klatki piersiowej duża, dająca miejsce pojemnym płucom. Kłąb ledwo zaznaczony. Klatka piersiowa mocna, brzuch podciągnięty, lędźwie dobrze przylegające do zadu; zad lekko opadający.

Kończyny przednie

Ramiona silne, ustawione pionowo w stosunku do podłoża. Łopatki muskularne, idealnie przylegające do klatki piersiowej. Przedramiona i łokcie silne. Przedramiona, stawy skokowe i nadgarstki o mocnych kościach i potężnych ścięgnach. Łapy okrągłe, palce ściśle przylegające do siebie. Pazury w różnych tonacjach, opuszki wytrzymałe.

Kończyny tylne

Idealnie równoległe, o słabym kątowaniu. Silne mięśnie i ścięgna umożliwiają psu mocny wykrok i lekkie, eleganckie skoki.

Uda i pośladki muskularne; kolana suche; stawy skokowe mocne, z dobrze zaznaczonymi ścięgnami; śródstopie spłaszczone, tylne łapy takie same jak przednie.

Ogon

Osadzony na średniej wysokości. Szczeniaki rodzą się z ogonem lub bez. Ogon powinien być przycięty na wysokości od drugiego do czwartego kręgu.

Ruch

Preferowanym krokiem jest trucht, chociaż pies ten potrafi wykonywać skoki, obroty, skręty, które odzwierciedlają jego niewyczerpaną energię.

Skóra

Elastyczna, cienka, dobrze przylegająca do ciała. Może mieć kasztanową lub czarną pigmentację – zgodnie z najciemniejszym umaszczeniem szaty – lub być jej całkowicie pozbawiona. To samo dotyczy wszystkich śluzówek.

Szata

Włos zawsze kędzierzawy i wełnisty. Maksymalna długość włosa na wystawy wynosi 12 cm (15 cm po rozciągnięciu włosa skręconego), minimalna to 3 cm, żeby można było ocenić jego jakość.

Umaszczenie

Dopuszczalne jest jednokolorowe (białe, czarne i różne odcienie brązu) i dwukolorowe, przy czym kolor biały musi być zawsze obecny. Niedopuszczalne są osobniki trójkolorowe oraz płowe.

Wzrost i waga

Wysokość w kłębie: psa 44 – 50 cm, suki 40 – 46 cm. U obu płci dopuszczalne są odstępstwa o ±2 cm, pod warunkiem że zwierzę zachowuje właściwe proporcje. Waga: psa 18 – 22 kg, suki 14 – 18 kg.

HUSKY SYBERYJSKI

Wzrost: 50 – 60 cm
Waga: 15 – 28 kg
Długość życia: 13 – 15 lat

Charakterystyka

Rasa husky została wyhodowana przez plemię Czukczów, żyjące w północno-wschodniej Azji.

Husky jest wyjątkowo miły i przyjacielski, a jednocześnie czujny i ciekawy. Rzadko przejawia cechy psa dominującego, nie jest nieufny wobec obcych ani agresywny w stosunku do innych psów.

Wskazówka 766
Dorosły osobnik zachowuje się z rezerwą i godnością. Dzięki inteligencji, łagodności i gotowości do pracy jest miłym towarzyszem i wyśmienitym psem użytkowym.

Wskazówka 767
Wymaga umiarkowanego czesania, intensywniejszego w okresie linienia.

Wskazówka 768
Jego spokojny charakter oraz zamiłowanie do porządku i czystości ułatwiają szkolenie.

Wskazówka 769
Wymaga na co dzień dużo ruchu, źle się przystosowuje do ciepłego klimatu.

Wzorzec

Husky syberyjski jest psem średniej wielkości, o dumnym wyglądzie i swobodnym, eleganckim ruchu. Ciało ma dosyć zwarte i gęsto owłosione, uszy wzniesione, ogon w kształcie lisiej kity.

Głowa
Czaszka średniej wielkości, proporcjonalna do reszty ciała. Lekko zaokrąglona w części potylicznej, zwęża się stopniowo w kierunku oczu.

Kufa
Średniej długości. Odległość od czubka nosa do stopu jest równa odległości od stopu do potylicy. Stop wyraźnie zaznaczony, grzbiet nosa od stopu do czubka nosa prosty. Kufa średnio szeroka, zwęża się stopniowo ku nosowi, nie kończy się jednak spiczasto ani szeroko. Dobra pigmentacja warg, które dokładnie na siebie zachodzą. Zęby dobrze na siebie zachodzą, zgryz nożycowy.

Uszy

Średniej wielkości, trójkątne, położone blisko siebie, wysoko osadzone. Grube, gęsto owłosione, z tyłu lekko wysklepione, wzniesione, o lekko zaokrąglonych czubkach.

Oczy

Migdałowego kształtu, średnio rozstawione, lekko ukośne. O bystrym, przyjacielskim spojrzeniu, wyrażają zainteresowanie, a nawet przewrotność. Mogą być brązowe, niebieskie lub jedno brązowe, a drugie niebieskie.

Nos

Czarny u psów szarych, ciemnobrązowych i czarnych. U miedzianych (kolory: czerwony, miedziany i brązowy) koloru wątrobianego. U czysto białych może być cielisty. Dopuszczalna pręga bez pigmentu („śnieżny nos").

Szyja

Średniej długości, wysklepiona, w spokoju dumnie wzniesiona. W kłusie wyciągnięta, tak że głowa jest niesiona lekko z przodu.

Łopatki

Ustawione ukośnie do tyłu, pod kątem ok. 45° do podłoża. Ramię skierowane do tyłu, nigdy nie jest ustawione pionowo do podłoża. Mięśnie i ścięgna łączące ramię z klatką piersiową mocne i dobrze rozwinięte.

Tułów

Grzbiet prosty i silny. Linia grzbietu przebiega poziomo od kłębu do zadu. Średniej długości, ani za długi, ani za krótki. Lędźwie napięte, suche, węższe od klatki piersiowej i lekko skierowane do tyłu. Zad opadający (lekko pochylony w stosunku do kręgosłupa), ale nigdy tak stromo, żeby krępować ruch tylnych kończyn. Z boku długość ciała od zakończenia łopatki do guza pośladkowego nieco większa niż wysokość od podłoża do najwyższego punktu kłębu.

Klatka piersiowa

Głęboka i silna, lecz niezbyt szeroka. Najniższy punkt leży bezpośrednio za łokciem lub na równej z nim wysokości. Żebra wyraźnie wysklepione przy kręgosłupie, ale na bokach raczej płaskie, co umożliwia swobodę ruchu.

Kończyny przednie

W spoczynku, widziane od przodu, są umiarkowanie rozstawione, równoległe i proste; łokcie przylegające do tułowia, nie są skierowane ani do wewnątrz, ani na zewnątrz. Śródręcza widziane z boku są lekko skierowane do przodu. Stawy nadgarstkowe silne, ale elastyczne. Kościec mocny, lecz nigdy ciężki. Długość od łokcia do podłoża nieco większa niż odległość od łokcia do grzebienia łopatki. Wilcze pazury kończyn przednich należy usunąć.

Kończyny tylne

W spoczynku, oglądane od tyłu, są równoległe i umiarkowanie rozstawione. Mięśnie wydatne i silne, kolana dobrze kątowane, stawy skokowe wyraźnie zarysowane i nisko osadzone. Wilcze pazury, jeśli są, należy usunąć.

Stopy

Owalne, ale nie wydłużone. Średniej wielkości, zwarte i dobrze owłosione między palcami i opuszkami. Podeszwy twarde i grube.

Ogon

Dobrze owłosiony, w kształcie lisiej kity, osadzony tuż pod linią grzbietu. U psa o napiętej uwadze ma kształt eleganckiego sierpowatego łuku i jest noszony nad grzbietem. Nie powinien być przy tym skręcony ani na jedną, ani na drugą stronę ciała, ani płasko zarzucony na grzbiet. U psa pracującego i spokojnie stojącego ogon zwisający. Włos na ogonie średniej długości, jednakowy z każdej strony, co nadaje mu wygląd okrągłej szczotki.

Ruch

Pies porusza się swobodnie i wyraźnie bez wysiłku, lekko i żwawo. Widziany w ruchu od przodu, kieruje kończyny coraz bardziej ku środkowi, tak że w końcu stawia stopy w jednej linii, dokładnie pod osią podłużną ciała. Kiedy odciski łap się pokrywają, kończyny przednie i tylne poruszają się prosto, bez skręcania łokci czy kolan na zewnątrz lub do wewnątrz.

Szata

Podwójna okrywa włosowa, podobna do gęstego futra, ale nigdy tak gęsta, aby zacierała kształty psa. Podszerstek biały i gęsty, dostatecznie długi, żeby napuszyć włos okrywowy. Włos okrywowy jest sztywny, prosty i umiarkowanie przylegający, nigdy szorstki.

Wskazówka 770

Brak podszerstka w okresie linienia jest normalny.

Umaszczenie

Dopuszczalne wszystkie kolory od czarnego do czystej bieli. Często występują różnego koloru maski na kufie, łącznie z charakterystycznymi znaczeniami, które są niespotykane u innych ras.

Wzrost i waga

Wysokość w kłębie: psa 53 – 60 cm, suki 50 – 56 cm; waga: psa 20 – 28 kg, suki 15 – 23 kg.

JAMNIK

Wzrost: 20 cm
Waga: 9 kg
Długość życia: 13 – 15 lat

Charakterystyka

Jest pokryty twardym i gęstym włosem. Występuje również podszerstek.

Wskazówka 771

Spokojny, uczuciowy, wrażliwy, czujny stróż o fascynującej osobowości.

Wskazówka 772

Bardzo polecany do małych mieszkań.

Cieszy się z długich spacerów i swobodnego biegania na wolnym powietrzu. Jest niezmordowany i waleczny, można go szkolić na psa norowca i tropowca.

Wskazówka 773

Jamniki krótkowłose i szorstkowłose powinny być poddawane trymowaniu co najmniej dwa razy w roku.

Wzorzec

Pies niskiego wzrostu, o krótkich kończynach i wydłużonym, mocnym, dobrze umięśnionym ciele. Głowa wzniesiona wysoko. Spojrzenie inteligentne i bystre.

Głowa

Wydłużona, widziana z góry i z boków zwęża się równomiernie aż do końca nosa.

Czaszka

Płasko wysklepiona.

Stop

Kończy się na początku chrząstki nosowej, która powinna być lekko wygięta ku górze. Łuki brwiowe wyraźnie zaznaczone.

Oczy

Średniej wielkości, owalne, osadzone na bokach głowy, o energicznym, ale przyjaznym spojrzeniu. Lśniące, ciemnobrązowe aż do czarnych. Powinny mieć migdałowaty kształt. Oczy duże i (lub) okrągłe nadają jamnikowi nieco dziwny wyraz.

Uszy

Osadzone wysoko, niezbyt ku przodowi, długie i ładnie zaokrąglone. Nie wąskie ani nie spiczaste. Przednią krawędzią przylegają do policzków. Powinny sięgać chociaż trochę poniżej kącików warg.

Szyja

Dostatecznie długa, muskularna, bez fałdów skórnych tworzących podgardle, lekko wygięta w karku.

Kończyny przednie

Łopatki długie i ukośnie ustawione, o twardej i elastycznej muskulaturze. Ramiona tej samej długości co łopatki, o mocnym kośćcu i silnym umięśnieniu, przylegające do żeber, ale nie pozbawione swobody ruchów. Stopy twarde i dobrze wysklepione, opuszki mocne i zwarte. Z pięciu palców każdej stopy używane są cztery. Pazury mocne, czarne. U psów o brązowym umaszczeniu dopuszczalne pazury brązowe (nazywane również czerwonymi), a u jamników szarych i białych – szare lub w kolorze mięsa (niepożądane). W żadnym przypadku nie są dopuszczalne pazury białe.

Kończyny tylne

Zad długi, szeroki i dobrze umięśniony. Miednica nie za krótka, dość silnie rozwinięta, położona nieco ukośnie. Uda silne, ustawione pod kątem prostym do miednicy. Stawy skokowe szerokie i dobrze zaznaczone. Stopy o czterech zwartych i wysklepionych palcach, jak u stóp przednich. O podłoże opiera się cała łapa, a nie tylko palce. Tylne łapy widziane od tyłu są zupełnie proste.

Ogon

Powinien być mocny, o kręgach bez żadnych deformacji. W ruchu ogon nie może przekroczyć linii grzbietu. Jeśli przekracza, jamnik zazwyczaj dodatkowo kiwa się z boku na bok. Taki chód, nazywany „wesołym ogonem", jest niepożądany, ponieważ zakłóca piękno i harmonię ruchu psa.

Szata

Włos krótki – powinien być gęsty, błyszczący, dobrze przylegający do ciała, bez łysin w żadnej jego części. Ogon musi być pokryty włosem, ale nie za obficie.

Włos szorstki – tworzy gęstą, szorstką pokrywę z podszerstkiem. Włos takiej samej długości na całym ciele z wyjątkiem kufy, uszu i brwi.

Włos długi – powinien być delikatny, przylegający, trochę dłuższy i błyszczący na szyi, podbrzuszu i uszach, i znacznie dłuższy na tylnej stronie kończyn. Najdłuższy włos znajduje się na dolnej stronie ogona, gdzie tworzy harmonijną chorągiew. Na uszach włosy powinny opadać do dolnej krawędzi małżowiny.

Różnice w umaszczeniu

Jamniki jednokolorowe

Mogą być czerwone albo żółtawe. Obie te maści mogą mieć czarny nalot. Białe łaty nie są pożądane, chociaż biała łata na piersi nie dyskwalifikuje.

Jamniki dwubarwne

Mogą być czarne (najpopularniejsze), czekoladowe, szare lub białe, ale zawsze z podpalaniem (bardziej lub mniej intensywnym), które się znajduje nad oczami, na bokach pyska i na dolnej wardze, na wewnętrznej krawędzi ucha, na przedpiersiu, na wewnętrznej i tylnej stronie kończyn, na łapach, naokoło odbytu oraz na 1/3 spodniej strony ogona.

Jamniki plamiste albo pręgowane

U plamistych tło może być jasnobrązowe, szare albo białe z ciemnymi plamami. Plamy powinny być nieregularne, małe i w kolorze ciemnoszarym, brązowym, czerwono-żółtym albo czarnym. Niepożądana dominacja barwy jasnej lub ciemnej. Jamnik pręgowany jest bardzo rzadko spotykany i ma ciemniejsze pręgi na czerwonym lub żółtym tle.

Waga i obwód klatki piersiowej

Jamnik standardowy: waga do 9 kg. Jamnik miniaturowy: w celu określenia, czy jamnik jest miniaturowy, należy mu zmierzyć obwód klatki piersiowej, obejmując go miarką w najwyższym punkcie kłębu i najniższym punkcie klatki piersiowej; obwód ten nie powinien przekraczać 35 cm.

1000
rad, jak **szkolić**
i wychowywać psa

KUWASZ

Wzrost: 65 – 75 cm
Waga: 27 – 37 kg
Długość życia: 13 –15 lat

▌ Charakterystyka

Jest to rasa najbardziej zbliżona do masti-fa tybetańskiego, najstarszy z psów paster-skich. Nazwa „kuwasz" pochodzi z języka sumeryjskiego.

Może być używany do stróżowania nawet bez szkolenia. Jest to pies o żywym tem-peramencie, zawsze gotowy do ataku – te cechy powinny być przekazywane w ho-dowli.

Temperament kuwasza wydaje się odzwier-ciedlać to, co otrzymuje on od otoczenia. Jeśli obserwuje poprawne zachowania, wkrótce można brać przykład z jego dobro-ci. Jednak gdy przebywa w nieprzyjaznej atmosferze, staje się psem wrogim.

Wskazówka 774
Trzymany na uwięzi, dziczeje. Traktowany w zupełnie niewła-ściwy sposób, wymyka się spod kontroli.

Wskazówka 775
Obecnie jest używany jako pies pilnujący letnich domów, fabryk itp. Nauczony ochrony teryto-rium, które staje się jego włas-nością, nie pozwoli, aby wszedł na nie ktokolwiek obcy.

Wskazówka 776
Jest z powodzeniem używany do pilnowania dzieci. Brał też udział w polowaniach na dzika, gdzie bardzo przydatna okaza-ła się jego niezwykła walecz-ność.

Wskazówka 777
Nie jest to pies dla osoby o sła-bym charakterze.

Wskazówka 778
Nie podnoś nigdy szczeniaka kuwasza za przednie łapy. Jeśli chcesz go podnieść, jedną ręką chwyć pod brzuchem, a drugą bliżej ogona.

Wskazówka 779
Staraj się, aby szczeniak zaczął się zapoznawać z innymi ludźmi i zwierzętami jak najwcześniej. Mały kuwasz jest bardzo niepo-radny i zabawny.

Wskazówka 780
Psy tej rasy dojrzewają psy-

chicznie stosunkowo późno. Może to trwać aż do osiągnięcia dojrzałości płciowej, a czasem nawet do ukończenia drugiego lub trzeciego roku życia. W okresie dojrzewania (od trzech miesięcy do około roku) należy wychowywać kuwasza w miłej i czułej atmosferze, lecz stanowczo.

Wskazówka 781

Kuwasz jest psem bardzo aktywnym i jeśli ma mieszkać w domu, a zwłaszcza w mieszkaniu, może się pojawić problem z zapewnieniem mu dostatecznej ilości ruchu, gdyż powinien przebiegać kilkanaście kilometrów dziennie.

▌ Wzorzec

Głowa

Widziana z góry, powinna być szeroka między uszami, zwężająca się stopniowo w kierunku nosa. O prostym profilu; charakterystyczna pochylona linia oczu, niespotykana u żadnej innej rasy. Nos okrągły, czarny; uszy osadzone w linii poziomej.

Szczęki

Szczęki i zęby dobrze rozwinięte; uzębienie powinno być kompletne.

Oczy

Ukośne, ciemnobrązowe lub czarne; krawędzie powiek czarne.

Uszy

Opadające, trójkątne, średniej wielkości.

Szyja

Muskularna, średniej długości; tworzy z poziomem kąt 25 – 30°.

Łapy

Zaokrąglone, czarne, owłosione między palcami – najlepiej jak najmniej. Preferowane czarne pazury.

Ruch

Krok wolny, elastyczny. W szybkim ruchu głowa opuszczona do poziomu łopatek. Pies potrafi pokonywać duże odległości z prędkością 25 km/h bez zbytniego zmęczenia.

Szata

Włos dosyć twardy, należy unikać zbyt częstych kąpieli i czesania. Łapy, uszy i przód tylnych kończyn pokryte krótkim włosem. Włos na tułowiu i udach o długości 4 – 12 cm. Niektóre części ciała mogą mieć włosy dłuższe lub krótsze i przylegające. Na szyi i piersi włos tworzy kołnierz, szczególnie gęsty u psów.

Umaszczenie

Całkowicie białe.

Wzrost

Idealna wysokość w kłębie: psa 71 – 75 cm, suki 66 – 70.

LABRADOR RETRIEVER

Wzrost: 55 cm
Waga: 25 – 30 kg
Długość życia: 13 –15 lat

■ Charakterystyka

Nosi nazwę od miejsca, z którego pochodzi: półwyspu Labrador w Kanadzie, położonego między Oceanem Atlantyckim a Zatoką Hudsona. Głównym zajęciem mieszkańców tego regionu było rybołówstwo, dlatego psy te były wykorzystywane do aportowania ryb, głównie dorszy. Pomagały również w rozmieszczaniu sieci. Stąd też wywodzą się ich niezwykłe zdolności pływackie.

Wskazówka 782

Bardzo ceniony pies do towarzystwa, o spokojnym, serdecznym charakterze, świetnie się adaptuje w małym mieszkaniu.

Wskazówka 783

Ma bardzo małe wymagania, jeśli chodzi o utrzymanie szaty, i jest idealny zarówno dla dorosłych, jak i dla dzieci.

Labrador retriever jest psem aportującym, chociaż jego inteligencja, nieprzeciętny charakter i predyspozycje do nauki czynią z niego cennego przyjaciela, który potrafi wykonywać różne prace.

Wskazówka 784

Sprawdziła się jego przydatność do pracy z niewidomymi, a także jako świetna pomoc terapeutyczna w ośrodkach geriatrycznych i rehabilitacji narkomanów.

Wskazówka 785

Bardzo dobrze spisuje się w akcjach ratowniczych oraz w pracy w policji, przy wykrywaniu narkotyków i ładunków wybuchowych. Często widuje się go również w punktach kontroli granicznej.

Wskazówka 786

Dzienne zapotrzebowanie energetyczne dorosłego psa wynosi od 1450 do 1670 kcal, zależnie od wykonywanej pracy.

Wskazówka 787

Krótka szata labradora nie wymaga szczególnych zabiegów pielęgnacyjnych, należy jednak pamiętać, żeby je przeprowadzać regularnie. Jeśli chodzi o ruch, to owo bardzo aktywne

zwierzę powinno spędzać około godziny dziennie na wolnym powietrzu.

Wzorzec

Głowa
Mocna; policzki nie mogą być grube.

Szczęki
Szczęki i zęby mocne; regularny i kompletny zgryz nożycowy.

Nos
Szeroki, o dobrze rozwiniętych nozdrzach.

Oczy
Średniej wielkości, w kolorze brązowym lub orzechowym; spojrzenie wyraża inteligencję i dobry charakter.

Uszy
Nie są duże ani ciężkie, ściśle przylegające do głowy, skierowane do tyłu.

Szyja
Gładka, silna i masywna, dobrze związana z łopatkami.

Kończyny przednie
Łopatki długie, skośne, o mocnym kośćcu; widziane z przodu i z boku są proste.

Kończyny tylne
Silnie rozwinięte; zad nie może opadać w kierunku ogona. Stawy skokowe niskie. Wadą jest postawa krowia.

Tułów
Klatka piersiowa szeroka i opadająca; żebra lekko wysklepione. Linia grzbietowa pozioma, lędźwie szerokie, krótkie i mocne.

Łapy
Okrągłe i zwarte; palce dobrze wysklepione, opuszki dobrze rozwinięte.

Ogon
Gruby u nasady, zwężający się stopniowo ku końcowi. Pokryty jednolicie krótkim, grubym i gęstym włosem. Nigdy nie może być wygięty nad grzbietem.

Ruch
Swobodny. Przednie i tylne kończyny poruszają się w płaszczyźnie równoległej do osi ciała, dosyć szeroko.

Szata
Jest to cecha charakterystyczna tej rasy. Włos krótki, gęsty, bez loków i frędzli. W dotyku sprawia wrażenie szorstkiego. Podszerstek dobrze chroni przed zmianami pogody.

Umaszczenie
Jednolite, całkowicie czarne, żółte lub brązowe (wątrobiano-czekoladowe). Maść żółta w odcieniach od jasnokremowego nawet do rudawego (lisiego). Dopuszczalna mała biała plamka na piersi.

Wzrost
Idealny: psa 56 – 57 cm, suki 54 – 56 cm.

LHASA APSO

Wzrost: 25 cm
Waga: 1,2 kg
Długość życia: 13 –15 lat

Charakterystyka

Przez wiele wieków zamieszkiwał mroźne góry Tybetu, aż odkrywcy i misjonarze przywieźli go do Europy. „Lhasa apso" znaczy „kozi wygląd".

Wskazówka 788
To wytrzymały, przyjacielski piesek o wielkiej osobowości. Inteligentny i radosny, uważany za dobrego towarzysza, choć z natury nieufny w stosunku do obcych.

Wskazówka 789
Wesoły i pewny siebie.

Wskazówka 790
Zawsze czujny, zrównoważony, zachowuje pewien dystans względem nieznajomych.

Wskazówka 791
Jest wymagający, jeśli chodzi o pielęgnację: nie linieje i należy go codziennie czesać. Rano trzeba mu czyścić oczy, po jedzeniu – brodę. Trzeba też dbać o higienę okolic odbytu. To pies, który potrzebuje dużo uwagi i poświęcenia.

Wskazówka 792
Jego wychowanie jest proste i wdzięczne.

Wzorzec

Lhasa apso to pies zrównoważony, pełen życia, o charakterystycznym bujnym owłosieniu.

Głowa
Pokryta gęstym, długim włosem, opadającym nisko na oczy, który tworzy dobrze rozwiniętą brodę i wąsy. Czaszka umiarkowanie wąska, zwężająca się za oczami; nie może być całkiem płaska, wypukła ani w kształcie jabłka. Grzbiet kufy prosty, stop umiarkowanie zaznaczony. Nos czarny. Kufa nie powinna być graniasta. Odległość od końca nosa do stopu wynosi ok. 1/3 całkowitej długości głowy.

Oczy
Ciemne, średniej wielkości, owalne, osadzone z przodu czaszki. Nie powinny być zbyt duże ani za małe; nie wyłupiaste i nie zapadnięte. Białkówki pod i nad tęczówką niewidoczne.

Uszy

Duże, zwisające i pokryte obfitymi frędzlami.

Zęby

Ścisły przodozgryz: górne siekacze umieszczone tuż za dolnymi. Siekacze powinny być rozstawione szeroko. Pożądane kompletne uzębienie.

Kończyny przednie

Łopatki dobrze kątowane. Kończyny przednie proste, pokryte obfitym włosem.

Tułów

Długość od kłębu do zadu powinna przekraczać wysokość w kłębie. Klatka piersiowa dobrze wysklepiona. Grzbiet prosty, lędźwie silne. Tułów zwarty i harmonijny.

Kończyny tylne

Dobrze rozwinięte i umięśnione; dobrze kątowane. Obfite owłosienie. Stawy skokowe widziane od tyłu powinny być równoległe i ustawione niezbyt blisko siebie.

Łapy

Okrągłe, „kocie", o mocnych opuszkach. Bujnie owłosione.

Ogon

Osadzony wysoko, noszony ponad grzbietem, ale nie haczykowato wygięty. Koniec często zagięty. Pokryty gęstymi frędzlami.

Szata

Okrywa zewnętrzna powinna być długa, obfita, prosta, o twardej strukturze; nie może być wełnista ani jedwabista. Umiarkowany podszerstek.

Umaszczenie

Złote, piaskowe, miodowe, dymne, łaciate, czarne, białe lub brązowe. Wszystkie wymienione maści są jednakowo cenne.

Wzrost

Idealna wysokość psów: 25,4 cm, suki są nieco mniejsze.

MASTIF HISZPAŃSKI

Wzrost: 77 cm
Waga: 70 kg
Długość życia: 13 –15 lat

▌Charakterystyka

Pies o łagodnym charakterze, nieprzeciętnym wyglądzie, bardzo pewny siebie. To jedna z wielu ras pochodzenia iberyjskiego, ale prawdopodobnie jedyna, która wzbudza tyle dumy w mieszkańcach tego regionu.

Zna swą ogromną siłę, ale jej nie nadużywa i stosuje tylko wtedy, gdy wymagają tego okoliczności. Wrażliwy, szlachetny, zazdrosny o swych właścicieli.

Wskazówka 793
To bardzo dobry pies stróżujący; wie, jak użyć swego ochrypłego, głębokiego głosu, żeby zaprowadzić porządek.

Wskazówka 794
Należy mieć pod kontrolą jego instynkt obrończy, jeśli w pobliżu jest ktoś obcy. Wymaga stałego wychowywania, które obejmuje długie spacery i rutynowe ćwiczenia. Utrzymanie mastifa nie jest specjalnie trudne ani uciążliwe, trzeba jedynie zwracać uwagę na sierść i łapy.

Wskazówka 795
Ma dużą głowę i ciało pokryte niezbyt długim włosem. Czuły, łagodny i szlachetny, nieustraszony w walce z drapieżnikami i odważny w stosunku do obcych, zwłaszcza gdy chroni i pilnuje stada lub gospodarstwa.

Wskazówka 796
Ma chropawy, niski, głęboki i mocny głos, słyszalny z dużej odległości.

Wskazówka 797
Pies bardzo inteligentny, niepozbawiony urody.

Wskazówka 798
Osobniki zbyt bojaźliwe i o niezrównoważonym charakterze powinny być wykluczone z hodowli.

W średniowieczu rasa ta była wykorzystywana do obrony przed wilkami i niedźwiedziami w związku z przeprowadzanym na Półwyspie Iberyjskim okresowym wypasem bydła, przede wszystkim owiec.

Wzorzec

Głowa

Duża, mocna, o kształcie ściętej piramidy o szerokiej podstawie. Stosunek długości czaszki do długości kufy wynosi 6:4. Oglądane z góry, kufa i czaszka są graniaste, bez wyraźnych różnic między szerokością nasady kufy a szerokością kości skroniowej. Linie czaszki i kufy umiarkowanie rozbieżne. Czaszka szeroka, mocna, lekko wysklepiona. Szerokość czaszki jest równa jej długości lub większa. Bruzda czołowa zaznaczona. Nieznacznie zaznaczony stop. Kufa oglądana z góry ma kształt zbliżony do prostokąta; zwęża się stopniowo w kierunku nosa, przez cały czas zachowując znaczną szerokość. Nie może być spiczasta. Górna warga w znacznym stopniu zakrywa dolną. Dolna warga z widoczną śluzówką tworzy bardzo luźne kąciki. Błony śluzowe powinny być czarne.

Uzębienie

Zęby białe, mocne i zdrowe. Duże, ostre kły umożliwiają dobry chwyt. Siekacze raczej małe. Zgryz nożycowy. Komplet zębów przedtrzonowych.

Oczy

Małe w stosunku do wielkości czaszki, migdałowate, preferowane ciemnoorzechowe. Spojrzenie czujne, szlachetne, miękkie i inteligentne; w stosunku do obcych – ostre. Powieki grube, o czarnej pigmentacji. Dolna powieka ukazuje część spojówki.

Uszy

Średniej wielkości, wiszące, trójkątne, gładkie. Osadzone powyżej linii oczu. W spoczynku wiszą i przylegają do policzków, niezbyt ściśle dotykając czaszki. W ruchu odstają od głowy i wznoszą się na 1/3 swojej długości. Przycinanie niedozwolone.

Szyja

W kształcie ściętego stożka, szeroka, mocna, muskularna, elastyczna. Pokryta grubą, luźną skórą, tworzącą duże, podwójne podgardle.

Tułów

Prostokątny, prosty i krzepki, wyrażający wielką siłę, a także zwinność i sprężystość. Kłąb dobrze zaznaczony. Grzbiet mocny, muskularny. Żebra dobrze wysklepione, zaokrąglone, nigdy płaskie; przestrzenie międzyżebrowe szerokie. Obwód klatki piersiowej jest równy 1/3 wysokości w kłębie. Lędźwie długie, szerokie i mocne. Boki lekko zapadnięte. Zad szeroki i mocny, opadający pod kątem 45° w stosunku do linii grzbietowo-lędźwiowej i do podłoża. Wysokość w zadzie jest równa wysokości w kłębie. Linia grzbietu jest prosta, również w ruchu. Klatka piersiowa szeroka, głęboka, umięśniona, wyraźnie wyodrębnione przedpiersie. Brzuch nieznacznie podciągnięty, słabizny bardzo szerokie.

Ogon

Bardzo gruby u nasady, średnio wysoko osadzony. Mocny, sprężysty, pokryty dłuższym włosem niż reszta ciała. W spoczynku noszony nisko, sięgający stawu skokowego. Czasami wygięty w czwartej części swojej długości. W ruchu lub w stanie podniecenia noszony w kształcie szabli, zakręcony na końcu, ale nigdy nie skręcony na całej długości ani nie noszony powyżej zadu.

Kończyny przednie

Ustawione idealnie pionowo, widziane

z przodu – proste i równoległe. Przedramię trzy razy dłuższe od śródręcza. Kościec masywny, śródręcze silne. Łopatki ustawione skośnie i bardzo dobrze umięśnione, o wiele dłuższe niż przedramię. Śródręcze widziane z boku nieco nachylone; praktycznie jest to przedłużenie przedramienia. Kościec mocny. Łapy „kocie", mocne i dobrze wysklepione, o przylegających palcach. Pazury i opuszki mocne i twarde. Błony międzypalcowe umiarkowanie rozwinięte, pokryte włosem.

Kończyny tylne

Mocne, muskularne. Widziane od tyłu i z profilu są poprawnie ustawione. Stawy skokowe równoległe; nadają psu niezbędny napęd. Uda mocne i muskularne. Podudzia długie, dobrze umięśnione, o grubej kości. Stawy skokowe dobrze zaznaczone, z widocznym ścięgnem Achillesa. Łapy kocie, nieznacznie zaokrąglone. Zaleca się usuwanie pojedynczych i podwójnych wilczych pazurów.

Skóra

Elastyczna, gruba, obfita, różowa lub o ciemnej pigmentacji. Wszystkie śluzówki czarne.

Szata

Włos gęsty, gruby, średniej długości, gładki, jednolicie pokrywający całe ciało i błony międzypalcowe. Dwojakiego rodzaju: okrywowy, występujący na grzbiecie, oraz delikatniejszy, chroniący klatkę piersiową i słabizny. Krótszy włos na łapach, dłuższy na ogonie.

Umaszczenie

Niesprecyzowane. Najbardziej cenione są kolory jednolite: żółty, płowy, czerwony, czarny, wilczasty i czerwień jelenia. Ponadto kombinacje tych kolorów pręgowane i łaciate.

Wzrost

Brak limitów, jeśli chodzi o maksymalną wysokość; najbardziej cenione są osobniki najwyższe w kłębie (pod warunkiem zachowania proporcji). Minimalna wysokość: psa 77 cm, suki 72 cm.

MASTIF PIRENEJSKI

Wzrost: 75 cm
Waga: 80 kg
Długość życia: 13 –15 lat

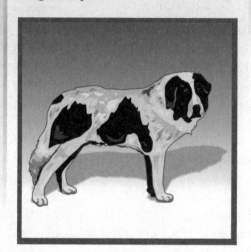

▮ Charakterystyka

Mastif pirenejski to zwierzę ponadprzeciętnej wielkości, które tradycyjnie było hodowane i selekcjonowane do pilnowania stad wędrujących okresowo po Aragonii.

Wskazówka 799
To jedyna rdzenna rasa pochodząca z tego rejonu Hiszpanii.

Wskazówka 800
Ma dobry kontakt z innymi psami, będąc świadomym własnej siły. W razie potrzeby okazuje się bardzo sprawnym wojownikiem, co jest jedną z jego cech charakterystycznych, nabytych na przestrzeni wieków podczas walk z wilkami. Czujny, ma niski i głęboki głos.

Wskazówka 801
Łagodny, wrażliwy i dostojny, o nieprzeciętnej inteligencji, a zarazem waleczny i srogi dla obcych.

Wskazówka 802
Obrońca stad przed drapieżnikami, obrońca człowieka i stróż jego majątku.

Wskazówka 803
Mastif pirenejski nie nadaje się do mieszkania, potrzebuje bowiem otwartej przestrzeni do biegania. Uczony z zachowaniem dyscypliny, okazuje się psem łagodnym i uległym.

Wskazówka 804
Łatwy i prosty w utrzymaniu.

▮ Wzorzec

Bardzo duży pies. Harmonijnie zbudowany, wybitnie silny i muskularny. Kościec mocny. Pomimo swej wielkości nie może się wydawać ociężały lub toporny.

Głowa
Duża, umiarkowanie długa. Linie czaszki i kufy są lekko rozbieżne albo równoległe. Oglądane z góry, głowa i kufa powinny być wydłużone i o jednakowym kształcie. Głowa widziana z boku jest głęboka i niezaokrąglona. Stop słabo zaznaczony, ale widoczny. Czaszka: szeroka, mocna, o lekko wypukłym profilu. Szerokość czaszki jest

równa jej długości lub trochę większa. Głowa oglądana z góry jest nieco trójkątna, szeroka u podstawy, zwęża się stopniowo w kierunku nosa, ale nie jest spiczasto zakończona.

Wargi

Górna warga szeroko zakrywa dolną, bez żadnych obwisłości. Dolna tworzy wyraźny kącik. Błony śluzowe powinny być czarne.

Uzębienie

Zęby białe, mocne, zdrowe. Kły duże, długie, ostre, umożliwiają mocny chwyt. Zęby trzonowe bardzo duże i mocne. Siekacze raczej małe. Zgryz nożycowy. Pies powinien mieć komplet zębów przedtrzonowych.

Oczy

Małe, w kształcie migdała, koloru orzechowego, preferowane ciemne. O czujnym, szlachetnym, miłym spojrzeniu. Powieki czarno pigmentowane, preferowane przylegające do oka w stanie podniecenia. W spoczynku dolna powieka lekko obwisła, ukazująca część spojówki. Jest to typowa cecha rasy.

Uszy

Średniej wielkości, trójkątne, opadające. Gładkie, osadzone powyżej linii oczu; w spoczynku przylegają ściśle do policzków. W momencie podniecenia wyraźnie odstają od głowy na wysokość równą 1/3 długości. Uszy nie powinny być przycinane.

Szyja

W kształcie ściętego stożka, szeroka, elastyczna, mocna i muskularna. Skóra gruba i dosyć luźna. Wyraźnie zaznaczone, niezbyt szerokie, obwisłe podgardle.

Tułów

Prostokątny, potężny, krzepki, dający wrażenie dużej siły, ale elastyczny i zwinny. Grzbiet prosty, poziomy także w ruchu, potężny, muskularny. Kłąb dobrze zaznaczony. Klatka piersiowa szeroka, głęboka, umięśniona, wyraźnie wyodrębnione przedpiersie. Żebra dobrze wysklepione, zaokrąglone, nigdy płaskie; przestrzenie międzyżebrowe szerokie. Lędźwie długie, szerokie i potężne, zwężające się stopniowo w kierunku słabizn. Zad szeroki i mocny, opadający pod kątem 45° w stosunku do linii grzbietowo-lędźwiowej i do podłoża. Wysokość w zadzie jest równa wysokości w kłębie. Brzuch nieznacznie podciągnięty, słabizny bardzo szerokie, pachwiny głębokie.

Ogon

Osadzony na średniej wysokości, mocny, elastyczny, pokryty gęstym, długim i delikatnym włosem tworzącym piękne pióro. W spoczynku zwisa nisko i sięga do stawów skokowych. Zawsze lekko zagięty w odległości od końca równej 1/3 długości. W ruchu i w stanie podniecenia ogon jest uniesiony i ma kształt szabli, z wyraźnym zagięciem na końcu; ułożony nad grzbietem.

Kończyny przednie

Prostopadłe do podłoża, widziane z przodu – równe i równoległe. Wyraźnie widoczne mięśnie i ścięgna. Łopatki ukośne, dobrze umięśnione, dłuższe od przedramienia. Ramiona bardzo mocne. Łokcie mocne, przylegające do klatki piersiowej. Przedramiona o mocnym kośćcu, proste, potężne; trzy razy dłuższe od śródręczy. Śródręcza i nadgarstki widziane z boku nieco ukośne; są przedłużeniem przedramienia. Łapy „kocie", o zwartych, mocnych, dobrze wysklepionych palcach. Pazury i podeszwy mocne i twarde. Błona między palcami umiarkowanie rozwinięta i pokryta włosem.

Kończyny tylne

Potężne i muskularne, oglądane z boku – ukątowane. Widziane od tyłu i z boku – pionowe. Uda mocne i muskularne. Podudzia długie, dobrze umięśnione, o dobrym kośćcu. Stawy skokowe dobrze zaznaczone; wyraźnie widoczne ścięgno Achillesa. Stopy o lekko owalnym kształcie, nieco dłuższe od przednich. Zalecane usunięcie pojedynczych i podwójnych wilczych pazurów.

Ruch

Preferowanym sposobem chodu jest kłus, który powinien być harmonijny, silny i elegancki. Pies nie może wykazywać tendencji do kołysania się na boki.

Skóra

Elastyczna, gruba, różowa lub o ciemnej pigmentacji. Błony śluzowe powinny być czarne.

Szata

Włos gęsty, gruby, umiarkowanej długości. Idealna średnia długość mierzona na środkowym odcinku grzbietu powinna wynosić 6 do 9 cm; dłuższy na łopatkach, szyi, pod brzuchem, na tylnych stronach kończyn oraz na ogonie, gdzie nie powinien być tak szorstki jak na tułowiu. Włos powinien być szorstki, nie wełnisty.

Umaszczenie

Kolor podstawowy biały, maska zawsze wyraźnie widoczna. Ewentualne znaczenia w tym samym kolorze co maska, nieregularnie rozrzucone i dobrze widoczne na całym ciele. Uszy zawsze łaciate. Nie są pożądane osobniki trójbarwne ani zupełnie białe. Koniec ogona i dolna część kończyn zawsze białe. Maska powinna być dobrze odgraniczona, podobnie jak krawędzie łat. U nasady włosa szata powinna być jaśniejsza, idealna całkiem biała. Preferowane kolory łat: srebrny lub intensywnie złotożółty; inne uznawane: brązowy, czarny, jasnobeżowy, piaskowy i marmurkowy. Wadą są plamy w kolorze czerwonym oraz biel z żółtawym odcieniem jako kolor podstawowy.

Wzrost

Minimalna wysokość: psa ok. 77 cm, suki 72 cm. Nie ma górnego limitu. W przypadku egzemplarzy tej samej klasy preferowane są psy wyższe. Pożądane jest jednak, żeby wzrost psów przekraczał 81 cm, a suk 75 cm.

MASTINO NAPOLETANO (MASTIF NEAPO-LITAŃSKI)

Wzrost: 60 – 75 cm
Waga: 50 – 70 kg
Długość życia: 13 –15 lat

Charakterystyka

Te wielkie zwierzęta są nadzwyczaj łagodne, serdeczne i spokojne. Według powszechnie panującej opinii idealne do domu, w którym są dzieci lub starsze osoby. Ponadto są rewelacyjnymi obrońcami, a ich głos, którego rzadko używają, ostrzega o najmniejszym poruszeniu w obrębie ich terytorium.

Wskazówka 805

Inteligentny, łatwy do szkolenia, gdyż posłusznie reaguje na każdą komendę.

Wskazówka 806

To bardzo proste zwierzę, niewymagające specjalnych za-biegów kosmetycznych. Nie odczuwa zmian klimatycznych, nie cierpi na choroby wzroku ani kości.

Wskazówka 807

Jego szata jest tak krótka, że praktycznie nie linieje i nie wymaga czesania.

Wzorzec

Długość ciała mastino jest większa od wysokości w kłębie.

Głowa

Masywna; czaszka szeroka. Długość głowy stanowi około 3/10 wysokości w kłębie. Pokryta dużą ilością skóry tworzącej zmarszczki i fałdy, z których najbardziej typowa i najwyraźniejsza przebiega od zewnętrznego kącika oka do kącika wargowego. Górne linie czaszki i kufy są równoległe.

Czaszka

Szeroka, płaska, zwłaszcza pomiędzy uszami, lekko wysklepiona w przedniej części. Silnie wystające łuki jarzmowe, z płaskimi mięśniami; ich długość jest większa od całkowitej długości głowy. Dobrze wysklepione czoło; bruzda czołowa zaznaczona; guz potyliczny, prawie niewidoczny, ustawiony w linii kufy, nie powinien wystawać ponad linię pionową wyznaczoną przez przednią krawędź wargi.

Nos

Duży, o rozwartych nozdrzach. Pigmentacja uzależniona od umaszczenia: czarny przy czarnej maści, ciemny przy innych umaszczeniach, kasztanowy przy brązowej szacie.

Kufa

Bardzo szeroka i głęboka. Długość kufy jest równa długości kości nosowej i wynosi 1/3 całkowitej długości głowy. Jej boki są do siebie równoległe. Widziane z boku nadają kufie prawie kwadratowy kształt.

Wargi

Mięsiste, grube i obfite. Górna warga widziana od przodu ma kształt odwróconej litery V. O kształcie kufy z profilu decydują górne fafle. Najniższa część fafli tworzy kącik wargowy z widoczną śluzówką, znajdujący się na linii pionowej poprowadzonej przez zewnętrzny kąt oka.

Szczęki

Mocne, o idealnie dopasowanych łukach zębowych. Żuchwa dobrze rozbudowana, z regularnie rozstawionymi siekaczami.

Uzębienie

Zęby białe, dobrze rozwinięte, równomiernie rozstawione, kompletne. Zgryz nożycowy (górne siekacze przykrywają dolne, przylegając ściśle do siebie, wszystkie są ustawione pionowo) lub cęgowy (końce siekaczy górnych stykają się z końcami siekaczy dolnych).

Oczy

Osadzone frontalnie, niezbyt głęboko, sze-roko rozstawione. Powieki zaokrąglone. Kolor tęczówki ciemniejszy od koloru szaty.

Uszy

Małe w stosunku do wielkości psa, trójkątne, osadzone powyżej łuków jarzmowych; płaskie, przylegające do policzków; przycinane w kształt trójkąta prawie równobocznego.

Szyja

Widziana z profilu jest nieznacznie wysklepiona. Ma kształt ściętego stożka, dobrze umięśniona. Jej obwód mierzony w połowie długości stanowi 8/10 wysokości w kłębie.

Skóra

Duża ilość luźnej skóry na spodniej części szyi tworzy dobrze widoczne podgardle, które zaczyna się na poziomie żuchwy i kończy w połowie szyi.

Tułów

Długość tułowia jest o 10% większa od wysokości w kłębie.

Grzbiet

Szeroki i długi, o długości równej około 1/3 wysokości w kłębie. Część lędźwiowa stapia się z grzbietem; dobrze rozwinięte mięśnie na całej długości.

Zad

Szeroki, mocny i dobrze umięśniony. Jego nachylenie w stosunku do linii poziomej przeprowadzonej przez guz biodrowy wynosi około 30°. Długość zadu jest równa 3/10 wysokości psa w kłębie.

Klatka piersiowa

Duża, szeroka, z dobrze rozwiniętymi mięśniami. Jej obwód przekracza 1/4 wysokości w kłębie, a szerokość jest proporcjonalna do wysokości żeber i stanowi 40 – 45% wysokości w kłębie. Zakończenie mostka znajduje się na wysokości stawu barkowego.

Ogon

Szeroki i gruby u nasady, mocny, zwężający się stopniowo ku końcowi. Długi na tyle, że sięga stawu skokowego. Zazwyczaj skracany do 2/3 długości. W stanie spoczynku ma kształt szabli, w ruchu noszony poziomo, nieznacznie powyżej górnej linii grzbietu.

Kończyny przednie

Widziane z przodu i z boku – na całej długości od podłoża do łokci pionowe; o mocnym kośćcu, stosownym do wielkości psa. Łopatka jest nachylona pod kątem 50 – 60° do poziomu, a jej długość stanowi około 3/10 wysokości w kłębie. Mięśnie silnie rozwinięte. Przedramię prawie tej samej długości co ramię, ustawione idealnie pionowo, o mocnym kośćcu i dobrej muskulaturze. Nadgarstek bardzo szeroki. Śródręcze płaskie, nachylone pod kątem 70 – 75° do podłoża, o długości 1/6 długości kończyny od podłoża do łokcia. Przednie łapy duże, zaokrąglone, palce dobrze wysklepione, ściśle przylegające do siebie. Opuszki suche, twarde, dobrze pigmentowane. Paznokcie mocne i ciemne.

Kończyny tylne

Udo o długości równej 1/3 wysokości w kłębie, nachylone pod kątem 60° do poziomu, szerokie, o grubych, wypukłych, wyraźnie rozdzielonych mięśniach. Udo i miednica tworzą kąt 90°. Podudzie trochę krótsze niż udo, o kącie nachylenia 50 – 55°. Mocny kościec i dobrze widoczna muskulatura. Staw kolanowy: kąt pomiędzy kością uda i podudzia powinien wynosić 110 – 115°. Staw skokowy bardzo długi w porównaniu z długością kończyny. Kąt między podudziem a śródstopiem wynosi 140 – 145°. Śródstopie mocne, o kształcie prawie cylindrycznym i długości równej około 1/4 wysokości w kłębie; ustawione prawie idealnie pionowo w stosunku do podłoża. Jeśli pies ma wilcze pazury, należy je usunąć. Tylne łapy mniejsze niż przednie, okrągłe, ze złączonymi palcami; opuszki suche, twarde, dobrze pigmentowane. Pazury mocne i ciemne.

Ruch

Charakterystyczną cechą tej rasy jest powolny stęp przypominający chód niedźwiedzia. Kłus charakteryzuje się mocnym wybiciem tylnych kończyn i długim wykrokiem przednich. Rzadko się zdarza, żeby pies galopował. Jego ulubionym chodem jest stęp i kłus. Tolerowany jest inochód.

Skóra

Gruba, obfita i luźna na całym ciele, zwłaszcza na głowie, gdzie tworzy liczne zmarszczki i fałdy. Na spodniej części szyi tworzy podgardle. Włos krótki, twardy, gęsty, gładki, cienki. Maksymalna długość włosa nie może przekraczać 1,5 cm. Frędzle niedozwolone.

Umaszczenie

Preferowane kolory to szary, ołowianoszary i czarny. Występują również: brązowy, intensywnie płowy, orzechowy, gołębi i izabelowaty. Dopuszczalne są małe białe znaczenia na piersi i końcach palców. Wszystkie kolory mogą być pręgowane.

Wzrost i waga

Wysokość w kłębie: psa 65 – 75 cm, suki 60 – 68 cm; waga: psa 60 – 70 kg, suki 50 – 60 kg.

NOWOFUND-LAND

Wzrost: 70 cm
Waga: 60 kg
Długość życia: 13 – 15 lat

▌Charakterystyka

Efektowny wygląd nowofundlanda i jego łagodność wobec właściciela sprawiają, że jest to pies godny pozazdroszczenia.

Wskazówka 808
Doskonały pływak, uwielbia nurkowanie i kąpiele, na co olbrzymi wpływ miała bliskość wody w regionie, skąd pochodzi.

Wskazówka 809
Jest zrównoważony, silny i wytrwały, dzięki czemu dobrze wykonuje powierzone mu zadania, zwłaszcza związane z ratowaniem tonących.

Cecha ta odgrywa doniosłą rolę w jego naturalnym środowisku (rzeka albo wybrzeże morskie). Tak jak bernardyn, pomaga w odnajdywaniu ludzi, lecz nie zaginionych pod śniegiem, tylko rozbitków i ofiar wszelkiego rodzaju wypadków związanych z wodą.

Wskazówka 810
Jest czuły i dobroduszny w stosunku do właścicieli, a zwłaszcza dzieci.

Wskazówka 811
Zacięcie broni swojego terytorium.

Wskazówka 812
Ma tłusty, mocny, długi i bardzo gęsty włos. Żeby go utrzymać w doskonałym stanie, wymaga on szczególnej uwagi. Nie są zalecane częste kąpiele, gdyż mogłoby to osłabić cebulki włosowe. Podczas kąpieli trzeba uważać, żeby woda nie była za bardzo chlorowana, ponieważ chlor niszczy barwę włosa.

Wskazówka 813
Nowofundland powinien być regularnie i starannie czesany grzebieniem o metalowych końcówkach. Najlepiej pod włos, żeby przewietrzyć wewnętrzne warstwy szaty. Dzięki temu będzie ona również bardziej błyszcząca.

Wskazówka 814
Ponieważ naturalnym środowiskiem nowofundlanda jest wo-

da, podstawą jego diety są ryby. Nie odmawia jednak innych przysmaków, zawierających we właściwych proporcjach wszystkie niezbędne składniki i witaminy.

Wzorzec

Pies o harmonijnej budowie, znamionującej siłę i wielką aktywność. Ma masywny kościec, lecz nie może sprawiać wrażenia ociężałego. Szlachetny, majestatyczny i potężny. Niezrównany pies użytkowy do pracy w wodzie, posiadający instynkt ratowania i niesienia pomocy. Łagodny i wyjątkowo przyjazny.

Głowa
Szeroka i masywna, o dobrze rozwiniętej potylicy. Stop lekko zaznaczony. Kufa krótka, wyraziście wykrojona i raczej graniasta, pokryta krótką, delikatną sierścią.

Oczy
Małe, ciemnobrązowe, raczej głęboko osadzone, bez widocznej spojówki. Rozstawione raczej szeroko.

Uszy
Małe, skierowane do tyłu, przylegające do głowy, pokryte krótkim włosem bez frędzli.

Uzębienie
Zęby dobrze okryte wargami, preferowany zgryz nożycowy, tolerowany cęgowy.

Szyja
Mocna, dobrze związana z tułowiem.

Tułów
Dobrze rozwinięte żebra, grzbiet szeroki, linia grzbietowa prosta. Silne i muskularne lędźwie.

Klatka piersiowa
Dobrze rozwinięta i dość szeroka.

Kończyny przednie
Całkowicie proste, dobrze umięśnione. Łokcie przylegające do ciała, zachodzące nisko do tyłu.

Kończyny tylne
Bardzo dobrze zbudowane i mocne, stawy kolanowe „krowie". Należy usunąć ostrogi.

Stopy
Duże, o rozstawionych palcach, bardzo dobrze ukształtowane, nie powinny być skierowane ani do środka, ani na zewnątrz, nie mogą być też spłaszczone.

Ogon
Umiarkowanej długości, sięgający poniżej stawu skokowego. Dość gruby i obficie owłosiony, ale nie w formie chorągwi (bez opadających piór). Kiedy pies stoi, ogon jest opuszczony i lekko zaokrąglony na końcu, w akcji trochę wzniesiony, w stanie pobudzenia wyprostowany i lekko wygięty przy końcu. Niedopuszczalny jest zakręcony lub noszony wygięty nad grzbietem.

Szata
Podwójna (okrywa i podszerstek), płaska, gęsta, z natury tłusta i nieprzemakalna. Zaczesana pod włos wraca do naturalnego położenia. Ogon i tylne kończyny ozdobione piórami. Ciało gęsto pokryte włosem, który jednak nie tworzy kryzy na piersi.

Umaszczenie

Są trzy dopuszczalne maści.

Czarna

Czarna jak węgiel. Dopuszczalne: odcień brązowawy oraz białe plamy na piersi, palcach i na końcu ogona.

Brązowa

Od czekoladowego do brązowego. Dopuszczalne są białe plamy na piersi, palcach i końcu ogona.

Landseer

Biało-czarna. Preferowana głowa koloru czarnego. Dopuszczalne: biała strzałka lub plamka na kufie, czarne siodło na grzbiecie, czarna plama na zadzie schodząca na nasadę ogona. Białe plamy powinny być dobrze widoczne. Cętki niedopuszczalne.

Ruch

Swobodny, lekko rozkołysany. W akcji dopuszczalne przednie palce nieznacznie skierowane do wewnątrz.

Waga

Średnia waga: psa 64 – 69 kg, suki 50 – 54 kg.

OWCZAREK BELGIJSKI

Wzrost: 60 cm
Waga: 35 – 45 kg
Długość życia: 13 –15 lat

Charakterystyka

Jak wskazuje jego nazwa, owczarek ten pochodzi z Belgii. Jest to pies średniej wielkości, proporcjonalny, inteligentny, typu wiejskiego, przyzwyczajony do przebywania na wolnym powietrzu, wytrzymały na zmiany pór roku i kapryśną aurę, charakterystyczną dla belgijskiego klimatu.

Wskazówka 815
Jest urodzonym stróżem i pasterzem, ale w razie konieczności także zagorzałym obrońcą swojego przewodnika i jego rodziny. Czujny i uważny, o żywym, pytającym spojrzeniu, odzwierciedlającym jego inteligencję.

Wzorzec

Harmonijnie zbudowany, z dumnie noszoną głową, owczarek belgijski sprawia ogólne wrażenie eleganckiego, silnego psa, będącego wyselekcjonowanym przedstawicielem jednej z ras psów pracujących.

Głowa
Dobrze wyrzeźbiona, dość długa. Czaszka i kufa tej samej długości lub kufa odrobinę dłuższa od czaszki.

Nos
Czarny, nozdrza rozwarte.

Kufa
Średniej długości, zwężająca się stopniowo w kierunku nosa. Kość nosowa prosta, widziana z profilu – równoległa do przedłużonej linii czaszki.

Wargi
Dobrze wyodrębnione, przylegające, mocno pigmentowane; błony śluzowe nie mogą być widoczne.

Uzębienie
Mocne, białe, równe zęby, mocno osadzone w dobrze rozwiniętych szczękach. Zgryz nożycowy. (Zgryz cęgowy preferowany przez pasterzy owiec i bydła).

Stop
Umiarkowany, ale zaznaczony.

Czaszka

Średniej szerokości w stosunku do długości głowy; czoło raczej spłaszczone niż zaokrąglone; bruzda czołowa lekko zaznaczona. Widziana z profilu, jest równoległa do przedłużonej linii kufy.

Oczy

Średniej wielkości, niewyłupiaste i nieosadzone głęboko; o kształcie zbliżonym do migdała, brązowe, możliwie najciemniejsze. Czarna oprawa oczu. Spojrzenie inteligentne i badawcze, skierowane prosto przed siebie.

Uszy

Trójkątne, stojące, wysoko osadzone, proporcjonalne. Brzegi małżowiny zaokrąglone.

Szyja

Lekko wydłużona, silnie umięśniona, bez podgardla, poszerzająca się stopniowo ku łopatkom.

Kończyny przednie

Prostopadłe do podłoża, silnie umięśnione, o mocnym kośćcu. Kości łopatek długie i skośne, płaskie, ukątowane z kością ramienia tak, żeby łokcie poruszały się swobodnie. Ramiona powinny się poruszać równolegle do podłużnej osi ciała. Przedramiona długie i umięśnione. Nadgarstki mocne i krótkie; stawy proste, bez śladu krzywicy. Łapy zaokrąglone, palce wypukłe i zwarte, opuszki grube i elastyczne, pazury ciemne i grube.

Tułów

Mocny, ale nie ciężki. Wysokość w kłębie: u psów równa długości od łopatek do nasady ogona, u suk długość może być odrobinę większa od wysokości. Przedpiersie widziane z przodu niezbyt szerokie ani nie za wąskie. Klatka piersiowa wąska, głęboka, opadająca, jak u wszystkich zwierząt o ogromnej wytrzymałości. Żebra w górnej części wysklepione. Kłąb wyraźnie zaznaczony. Lędźwie proste, szerokie, silnie umięśnione. Brzuch umiarkowanie rozwinięty, niewiszący, niepodkasany; przechodzi harmonijnym łukiem w dolną linię klatki piersiowej. Zad lekko opadający, dość szeroki.

Kończyny tylne

Mocne, ale nie ciężkie. Poruszają się w podobnych płaszczyznach jak kończyny przednie. Prostopadłe do podłoża. Uda szerokie i muskularne. Kość udowa praktycznie prostopadła do miednicy. Podudzia długie, szerokie i muskularne, ukątowane w stawie skokowym. Stawy skokowe niskie, szerokie i muskularne. Widziane od tyłu, powinny być równoległe do siebie. Śródstopia mocne i krótkie. Niepożądane wilcze pazury. Stopy lekko owalne; palce łukowate, zwarte. Opuszki grube i elastyczne. Pazury ciemne i grube.

Ogon

Mocny u nasady, średniej długości; w spoczynku noszony nisko, koniec lekko zagięty do tyłu na wysokości stawu skokowego. W akcji noszony wyżej; zagięcie wyraźnie widoczne. Ogon nie może być zakręcony ani skrzywiony.

Szata

Najlepiej, aby górną i dolną wargę, kąciki warg i powieki obejmowała jednolita czarna maska. Długość, kierunek ułożenia i struktura włosa są cechami różnicującymi cztery odmiany owczarka belgijskiego. U wszystkich włos powinien być obfity, gęsty, dobrego gatunku, tworzący z wełnistym podszerstkiem doskonałą okrywę ochronną. U malinoisów włos krótki; tervuereny i groenendaele mają włos dłuższy; laekenois są szorstkowłose.

Umaszczenie

Owczarek belgijski tervueren: preferowany kolor płowy z czarnym nalotem, jako najbardziej naturalny. Płowa barwa powinna być intensywna, nie jasna ani nie rozmyta.

Owczarek belgijski malinois: kolor płowy z czarnym nalotem i czarną maską.

Owczarek belgijski groenendael: jednolity czarny.

Owczarek belgijski laekenois: umaszczenie płowe z czarnym nalotem, czarna maska, tolerowana nieznaczna ilość bieli na przedpiersiu i palcach.

Wzrost

Pożądana wysokość: psa 62 cm, suki 58 cm; tolerancja: – 2 cm, + 4 cm.

OWCZAREK FRANCUSKI BEAUCERON

Wzrost: 60 – 70 cm
Waga: 40 – 50 kg
Długość życia: 13 –15 lat

▌Charakterystyka

Dzięki selekcji stosowanej przez pasterzy wędrujących ze stadami pies ten nabył cech, których się oczekuje od dobrego psa pasterskiego.

Wskazówka 816

Łatwy w prowadzeniu, odporny na zmiany warunków atmosferycznych. Bardzo aktywny, wymaga dużo ruchu na wolnym powietrzu i zapewnienia stałych zadań do wykonywania.

Wskazówka 817

Chcąc opanować instynkt walki i opór, które są typowymi cechami jego charakteru, trzeba go prowadzić wyrozumiale, ale konsekwentnie.

Wskazówka 818

Jest to zwierzę zdolne do przejmowania inicjatywy, nie daje się wodzić przez stado, nie rozprasza go łatwo to, co się wokół niego dzieje, a przede wszystkim jest podatne na staranne szkolenie.

Wskazówka 819

Wbrew pozorom nie jest to jedynie krnąbrny i arogancki pies stróżujący.

Wskazówka 820

Pies o zdecydowanym spojrzeniu, pełen dynamizmu. Błędem byłoby stwierdzenie, że jest agresywny, a jego jedyne zajęcie to walki z innymi zwierzętami.

Wskazówka 821

Impulsywny, ostry, wykonuje tylko jasne polecenia przewodnika.

Wskazówka 822

Jego reakcje są bardzo zdecydowane: słucha, wykonuje polecenia, a w większości przypadków uprzedza ich wydanie. Cechuje go typowe zachowanie owczarków, które wykonują polecenia w okamgnieniu, błyskawicznie reagując na słowo lub gest.

Wskazówka 823
Jego zdolność szybkiego wykonywania poleceń oraz zgranie się z przewodnikiem są cenione od wieków.

Wskazówka 824
Silny i ostry charakter psa rozwija się dość późno. Rasa ta osiąga dojrzałość dopiero po ukończeniu dwóch i pół roku.

W ciągu dziesięcioleci pasterze z Beauce pracowali nad rozwojem temperamentu psa, by łączył śmiałość i rozwagę: pierwszą w związku z charakterem jego pracy, wykonywanej bez cienia wahania; drugą – przejawiającą się w posłuszeństwie, czujności i gotowości do natychmiastowej reakcji. Owczarek francuski z Beauce ma te wszystkie cechy.

Pies silny, muskularny, bardzo wytrzymały. Duży, o masywnej budowie ciała, typu wiejskiego, bez żadnych oznak ociężałości.

▌Wzorzec

Głowa
Proporcjonalna w stosunku do całego ciała (2/5 wysokości w kłębie). Czaszka płaska, lekko wysklepiona; nieznaczna bruzda czołowa, przełom czołowy lekki. Głowa o ładnym rysunku i harmonijnych liniach. Stop lekko zaznaczony, w tej samej odległości od końca nosa i najwyższego punktu czaszki.

Kufa
Ani wąska, ani spiczasta. Wargi dobrze przylegające, suche, o dobrej pigmentacji. Górna warga powinna ściśle pokrywać dolną.

Uzębienie
Zęby mocne, białe, o idealnym zgryzie nożycowym. Zęby szczęki przykrywają zęby żuchwy i ściśle się ze sobą stykają.

Nos
Powinien być proporcjonalny w stosunku do kufy; ani wąski, ani za duży, chociaż dobrze rozwinięty. Czarny, bez pęknięć. Widziany z profilu, powinien się znajdować na przedłużeniu górnej wargi.

Oczy
Zawsze ciemne, koloru co najmniej ciemnoorzechowego. Okrągłe, o wyrazie typowym dla owczarka, to znaczy szczere, nigdy nie złośliwe, zalęknione czy niespokojne.

Uszy
Wysoko osadzone. Jeśli są przycięte, powinny być proste; ani rozbieżne, ani zbieżne, skierowane lekko do przodu. Jeśli nie są skrócone, nie powinny przylegać do policzków. W obu przypadkach muszą być płaskie, raczej krótkie. Długość ucha nie-

przyciętego powinna być równa połowie długości głowy. Uszy przycięte powinny być całkowicie stojące.

Szyja

Muskularna, mocno połączona z łopatkami. Nadaje głowie dostojny wygląd.

Tułów

Harmonijnie zbudowany, żadna z jego części nie może być ani za krótka, ani za długa. Długość tułowia od końca łopatki do końca pośladka powinna przekraczać wysokość w kłębie o 1 – 1,5 cm u psa, a 1,5 – 2 cm u suki. Klatka piersiowa bardzo szeroka, głęboka i długa, ostatnie żebra długie i elastyczne. Łopatka skośna, średniej długości. Grzbiet prosty; kłąb dobrze zaznaczony; lędźwie szerokie; zad lekko opadający z powodu niskiego osadzenia ogona.

Kończyny

Proste i równoległe. Podudzia skierowane nieco do tyłu; stawy skokowe mocne, niskie (niezbyt blisko podłoża), tworzą z podudziami kąt wyraźnie rozwarty. Przedramiona muskularne i gładkie.

Łapy

Mocne, okrągłe; pazury zawsze czarne, opuszki twarde, ale elastyczne. Na tylnych kończynach występują podwójne wilcze pazury, tworzące dwa wyraźnie od siebie oddzielone palce, bardzo blisko łap.

Ruch

Psa pasterskiego nie można oceniać, gdy stoi. Powinien się poruszać sprężyście, swobodnie, z kończynami w jednej linii. W truchcie – krok wydłużony.

Ogon

Długi, nisko noszony, sięgający co najmniej do stawów skokowych, na końcu lekko zadarty, tworzący niewielki haczyk.

Szata

Na głowie bardzo krótka; na tułowiu krótka, gęsta, gruba, przylegająca do ciała, o długości 3 – 4 cm. Na pośladkach i od strony brzucha powinna tworzyć krótkie pióra. Podszerstek bardzo krótki, cienki, gęsty i niezwykle delikatny, preferowany koloru mysioszarego, ściśle przylegający, nie powinien nigdy wystawać ponad okrywę zewnętrzną.

Umaszczenie

Czarne podpalane

Czerń intensywna. Podpalania powinny być w kolorze wiewiórczym i znajdować się nad oczami, na dolnej części kufy (zmniejszają się ku policzkom i nie dochodzą do wewnętrznej części ucha), na piersi (dwie duże plamy na przedpiersiu), na podgardlu, pod ogonem, na kończynach (schodzą do łap, nadgarstków i pokrywają 1/3 długości kończyn).

Arlekin

Szata w kolorze czarnym w szare łaty. Podpalania rozmieszczone jak u odmiany czarnej.

Wzrost

Wysokość w kłębie: psa 65 – 70 cm, suki
61 – 68 cm; tolerancja: –2 cm, +3 cm.

1000
rad, jak **szkolić**
i wychowywać psa

OWCZAREK FRANCUSKI BRIARD

Wzrost: 60 cm
Waga: 45 kg
Długość życia: 13 –15 lat

▌Charakterystyka

Pies o żywym wyglądzie, harmonijnych proporcjach, wytrzymały i mocny. Oczy najczęściej przykryte bujnie owłosionymi brwiami. Ma również brodę i wąsy. Uszy naturalnie zwisające, często przycinane, tak że są małe i wzniesione. Grzbiet prosty, klatka piersiowa szeroka, kończyny muskularne. Ogon bujnie owłosiony, noszony nisko. Włos długi, szorstki, nieprzepuszczający wody. Umaszczenie: dopuszczalne wszystkie jednolite kolory oprócz białego i ciemnobrązowego.

Wychowując briarda, należy go traktować z czułością, częściej nagradzać niż karcić i doceniać jego liczne zalety.

Wskazówka 825
Wymaga dużo ruchu i cieszy go każdy rodzaj aktywności fizycznej.

Wskazówka 826
Szkolenie może sprawiać trudności. Powinno być prowadzone delikatnie, lecz zdecydowanie i konsekwentnie.

Wskazówka 827
Energiczny, uparty i inteligentny. Więzi rodzinne wzmacniają jego instynkt obrończy, przede wszystkim w stosunku do dzieci.

Wskazówka 828
Trochę w wiejskim typie, ale wesoły i towarzyski. Jest bardzo wrażliwy i więcej można od niego wyegzekwować za pomocą nagród niż kar.

Dzięki wielkim zdolnościom oraz niezwykłej tężyźnie fizycznej i zdrowiu psychicznemu może wykonywać różnorodne zadania i prace.

Wskazówka 829
Wychowanie owczarka francuskiego wymaga wiele cierpliwości, ponieważ dojrzewa on powoli i jest bardzo wrażliwy.

Wskazówka 830
Podczas szkolenia briarda nie można stosować ostrych metod ani źle go traktować.

Wskazówka 831
Pies karcony będzie leniwy

i mało podatny na polecenia. Między nim a właścicielem powstanie bariera wzajemnego niezrozumienia.

Wskazówka 832
Od szczeniaka okazuje predyspozycje do pilnowania swojego terenu wraz ze wszystkim, co się na nim znajduje – czy to będzie owca, dziecko czy portfel.

Wskazówka 833
Jego silny instynkt obrony dzieci i dobrotliwy wygląd sprawiają, że jest idealnym stróżem szkół i przedszkoli.

Wskazówka 834
Był używany do ciągnięcia wózków z mlekiem i sanek.

Wskazówka 835
W pracy odznacza się dobrą pamięcią węchową i wytrzymałością.

▌Wzorzec

Pies typu wiejskiego, zwinny, muskularny, o harmonijnych proporcjach, żwawy i ruchliwy, o zrównoważonej psychice, nie jest ani bojaźliwy, ani agresywny.

Głowa
Mocna, długa, z krawędzią czołową zaznaczoną w połowie odległości między szczytem głowy a końcem nosa. Włosy na głowie tworzą wąsy, brodę i brwi zakrywające oczy.

Kufa
Ani wąska, ani spiczasta.

Nos
Raczej graniasty niż okrągły, zawsze czarny, o otwartych nozdrzach.

Uzębienie
Bardzo silne, białe, zgryz nożycowy.

Oczy
Ustawione w poziomie, dosyć duże, nie powinny mieć migdałowego kształtu. Ciemnej barwy, o inteligentnym, spokojnym spojrzeniu. U osobników o szarym umaszczeniu dozwolone są oczy jasne.

Uszy
Wysoko osadzone, pożądane przycięte i stojące. Bez przycinania powinny być zwisające i raczej krótkie. Długość nieprzyciętego ucha powinna być równa połowie długości głowy lub nieco dłuższa.

Szyja
Silnie umięśniona, wyraźnie odcina się od łopatek.

Klatka piersiowa
Szeroka, głęboka, schodząca aż do łokci.

Kończyny przednie
Muskularne, o mocnej kości, proste, dobrze ukątowane.

Stawy skokowe
Nie za blisko ziemi, dobrze ukątowane; śródstopie ustawione prostopadle do podłoża.

Ogon
Niecięty, dobrze owłosiony, tworzący

„fajkę" przy końcu, noszony nisko, ale nie wykręcony na boki. Powinien sięgać do stawu skokowego lub nieco niżej, maksymalnie 5 cm.

Szata

Sprężysta, długa, twarda (jak sierść kozy), z lekkim podszerstkiem.

Umaszczenie

Dopuszczalne wszystkie jednolite kolory. Preferowane ciemne. Nie należy mylić dwukolorowego umaszczenia z nieco jaśniejszym odcieniem na kończynach, który jest najczęściej początkiem depigmentacji.

Ostrogi

Podwójne, na obydwu tylnych kończynach, osadzone jak najbliżej podłoża. Każdy z wilczych pazurów powinien mieć odrębną część kostną.

Wzrost

Wysokość: psa 62 – 68 cm, suki 56 – 64 cm. Długość ciała jest ważniejsza niż wysokość.

OWCZAREK HOLENDERSKI

Wzrost: 60 cm
Waga: 45 kg
Długość życia: 13 –15 lat

▌Charakterystyka

Według wzorca zatwierdzonego w 1960 r. istnieją trzy odmiany owczarka holenderskiego, charakteryzujące się takimi samymi cechami morfologicznymi, a różniące się jedynie rodzajem okrywy włosowej.

Ze względu na strukturę i długość włosa wyróżnia się odmiany: krótkowłosą, długowłosą i szorstkowłosą.

Jeśli chodzi o wrażenie ogólne, są to psy karne, łagodne, mało wymagające, czujne, bardzo oddane i obdarzone wałecznością.

Wskazówka 836
Wymagania dotyczące pielęgnacji owczarka holenderskie-go są podobne jak w przypadku owczarka belgijskiego. Zbliżone warunki klimatyczne w krajach pochodzenia tych ras oraz podobieństwo ich odmian skłaniają do podobnego traktowania.

Wskazówka 837
Kąpiele nie powinny być zbyt częste, żeby zapobiec eliminacji pokrywy tłuszczowej skóry i włosa. Bardziej wskazane są odpowiednio dobrane produkty do kąpieli na sucho.

Wskazówka 838
Psy powinny być czesane regularnie, dorosłe – raz, szczeniaki – dwa razy w tygodniu. Należy używać grzebieni o szeroko rozstawionych zębach, żeby nie uszkadzały podszerstka. Takie czesanie pobudza również krążenie krwi i wpływa pozytywnie na wzrost nowych włosów.

Owczarek holenderski ma wszelkie cechy prawdziwego psa pasterskiego: jest oddany właścicielowi, karny i łagodny; lubi pracować; jest bardzo wierny i ufny, skromny, wytrzymały, zawsze czujny i aktywny.

▌Wzorzec

Pies średniej wielkości i wagi, pewny siebie, muskularny, silny, harmonijnej budowy, zawsze czujny, w akcji – o żywym zachowaniu.

Głowa

Proporcjonalna do tułowia, o wydłużonym kształcie, niezbyt masywna, bez zmarszczek, sucha. U odmiany szorstkowłosej głowa wydaje się bardziej graniasta. Czaszka spłaszczona, stop niewyraźnie zaznaczony.

Nos

Zawsze czarny.

Kufa

Nieznacznie dłuższa od czaszki. Górna linia kufy jest prosta i równoległa do linii czoła.

Uzębienie

Zęby mocne i regularne. Kiedy pies ma zamknięty pysk, siekacze szczęki nachodzą ciasno na siekacze żuchwy (zgryz nożycowy).

Oczy

Ciemne, średniej wielkości, migdałowego kształtu (nieokrągłe), osadzone nieco skośnie.

Uszy

Raczej małe. Gdy pies czuwa, są wzniesione i skierowane do przodu. Osadzone wysoko, nie mogą być zaokrąglone.

Szyja

Nie powinna być zbyt krótka. Sucha, bez podgardla, stopniowo przechodzi w linię grzbietu.

Tułów

Mocny, o krótkim grzbiecie, prosty. Lędźwie mocne, ani długie, ani wąskie. Zad nie może być krótki ani opadający. Klatka piersiowa głęboka, ale nie wąska. Mostek przechodzi stopniowo w linię brzucha. Żebra lekko wysklepione.

Ogon

W spoczynku noszony prosto lub zwisający i łagodnie zakrzywiony (sięgający stawu skokowego). Nigdy nie skręcony ani nie opadający na boki.

Kończyny przednie

Mocne, silnie umięśnione, o mocnej kości. Proste, ale z ugiętym śródręczem. Łopatki ukośne, dobrze przylegające do klatki piersiowej. Ramiona o znacznej długości.

Kończyny tylne

Również mocne, silnie umięśnione, o solidnym kośćcu. Kolana dobrze ukątowane. Pożądany jest też umiarkowany kąt w stawie skokowym, dzięki czemu śródstopie ustawione prostopadle do podłoża znajduje się na wysokości krzyża. Brak wilczego pazura.

Łapy

Palce dobrze wysklepione, przylegające do siebie, stopa krótka. Pazury czarne. Opuszki elastyczne, w ciemnym kolorze.

Ruch

Powinien być płynny, elastyczny i naturalny, ale niezbyt lekki. Wykrok ani za daleki, ani zbyt bliski.

Szata i umaszczenie

Odmiana krótkowłosa

Pożądany na całym ciele włos dość twardy, niezbyt krótki; podszerstek obfity, wełnisty. Kryza, portki i pióro na ogonie muszą być wyraźne. Umaszczenie: mniej lub bardziej wyraźne pręgowanie na brązowym tle (złoty brindle) lub na szarym tle (srebrny brindle). Ton brindle rozciąga się na całym ciele, łącznie z kryzą, portkami i piórem ogona.

Odmiana długowłosa

Włos na całym ciele długi, prosty, przylegający, szorstki w dotyku, bez loków i falistości, z obfitym wełnistym podszerstkiem. Głowa, uszy i kończyny tylne poniżej stawu skokowego pokryte gęstym włosem. Włos na tylnej części kończyn przednich obfity i dobrze rozwinięty, coraz krótszy w kierunku stóp, tworzy tak zwane pióra. Ogon w całości owłosiony. Na uszach brak piór. Umaszczenie jak odmiany krótkowłosej.

Odmiana szorstkowłosa

Włos gruby, szorstki, ostry. Na całym ciele oprócz głowy gęsty, wełnisty podszerstek. Szata powinna być gęsta. Górna i dolna warga dobrze pokryte włosem (wąsy i broda), który nie jest miękki, ale sterczący. Brwi szorstkie i sterczące. Na czaszce i policzkach włos mniej rozwinięty. Ogon bardzo obficie pokryty włosem. Niepożądane są bardzo rozwinięte portki. Umaszczenie niebieskoszare i pieprz z solą, i srebrny lub złoty brindle. W porównaniu z innymi odmianami pręgowanie powinno być mniej wyraźne na wierzchniej okrywie.

Wzrost

Wysokość w kłębie: psa 57 – 62 cm, suki 55 – 60 cm.

OWCZAREK NIEMIECKI

Wzrost: 60 cm
Waga: 30 – 40 kg
Długość życia: 13 –15 lat

▌Charakterystyka

Owczarek niemiecki może wykonywać prace pasterskie, a także wiele innych zadań: pracować w policji, być przewodnikiem niewidomych, stróżować, towarzyszyć człowiekowi, pomagać w wykrywaniu narkotyków i materiałów wybuchowych.

Wskazówka 839
Nie jest wskazane nabywanie szczeniaków pochodzących z linii o wysokim stopniu pokrewieństwa.

Owczarek niemiecki jest psem o nieco wydłużonym ciele, mocnej, muskularnej budowie i mocnych kościach. Dzięki właściwemu stosunkowi wysokości do długości oraz dobremu kątowaniu kończyn ma łatwość dalekiego wyrzucania nóg do przodu w kłusie. Jest przy tym bardzo wytrzymały, a gruba okrywa włosowa zapewnia mu odporność na niekorzystne warunki atmosferyczne.

Wskazówka 840
Niezwykle inteligentny, nie tylko nie wymaga opieki, lecz wręcz przeciwnie – to on często przejmuje kontrolę nad sytuacją, dlatego należy go nauczyć, kto nad kim dominuje.

Powinien wykazywać śmiałość i wytrwałość w obronie swego przewodnika i jego mienia oraz chętnie atakować na polecenie.

Wskazówka 841
Zachowuje się jak członek rodziny. Zawsze czujny, posłuszny i miły, spokojny w znanym sobie otoczeniu, przyjazny w stosunku do dzieci i zwierząt.

Wśród jego cech charakteru na uwagę zasługują: bardzo dobry temperament, tężyzna fizyczna i zdrowa psychika, wielkie przywiązanie i odwaga, nieprzeciętne zmysły (słuch i węch) oraz inteligencja.

▌Wzorzec

Głowa i czaszka
Głowa o wyraźnym zarysie, co nadaje psu szlachetny wyraz. Powinna być proporcjonalna w stosunku do tułowia, ale nie za ciężka. Czaszka umiarkowanie szeroka pomiędzy uszami. Czoło widziane od prze-

du jest lekko wypukłe, ze słabo zaznaczoną bruzdą. Widziane z boku stopniowo zwęża się w kierunku połączenia z kufą, gdzie tworzy słabo zaznaczony ukośny stop.

Kufa

W kształcie stożka, długa i mocna; grzbiet nosa prosty, o linii prawie równoległej do przedłużonej linii czoła. Dobrze rozwinięte, zawsze wilgotne nozdrza.

Policzki i wargi

Dobrze rozwinięte policzki; wargi suche, dobrze przylegające.

Uszy

O umiarkowanie ostrym końcu, wysoko osadzone; u nasady szerokie, z małżowiną skierowaną do przodu; trzymane prosto, gdy pies ma wytężoną uwagę. Prawidłowo noszone i proporcjonalne w stosunku do głowy mają wpływ na ogólny wygląd psa. Psy o wiszących uszach powinny być wykluczane z hodowli.

Oczy

Średniej wielkości, w kształcie migdała, osadzone lekko skośnie; nie mogą być wyłupiaste. Barwa jak najciemniejsza. Spojrzenie powinno być żywe, inteligentne i spokojne.

Uzębienie

Pełne. Zęby silne, zdrowe, śnieżnobiałe i regularnie rozmieszczone. Zgryz nożycowy, z dobrze przylegającymi do siebie siekaczami szczęki i żuchwy. Niepożądany

zgryz cęgowy, gdy końce zębów górnych stykają się z końcami zębów dolnych. Zęby pozbawione koloru, zużyte, wyszczerbione są wadliwe; punktacja jest obniżana w zależności od stopnia nasilenia wady.

Szyja

Silnie umięśniona, mocna, sucha, harmonijnie łącząca głowę z tułowiem. Bez podgardla i luźnych fałd. Gdy pies jest podniecony, głowa i szyja powinny być podniesione. Idealna postawa w ruchu: głowa skierowana przed siebie, będąca perfekcyjnym przedłużeniem tułowia i zadu; nigdy nie ustawiona wyżej ani niżej.

Kłąb

Mocny, dobrze zaznaczony; wyraźnie wzniesiony i łagodnie przechodzący w linię grzbietu.

Grzbiet

Idealnie prosty w linii poziomej, silnie rozwinięty, niezbyt długi, ani zaokrąglony, ani wklęsły.

Lędźwie

Widziane z góry są szerokie i mocne. Widziane z boku nie powinny pozostawiać dużej przestrzeni pomiędzy ostatnim żebrem a udem.

Ogon

Obficie owłosiony, opuszczony w dół sięga co najmniej stawu skokowego, a czasem jeszcze niżej. Sprawia wrażenie, że jest osadzony wysoko.

W spoczynku pies trzyma ogon lekko wygięty. W ruchu powinien on być wzniesiony wyżej, ale nigdy ponad linię grzbietu, gdyż burzy to harmonię całości. W przypadku podniecenia dopuszczalne jest takie uniesienie ogona, żeby tworzył przedłużenie linii, która przechodzi prostopadle do jego nasady. Wadliwe jest unoszenie ogona ponad tę wysokość lub gdy ogon się nie porusza. Niepożądany ogon zakręcony lub noszony z boku, a także zbyt krótki. Przycinanie jest niedopuszczalne.

Klatka piersiowa

Głęboka klatka piersiowa zapewnia wystarczającą przestrzeń dla płuc i serca. Harmonijnie połączona z mostkiem. Widziana z boku, wystaje nieznacznie przed łopatki. Żebra: powinny być prawidłowo ustawione w stosunku do kręgosłupa – opadające ku tyłowi i tworzące z nim kąt ok. 45°. Dobrze rozmieszczone i rozwinięte, łączą się pod mostkiem, który opada łagodnie od poziomu łokcia. Nie powinny być beczkowate ani płaskie.

Brzuch

Nie może być obwisły ani podkasany. Wyraźniej zaznaczony u suk.

Kończyny

Kończyny przednie podobne do dwóch kolumn, idealnie prostopadłe do podłoża. Kości przedramienia powinny być proste i owalne, nigdy nie okrągłe ani nie spłaszczone, płaskie czy porowate. Kończyny nie mogą być grube. W znacznym stopniu wpływają na ogólny wygląd zwierzęcia.

Niepożądane są kończyny o złym ustawieniu bądź słabych czy skrzywionych kościach.

Łapy

Silne, zwarte, o palcach dobrze wysklepionych i przylegających do siebie, mających grube opuszki. Twarde i dość grube. Pazury mocne, krótkie i ciemne. U niektórych osobników występują wilcze pazury, czasem nawet dwa, które muszą być usunięte zaraz po urodzeniu. Wadliwe są tzw. kocie i lisie łapy oraz łapy wątłe, o słabo przylegających palcach.

Szata

Składa się z podszerstka i okrywy zewnętrznej. Gęstość włosa różna, w zależności od pory roku i czasu spędzanego na wolnym powietrzu; włos powinien być tak gęsty, by chronić psa przed działaniem wody, zmianami temperatury i insektami. Brak włosa jest oceniany jako wada. W zależności od struktury włosa wyróżnia się: owczarki niemieckie o krótkim włosie, owczarki niemieckie o włosie średniej długości i owczarki niemieckie długowłose.

Umaszczenie

Dozwolone są następujące kolory: czarny, wilczasty, popielaty. Umaszczenie może być jednolite lub ze znaczeniami: brązowymi, żółtymi, jasnobrązowymi, jasnopopielatymi, przy czym podstawowym kolorem musi być czarny. Dopuszczalna jest mała biała plamka na piersi. Podszerstek, z wyjątkiem zwierząt o czarnym umaszczeniu, powinien mieć odcień koloru podstawowego.

Wzrost

Wysokość w kłębie: psa 60 – 65 cm, suki
55 – 60 cm

OWCZAREK SZKOCKI COLLIE

Wzrost: 55 – 65 cm
Waga: 25 – 35 kg
Długość życia: 13 –15 lat

▋Charakterystyka

Owczarek collie jest jedną z najzdolniejszych ras. Dlatego we Francji i Niemczech jest wykorzystywany przez wojsko i policję, a w Anglii do pomocy niewidomym.

Wskazówka 842
Collie będzie zadowolony, jeśli mu wyznaczymy jakąś pracę.

Pierwotnym celem stworzenia tej rasy było uzyskanie psa pasterskiego. Założenie to zostało osiągnięte, a ponadto dostrzeżono, że collie to pies o nieprzeciętnym temperamencie i przyjacielskim nastawieniu, nadający się do przebywania z rodziną.

Wskazówka 843
To pies bardzo przyjacielski, serdeczny, szczególnie w kontakcie z dziećmi.

Wskazówka 844
Zadziwia jego inteligencja i chęć do nauki.

Wskazówka 845
Szczeniaki lubią się bawić i należy im poświęcać dużo uwagi. Dorosłe psy są uległe.

Wskazówka 846
Jest to pies, który nie wydziela intensywnego zapachu i częste kąpiele nie są konieczne.

Wskazówka 847
Aby utrzymać szatę w porządku, wystarczy psa czesać raz w tygodniu metalowym grzebieniem.

Wskazówka 848
Jeśli pies mieszka na dworze, jego szata jest bardziej obfita.

Wskazówka 849
Chociaż owczarek collie gubi dużo sierści podczas linienia, jej zebranie nie nastręcza trudności, ponieważ włos jest dość długi.

Wskazówka 850
Jednym z głównych defektów tej rasy są choroby wzroku.

Wskazówka 851
Jest ważne, żeby zapewnić psu przynajmniej dwie godziny dziennie ruchu na wolnym powietrzu.

▌Wzorzec

Collie jest psem wrażliwym i aktywnym. Jego naturalna postawa powinna być wyprostowana i mocna.

Głowa
Prawidłowa głowa jest bardzo ważna. Widziana z przodu lub z boku, przypomina stępiony klin o bardzo dobrze wyważonych proporcjach. Koniec kufy nie jest ani ostry, ani kwadratowy. Boki czaszki zwężają się stopniowo od uszu do końca czarnego nosa; czaszka płaska i wąska. Widziane z profilu, pokrywa czaszki i grzbiet nosa są równoległe i o równej długości; oddziela je nieznaczny, ale zauważalny stop. Nad brwiami lekka wypukłość. Kość potyliczna nie powinna być zbyt spiczasta.

Uzębienie
Zęby duże, zgryz nożycowy.

Oczy
Jeśli do płaskiej czaszki, wygiętych brwi, nieznacznego stopu i zaokrąglonej kufy dodamy nieco skośnie osadzone oczy, uzyskamy majestatyczny obraz collie.

Oczy powinny być migdałowego kształtu, średniej wielkości, nigdy nie mogą być duże ani wyłupiaste. Z wyjątkiem osobników merle (marmurkowych) powinny być tego samego koloru.

Kolor oczu powinien być ciemny, bez żółtej obwódki. Trzecia powieka nie może być zbyt wydatna. Oczy charakteryzują się jasnym i błyszczącym spojrzeniem, wyrażającym inteligencję i ciekawość. Wrażenie to jest spotęgowane, gdy pies ma wzniesione uszy i natęża uwagę.

U osobników merle preferowane są oczy ciemnobrązowe albo jedno lub obydwoje koloru porcelany.

Uszy
Uszy powinny być proporcjonalne do wielkości głowy, półstojące, naturalnie załamane. Rzadko zdarzają się bardzo małe. Duże uszy zazwyczaj nie mogą być poprawnie wzniesione i nawet jeśli stoją, wyraźnie nie są proporcjonalne do wielkości głowy. W stanie odprężenia uszy są załamane i skierowane do tyłu. W stanie napięcia podniesione i w naturalny sposób załamane do przodu. Niepożądane są uszy stojące lub całkowicie oklapnięte.

Szyja
Mocna, muskularna, pokryta długim włosem tworzącym kryzę, która nadaje psu dumny wygląd.

Tułów

Mocny i muskularny, troszeczkę dłuższy niż wyższy. Żebra dobrze wysklepione, łopatki pochylone i dobrze ukątowane; klatka piersiowa głęboka, sięgająca łokci. Grzbiet mocny, równy, podtrzymywany przez biodra i potężne uda. Zad lekko pochylony, co nadaje mu zaokrąglone zakończenie. Potężne lędźwie.

Kończyny przednie

Proste i muskularne. Kości nie powinny być zbyt grube w stosunku do wielkości psa. Nie mogą nigdy sprawiać wrażenia, że pies jest ciężki. Kończyny nie powinny być rozstawione zbyt wąsko lub zbyt szeroko. Przedramiona nie powinny być za grube. Nadgarstki giętkie, ale nie luźne.

Kończyny tylne

Uda muskularne. Kolana dobrze ukątowane. „Krowie" pęciny i proste kolana są wadliwe. Łapy dosyć małe, o owalnym kształcie i silnych opuszkach. Palce wysklepione, przylegające do siebie. Kiedy pies stoi bez ruchu, podudzia i stopy się łączą, tak że pies przyjmuje naturalną postawę i można sprawdzić, czy tylne i przednie łapy są dobrze oddalone od siebie i skierowane prosto do przodu.

Ruch

Zdecydowany, sprężysty. Gdy pies porusza się wolnym kłusem, przednie kończyny, widziane od przodu, przemieszczają się prawie w tej samej linii. Tylne nie wychodzą poza łokcie, nie krzyżują się. Pies nie powinien się poruszać drobnym krokiem. Nieprawidłowe jest również balansowanie z boku na bok. Tylne łapy widziane od tyłu są proste i zastawiają ślady blisko siebie. W umiarkowanym kłusie tylne kończyny są mocne i stanowią siłę napędową. Wykrok powinien być długi i wyciągnięty, a grzbiet psa w ruchu powinien pozostać prosty. W miarę wzrostu szybkości collie zostawia ślady w jednej linii, gdyż kieruje przednie i tylne łapy do środka. Sprawia wrażenie, że biegnie bez wysiłku. Potrafi zmienić kierunek ruchu prawie natychmiast.

Ogon

Umiarkowanie długi, powinien sięgać stawu skokowego lub nieco niżej. W spokoju opuszczony; w ruchu lub w momencie podniecenia noszony wesoło, ale nigdy powyżej linii grzbietu.

Szata

Jeśli włos ma właściwą strukturę i jest prawidłowo dopasowany do ciała, stanowi koronę chwały długowłosych owczarków collie. Jest zawsze obfity, z wyjątkiem głowy i kończyn. Zewnętrzna okrywa jest prosta i szorstka w dotyku. Wadą jest włos delikatny i pofalowany.

Podszerstek jest delikatny, zwarty i tak gęsty, że trudno zobaczyć skórę. Jest bardzo obfity na grzywie i na „obroży". Włos na masce i kończynach jest prosty. Włos na tylnych kończynach od stopy do wilczego pazura powinien być starannie przycinany; na ogonie również obfity, a na biodrach długi i gęsty. Ważne są: struktura i ilość włosa oraz stopień, w jakim grzywa bierze udział w tworzeniu całości szaty.

Umaszczenie

Uznane rodzaje umaszczenia to: śniade, trójkolorowe i blue merle.

Umaszczenie śniade

Przeważa kolor śniady: od jasnozłotego do ciemnego rudego, z białymi znaczeniami na piersi, szyi, łapach, podudziu i na końcu ogona. Może także występować biała łata na kufie albo na tylnej części czaszki lub tu i tu.

Umaszczenie trójkolorowe

Przeważa kolor czarny. Białe znaczenia na przedzie i różne odcienie rudego wokół szyi i na łapach.

Umaszczenie blue merle

Pies cętkowany lub marmurkowy; dominuje kolor błękitnoszary i czarny z białymi znaczeniami. Zdarzają się też znaczenia rude.

Wzrost i waga

Wzrost w kłębie: psa 61 – 66 cm, suki 56 – 61 cm; waga: psa 27 – 34 kg, suki 22 – 30 kg.

OWCZAREK WĘGIERSKI PULI

Wzrost: 40 cm
Waga: 13 kg
Długość życia: 13 – 15 lat

Charakterystyka

Puli jest najwdzięczniejszym z owczarków węgierskich.

Wskazówka 852

Włos puli tworzy charakterystyczne długie, czarne sznury, które u dorosłego osobnika sięgają prawie do ziemi. Należy je od siebie oddzielać ręką jeden po drugim, czesać i regularnie o nie dbać.

To żywy, zwinny, inteligentny, niewymagający pies średniej wielkości, o mocnej budowie ciała.

Pies pasterski, stróżujący. Niektóre osob-

niki przeszły z powodzeniem próby do pracy w policji.

Wskazówka 853

Puli nie wymaga właściwie specjalnego traktowania, ale trzeba mu zapewnić dużo ruchu i znaleźć zajęcie.

Wzorzec

Głowa

Mała i delikatna, widziana z przodu wydaje się okrągła, z profilu ma kształt eliptyczny.

Czaszka

Okrągła. Długość kufy wynosi 35% długości głowy. Łuki nadoczne wyraźnie zaznaczone. Stop wyraźnie zaznaczony.

Kufa

Prosta, nos zaokrąglony, czarny. Wargi również czarne. Szczęka i żuchwa jednakowe.

Uzębienie

Regularne i mocne. Zgryz nożycowy. Wargi ściśle przylegają do zębów.

Uszy

Osadzone na średniej wysokości, opadające; nie wznoszą się nawet w akcji. Małżowina ma kształt szerokiej i zaokrąglonej litery V.

Oczy

O prostej oprawie, ciemnokawowe, o żywym, inteligentnym spojrzeniu. Krawędzie powiek czarne.

Szyja

Ustawiona pod kątem 45° do poziomu. Średniej długości, muskularna. Z powodu obfitości włosów słabo widoczna. Zbyt wyraźnie zaznaczona stanowi wadę.

Tułów

Wysokość w kłębie nieznacznie przewyższa wysokość grzbietu. Kręgosłup mocny, tworzy łagodnie opadający łuk. Grzbiet średniej długości, lędźwie krótkie, żebra dobrze wysklepione. Zad nieco krótki, lekko opadający. Klatka piersiowa nie jest bardzo szeroka, ale za to głęboka i długa. W przedniej części ściśle do niej przylegają kończyny przednie.

Brzuch

Umiarkowanie podciągnięty, preferowana szeroka miednica, zwłaszcza u suk.

Ogon

Liczba kręgów ogonowych wynosi od 18 do 20. Ogon słabo widoczny, ponieważ jego długi włos miesza się z włosem zadu.

Kończyny przednie

Proste i niezbyt szeroko rozstawione. Łopatki ściśle przylegają do klatki piersiowej i tworzą kąt prosty z ramionami. Ramiona średniej długości, muskularne, równoległe do podłużnej osi tułowia. Łokcie nie powinny przylegać do żeber ani być skierowane na zewnątrz. Ramię tworzy z przedramieniem kąt 120 – 130°. Przedramiona ustawione pionowo, długie i proste, o suchej muskulaturze. Śródręcza krótkie i suche, tworzą kąt 45° w stosunku do poziomu. Stopy krótkie, zaokrąglone, silne. Pazury dobrze rozwinięte, zwarte, koloru szarołupkowego. Podeszwy twarde i elastyczne.

Kończyny tylne

Uda i podudzia długie i silnie umięśnione. Miednica i kość udowa tworzą kąt prosty. Kość udowa z kośćmi podudzia tworzy kąt 100 – 110°. Kąt bardziej rozwarty lub ostrzejszy jest niepożądany, gdyż powoduje stromą lub koślawą postawę tylnych nóg. Stawy skokowe suche. Śródstopie tworzy z poziomem kąt nieco mniejszy aniżeli śródręcze, wskutek czego kończyny tylne są dłuższe niż przednie. Pazury mocne, zwarte, koloru szarołupkowego. Podeszwy twarde i elastyczne. Rozstawienie kończyn tylnych jest nieco szersze niż przednich.

Pigmentacja

Skóra zawiera dużo pigmentu i jest pigmentowana jednolicie. Nos, wargi i krawędzie powiek są czarne. Podniebienie jednolicie czarne lub plamiste. Język żywo czerwony. Pazury i podeszwy czarne lub szarołupkowe.

Szata

Składa się z grubych włosów okrywowych i puszystego podszerstka. Stosunek ilości tych dwu rodzajów włosa decyduje o jakości szaty. Obfity włos okrywowy i mało puszysty podszerstek dają futro luźne, a dużo puchu i mało grubszego włosa powoduje zbijanie się szaty i jej nadmierne spilśnianie. Przy właściwej proporcji obydwu rodzajów włosa okrywa spilśnia się umiarkowanie, co jest cechą pożądaną. Szata, zwana sznurkową, składa się z włosów tworzących dredy. Małe kosmyki spilśniają się mniej, tworząc długie sznurki. Włosy są najdłuższe na zadzie, lędźwiach, i udach (8 – 18 cm), najkrótsze na głowie i łapach. Istnieją osobniki, u których włos sięga prawie do ziemi. Po porodzie, na skutek choroby albo niedożywienia szata na dolnej części tułowia, brzuchu, piersi i wewnętrznej części kończyn może częściowo lub całkowicie wylinieć. Niepożądany jest włos rozczesany, choć nie zaleca się całkowitego zaniechania jego pielęgnacji. Hodowane są puli intensywnie czarne, czarne z odcieniem rdzawym, szare i białe. Dopuszczalna biała plama o średnicy 5 cm na piersi oraz biała sierść między palcami. Plama większych rozmiarów niepożądana.

Ruch
Krok niezbyt długi, w galopie podskakujący, bardzo szybki, staranny.

Waga
Psa 13 – 15 kg, suki 10 – 13 kg.

OWCZAREK WĘGIERSKI PUMI

Wzrost: 40 cm
Waga: 8 – 13 kg
Długość życia: 13 – 15 lat

Charakterystyka

Jest to pies zaganiający używany do pilnowania i prowadzenia stad trzody chlewnej i bydła rogatego.

Wskazówka 854
Ruchliwy, śmiały i odważny.

Wskazówka 855
Bardzo żywy, wesoły, oddany przewodnikowi. Dobry pies pasterski i stróżujący. Może być bardzo agresywny w stosunku do obcych. Powinien być czesany szczotką.

Wskazówka 856
Pies o niespokojnym temperamencie, jego odwaga graniczy z zuchwałością.

Dzięki czułemu węchowi używany do polowań na drobne gryzonie i szkodniki. Hałaśliwy, często ujadający, dlatego ceniony jako pies do pilnowania mienia, choć bez trudu przystosowuje się do życia w mieszkaniu.

Wskazówka 857
Dzięki dużej zręczności potrafi polować na gryzonie z takim samym powodzeniem jak teriery.

Wzorzec

Żywotny pies średniej wielkości o usposobieniu właściwym terierom. Głowa wydłużona, o wyraźnie zaznaczonym przełomie nosowo-czołowym. Uszy wzniesione, przycięte. Ogon noszony wysoko. Tułów kwadratowy. Szata średniej długości, nigdy nie jest sfilcowana. Oczy i stop dobrze widoczne. Umaszczenie: dopuszczalne wszystkie kolory; pręgowanie niedopuszczalne.

Głowa
Czaszka okrągła i dosyć wąska. Czoło nieco zaokrąglone, długie. Łuki nadoczodołowe nieznacznie zaznaczone. Kość czołowa prosta. Kufa wydłużona i spiczasta. Regularny zgryz nożycowy, zęby dobrze rozwinięte, wargi przylegające. Nos

i wargi czarne lub łupkowoszare, wyraźnie pigmentowane. Podniebienie ciemne, język intensywnie czerwony.

Oczy

Skośnie osadzone, ciemnobrązowe, powieki dobrze przylegające.

Uszy

Osadzone wysoko, wzniesione, ze zwisającymi końcami, średniej wielkości, w kształcie odwróconej litery V. Ruch uszu żywy.

Szyja

Wysoko osadzona, tworzy kąt 50 – 55° do podłoża. O umiarkowanej długości. Lekko wysklepiona i muskularna.

Kończyny przednie

Z powodu kwadratowej sylwetki psa kończyny przednie wydają się długie. Łopatki wysoko osadzone, ramiona krótkie, stawy ramieniowe znajdują się w płaszczyźnie przedpiersia. Kończyny są proste, prostopadłe do podłoża, niezbyt szeroko rozstawione. Stawy śródręcza proste, ustawione pionowo do podłoża. Łapy zwarte, opuszki elastyczne, pazury bardzo twarde.

Tułów

Wyraźny kłąb. Linia grzbietowa opada zdecydowanie ku tyłowi. Grzbiet i lędźwie krótkie i wąskie. Żebra bardziej spłaszczone niż beczkowate. Brzuch podkasany, zad krótki, lekko opadający, umiarkowanie szeroki. Przedpiersie płaskie, niezbyt szerokie. Klatka piersiowa głęboka i długa.

Ogon

Wysoko osadzony, zawinięty nad lędźwiami. Dopuszczalny przycięty lub krótki od urodzenia.

Kończyny tylne

Skierowane do tyłu. Kości śródstopia proste, stawy skokowe proste. Łapy zaokrąglone i zwarte, opuszki elastyczne, pazury twarde, niepożądane wilcze pazury.

Ruch

Bardzo aktywny, szybki. Wykrok krótki, galop żwawy.

Skóra i szata

Skóra łupkowoszara, mocno pigmentowana, ciało pokryte włosem średniej długości, tworzącym frędzle. Szata składa się z delikatnego podszerstka i okrywy zewnętrznej, która nie może być sfilcowana. Na kufie i kończynach włos krótszy. Na uszach średniej długości, gęsty, szorstki i sztywny. Na pozostałych częściach ciała włos może być krótszy i szorstki lub dłuższy, który tworzy frędzle. Szata nie może być podobna do sierści puli, nie może być również przylegająca. Czasem włos na klatce piersiowej, przedpiersiu i kończynach przednich może być krótszy, podobnie jak na zadzie i kończynach tylnych. Kolor szaty zróżnicowany: często spotykany gołębi, srebrzystoszary lub łupkowoszary; także czarny, jasnoszary, biały i brązowoczerwony. Łaty niedopuszczalne.

Wzrost i waga
Idealna wysokość w kłębie 33 – 44 cm,
waga 8 – 13 kg.

PEKIŃCZYK

Wzrost: 25 cm
Waga: 2 – 6 kg
Długość życia: 13 – 15 lat

Charakterystyka

Można powiedzieć, że to najbardziej arystokratyczna rasa psiego świata, gdyż pekińczyki były pałacowymi psami cesarzy chińskich.

Wskazówka 858
Pekińczyk szybko się uczy.

Wskazówka 859
Jego szata wymaga regularnych zabiegów pielęgnacyjnych. Czesanie zapobiega tworzeniu się kołtunów, które – nierozczesane w odpowiednim momencie – nie dają się później rozplątać.

Wskazówka 860
Oczy osadzone na spłaszczonej głowie są narażone na częste uderzenia, co może prowadzić do różnych problemów zdrowotnych. Dlatego należy wyjaśnić dzieciom, w jaki sposób powinny się bawić z psem.

Wskazówka 861
Jego poświęcenie i uwaga, jaką darzy właściciela, są bezwarunkowe, chociaż zachowuje dla siebie margines niezależności.

Wskazówka 862
To świetny pies towarzysz, bardzo uporządkowany i czysty.

Sprawia wrażenie pieska salonowego, ale jest na tyle aktywny, że nie grozi mu otyłość.

Wzorzec

Pies mały, harmonijnie zbudowany, dostojny i odważny. Ma charakter lwa: jest nieustraszony, umie się bronić. Jest niezależny.

Głowa
Duża. Czaszka szeroka i płaska między uszami, niewypukła; szeroka między oczami.

Nos
Bardzo krótki, szeroki; nozdrza rozwarte i czarne. Kufa szeroka, bardzo pomarszczona. Stop głęboki. Żuchwa szeroka i mocna. Profil bardzo płaski, nos osadzony wysoko między oczami.

Oczy

Duże, ciemne, błyszczące, wyraziste, ale nie wyłupiaste.

Uszy

W kształcie serca, przylegające do głowy, z długimi piórami. Płaty uszne nie powinny wystawać poza kufę.

Pysk

Zwarte wargi, język ani zęby nie powinny być widoczne.

Szyja

Raczej krótka, gruba.

Kończyny przednie

Krótkie, grube, o mocnej kości, lekko wygięte, dobrze związane w łopatkach, łokcie przylegające do ciała.

Kończyny tylne

Słabsze, ale mocne i kształtne. Staw skokowy silny; krowia postawa jest wadliwa. Łapy szerokie i płaskie, niezaokrąglone. Pies stoi pewnie na łapach, a nie na nadgarstkach. Przednie łapy lekko skierowane na zewnątrz.

Tułów

Krótki, szeroka klatka piersiowa, dobrze wysklepione żebra. Tylna część ciała węższa; dobrze zaznaczona talia, grzbiet raczej prosty, nie przekracza wysokości kończyn.

Ogon

Osadzony wysoko, noszony pewnie, lekko wygięty łukiem na grzbiecie, obficie owłosiony. Włos tworzy charakterystyczny pióropusz.

Szata

Włos długi, prosty, raczej szorstki, podszerstek bardzo gęsty. Gęsta grzywa opadająca poniżej łopatek, obfita kryza wokół szyi. Obfite pióra na uszach, podudziach, udach, ogonie, łapach.

Umaszczenie

Dopuszczalne wszystkie kolory z wyjątkiem umaszczenia albinotycznego i wątrobianego. U psów łaciatych kolory wyraźnie zaznaczone.

Wzrost i waga

Wysokość 22 – 25 cm, waga 2 – 6 kg, zarówno psów, jak i suk.

PERRO DE PRESA CANARIO (DOGO CANARIO)

Wzrost: 65 cm
Waga: 40 – 60 kg
Długość życia: 13 – 15 lat

■ Charakterystyka

Pochodzi z Wysp Kanaryjskich (Teneryfa i Gran Canaria). Początkowo był używany jako pies do walk.

Wskazówka 863

Wygląd dogo canario, a czasem również spojrzenie, budzą respekt. Przeznaczony szczególnie do obrony i stróżowania, tradycyjnie pracował jako przewodnik stad owiec.

Wskazówka 864

Pies o odziedziczonym po przodkach gwałtownym temperamencie. Zręczny bojownik.

Wskazówka 865

Łagodny i szlachetny dla właścicieli, nieufny w stosunku do obcych.

Wskazówka 866

Głos mocny i głęboki.

■ Wzorzec

Głowa

Kształtem przypomina sześcian, masywna. Bez głębokiego stopu. Stosunek długości czaszki do długości kufy jak 6:4.

Czaszka

Wypukła, szeroka. Łuk jarzmowy silnie zaznaczony, bardzo dobrze rozwinięte mięśnie policzkowe i szczękowe. Wyraźna wklęsłość pomiędzy przednimi płatami; guz potyliczny słabo zaznaczony.

Kufa

Krótsza niż czaszka, bardzo szeroka, jest przedłużeniem czaszki. Linie kufy i czaszki są proste lub lekko zbieżne.

Nos

Szeroki, o czarnej pigmentacji. Nozdrza szerokie.

Wargi

O średniej długości, mięsiste. Górna warga lekko opadająca. Błony śluzowe czarne, mogą być też o odcieniu różowym, preferowane są ciemne.

Szczęki

Zęby bardzo mocne, dobrze osadzone. Zgryz mocny, przystosowany do chwytania zdobyczy. Dopuszczalny lekki przodozgryz.

Dopuszczalny brak przedtrzonowców, ponieważ pies chwyta ofiarę dobrze rozwiniętymi siekaczami i kłami. Kły proste, ułożone w jednej linii. Podniebienie i wyżłobienia na podniebieniu dobrze zaznaczone, różowawe.

Oczy

Szeroko rozstawione, o lekko owalnym kształcie. Powieki czarne. Kolor oczu od niezbyt jasnego kasztanowego do ciemnego brązu, harmonizujący z kolorem szaty.

Uszy

Zwisające, jeśli są nieprzycięte. Średniej wielkości, wysoko osadzone. Jeśli przycięte zgodnie z tradycją – wzniesione prosto lub do połowy, trójkątne. Egzemplarze z uszami nieprzyciętymi są oceniane tak samo jak z przyciętymi.

Szyja

Cylindryczna, prosta, masywna i silnie umięśniona. Raczej krótka. Luźna skóra tworzy obwisłe podgardle. Średnia długość: 18 – 20 cm.

Kończyny przednie

Doskonale ukątowane, kości grube, pokryte mocno widoczną muskulaturą. Łokcie nie powinny przylegać do żeber ani być skierowane na zewnątrz. Palce przylegające do siebie; kocia łapa. Pazury mocne, czarne lub białe – w zależności od umaszczenia.

Tułów

Jego długość zazwyczaj o 10% przekracza wysokość w kłębie. Klatka piersiowa szeroka, rozległa, z dobrze zaznaczonymi mięśniami. Obwód klatki piersiowej jest większy co najmniej o 1/5 od wysokości w kłębie. Żebra dobrze wysklepione, prawie cylindryczne. Linia grzbietu prosta, lekko podnosząca się w kierunku zadu, jedynie tuż za kłębem nieznaczna siodłowatość. Zad prosty, szeroki. Wysokość zadu zazwyczaj o 1,5 cm przekracza wysokość w kłębie. Słabizny słabo zaznaczone, jedynie zarysowane. Brzuch umiarkowanie podkasany.

Ogon

Osadzony wysoko, elastyczny, szeroki u nasady, zwężający się ku końcowi. Sięgający do stawu skokowego. W akcji wzniesiony w kształcie szabli, skierowany ku przodowi, ale nie zawinięty.

Kończyny tylne

Potężne; widziane z przodu i z boku – proste. Uda długie i silnie umięśnione, średnio kątowane. Kocia łapa. Zazwyczaj bez wilczych pazurów. Staw skokowy niski, nie skierowany ani do wewnątrz, ani na zewnątrz. Obecność ostróg może wpływać na punktację, nie może być jednak przyczyną dyskwalifikacji.

Szata

Krótka na całym ciele, zwykle gęściejsza w okolicach kłębu, gardła i na szczycie lędźwi; bez podszerstka. Zwarta na ogonie, który sprawia wrażenie szorstkiego.

Umaszczenie

Czarne oraz wszystkie odcienie płowego aż do piaskowego. Pręgowanie od bardzo ciepłego ciemnego do bardzo jasnego szarego. Zdarzają się znaczenia wokół szyi, przechodzące w kierunku czaszki („obroża") lub na łapach („skarpetki"). Najmniej pożądane są znaczenia białe. Najczęściej występuje białe znaczenie na piersi. Maska jest zawsze ciemna i może dochodzić do wysokości oczu.

Wzrost i waga

Wysokość w kłębie: psa 61 – 66 cm, suki 57 – 62 cm. Od egzemplarzy, które przekraczają limit wysokości w kłębie, wymaga się prawidłowej proporcji między długością kończyn a wielkością tułowia. Średnia waga: psa 45 – 57 kg, suki 40 – 50 kg.

PIRENEJSKI PIES GÓRSKI

Wzrost: 65 – 80 cm
Waga: 45 – 60 kg
Długość życia: 15 –17 lat

Charakterystyka

Pirenejski pies górski jest zwierzęciem słusznego wzrostu. Do jego głównych zadań należało pasienie owiec i pilnowanie zamków we Francji, skąd pochodzi.

Wskazówka 867
Psy te wymagają dużych przestrzeni, ale dobrze się adaptują do życia rodzinnego.

Wskazówka 868
Nie są zalecane do mieszkania czy małego domu. W ograniczonej przestrzeni okazują pasywność, lepiej się zachowują w ogrodzie, nawet jeśli nie jest on bardzo duży.

Wskazówka 869
Żeby utrzymać dobrą formę, psy te potrzebują dużo ruchu. Nie musi on być bardzo energiczny, wystarczy, jeśli będzie regularny.

Wskazówka 870
Pirenejski pies górski dobrze się aklimatyzuje w chłodnym klimacie. Gorzej znosi upały. Jego podwójna okrywa wymaga regularnego czesania, a kiedy mu odrasta podszerstek, na zabiegi pielęgnacyjne należy poświęcić jeszcze więcej czasu.

▌Wzorzec

Jest to pies wysoki w kłębie, o imponującej sylwetce i mocnym kośćcu, niepozbawiony pewnej elegancji.

Głowa
Nie za ciężka w stosunku do wielkości psa; boki głowy stosunkowo płaskie. Czaszka lekko wysklepiona; widoczny guz potyliczny; w tylnej części czaszka ma kształt ostrołuku. Najszersza część czaszki jest równa jej długości. Przechodzi łagodnie w kierunku szerokiej i dość długiej kufy, zwężającej się ku końcowi. Niewielkie fafle zasłaniają żuchwę, są całkowicie czarne, podobnie jak podniebienie. Nos też zupełnie czarny.

Oczy
Raczej małe, o inteligentnym, skupionym wyrazie, koloru kawowego lub bursztynowego. Powieki ściśle przylegające, czarne, osadzone nieco ukośnie.

Uszy

Osadzone na poziomie oczu, dość małe, trójkątne, z zaokrąglonymi końcami; przylegające do głowy, nieco uniesione w stanie podniecenia.

Uzębienie

Zęby zdrowe i białe, zgryz nożycowy; siekacze górne w ścisłym kontakcie z dolnymi. Tolerowany zgryz cęgowy.

Szyja

Mocna, nie za krótka, z nieznacznym podgardlem.

Tułów

Klatka piersiowa niezbyt opadająca, szeroka i głęboka. Żebra nieznacznie wysklepione. Grzbiet dość długi, szeroki i mocny. Zad lekko opadający, o dość widocznych guzach biodrowych. Dość płytkie słabizny.

Kończyny przednie

Proste, silne, o mocnym kośćcu, z włosem tworzącym frędzle.

Kończyny tylne

Uda dobrze umięśnione, niezbyt długie, stawy skokowe szerokie i mocne, umiarkowanie kątowane. Frędzle dłuższe i gęstsze niż na przednich, tworzące portki. Na obu tylnych kończynach występują podwójne wilcze pazury.

Łapy

Niezbyt długie, zwarte, o umiarkowanie wysklepionych palcach.

Ogon

Dość długi, pokryty gęstym włosem tworzącym pióro. Preferowane zakończenie z lekkim załamaniem. W stanie odprężenia noszony nisko, w stanie podniecenia uniesiony nad grzbietem (tworzy „koło", jak mówią pirenejscy górale).

Szata

Włos gęsty, gładki, dość długi i sprężysty, dłuższy na ogonie i wokół szyi, gdzie może być nieznacznie pofalowany. Włos na portkach jest cieńszy i gęściejszy.

Umaszczenie

Charakterystyczną maścią dla tej rasy jest kolor biały lub biały z szarymi łatami (biel ma barwę kości słoniowej). Łaty mogą być również jasnożółte, wilczaste albo pomarańczowe, rozmieszczone na głowie, uszach i u nasady ogona. Niektóre psy mają łaty na tułowiu. Najbardziej cenione są łaty w kolorze borsuczym.

Wzrost i waga

Wysokość w kłębie: psa 70 – 80 cm, suki 65 – 72 cm; waga: psa ok. 60 kg, suki ok. 45 kg.

POINTER

Wzrost: 65 cm
Waga: 20 kg
Długość życia: 13 – 15 lat

Charakterystyka

W środowisku myśliwych pointery stały się jedną z najpopularniejszych ras.

Fakt, że są popularniejsze niż lokalne rasy psów wystawiających zwierzynę pochodzące z Francji, Hiszpanii czy Włoch świadczy o tym, że opłacił się upór i zręczność hodowców brytyjskich, którzy perfekcyjnie wyselekcjonowali i wykreowali nową rasę o nieprzeciętnych cechach.

Wskazówka 871
Środowisko najodpowiedniejsze do rozwoju tych zwierząt to ciepły klimat, pozbawiony wilgoci.

Wskazówka 872
Doskonały pies do towarzystwa, pod warunkiem że będzie się mógł wybiegać kilka razy w tygodniu.

Wskazówka 873
Potrzebuje dużo ruchu i nawet jako szczeniak może spędzić cały dzień na bieganiu.

Wskazówka 874
Aby utrzymać w dobrym stanie jego cienką, krótką i błyszczącą szatę, należy raz w tygodniu czesać go szczotką.

Wskazówka 875
Pointer jest psem obdarzonym szczególną inteligencją, wyrażającą się w specyficznym sposobie polowania.

Odznacza się bardzo czułym węchem i nienaganną stójką. Szybki, zwinny, potrafi galopować godzinami bez najmniejszych oznak zmęczenia. Przeszukuje teren w promieniu trzystu metrów wokół myśliwego. Wytrzymuje nawet największe upały. Z wielką szybkością przebiega długie dystanse. Kończy zadanie widowiskową stójką.

Wskazówka 876
To łagodne i wielkoduszne zwierzę, oddane właścicielowi.

Wskazówka 877
Energiczny, wesoły, lubiący zabawy, świetny pies do towarzystwa. W żadnym wypadku nie jest histeryczny ani agresywny.

Wzorzec

Pointer jest psem pod każdym względem dobrze zbudowanym i eleganckim. Powinien sprawiać wrażenie silnego i wytrzymałego.

To arystokratyczny, aktywny pies, a jego wygląd odzwierciedla siłę, wytrzymałość i szybkość. Ma dobry charakter, okazuje wrodzoną niezależność.

Głowa
Czaszka powinna być średniej szerokości, proporcjonalnej do długości kufy. Stop dobrze zaznaczony, guz potyliczny wyraźnie widoczny. Nos i oprawa oczu są w ciemnym kolorze, ale mogą być jaśniejsze u osobników o cytrynowym lub białym umaszczeniu. Nos jest szeroki, delikatny i wilgotny. Nieco wklęsła kufa kończy się na poziomie wierzchołka nosa, nadając części twarzowej specyficzny kształt. Łuk jarzmowy nie jest wystający. Lekkie wklęśnięcie pod oczami. Wargi dobrze rozwinięte i gładkie.

Oczy
Są osadzone w jednakowej odległości od potylicy i nosa. Żywe, z wyrazem dobroci. W zależności od koloru szaty są orzechowe lub kasztanowe. Nie są wyłupiaste ani ponure. Spojrzenie zawsze przenikliwe.

Uszy
Osadzone dość wysoko, przylegają do głowy. Średniej długości, lekko spiczaste na końcach. Skóra na uszach cienka.

Szczęki i uzębienie
Szczęki silne; regularny i kompletny zgryz nożycowy – siekacze szczęki przykrywają siekacze żuchwy w ścisłym kontakcie, a ich ustawienie jest pionowe.

Szyja
Długa, muskularna, lekko wysklepiona, bez podgardla.

Kończyny przednie
Łopatki długie, ukośne, nachylone ku tyłowi. Kończyny od łokcia do podłoża są proste i zwarte. Kościec mocny. Kości są owalne, a ścięgna mocne i wyraźnie zaznaczone. Staw nadgarstkowy nie powinien wystawać przed przedni profil kończyny; tworzy bardzo lekką wypukłość na jej powierzchni wewnętrznej. Kości śródręcza są dość długie, mocne i elastyczne, lekko ukośne.

Tułów
Klatka piersiowa powinna być tak szeroka, by miała odpowiednią pojemność. Jej dół ma się znajdować w okolicy łokci. Dobrze wysklepione żebra w tylnej części klatki piersiowej zmniejszają się stopniowo w stronę krótkich, mocnych, muskularnych i lekko wysklepionych lędźwi. Guzy krzyżowe są oddalone daleko od siebie i wyraźne, lecz nie wystają ponad poziom grzbietu.

Kończyny tylne
Dobrze umięśnione. Zad dobrze ukątowany. Uda i podudzia dobrze rozwinięte. Stawy skokowe blisko podłoża.

Łapy
Owalne, palce zwarte i lekko wysklepione, o mocnych opuszkach.

Ogon
Średniej długości, gruby u nasady, stopniowo zwęża się ku końcowi. Szczelnie pokry-

ty zwartym włosem, noszony na poziomie grzbietu, nie tworzy jednak zgięcia ku górze. Kiedy pies jest w akcji, ogon powinien się poruszać na boki.

Ruch

Pointer, biegnąc, przeszukuje teren. Łokcie w ruchu nie powinny być zwrócone ani na zewnątrz, ani do wewnątrz. Pies w żadnym wypadku nie powinien podnosić kończyn zbyt wysoko (jak koń na paradzie).

Szata

Delikatna, krótka, twarda, równomiernie pokrywająca ciało, idealnie gładka i wyraźnie błyszcząca.

Umaszczenie

Najczęstszymi maściami są: cytrynowo--biała, pomarańczowo-biała, wątrobiano--biała i czarno-biała. Poprawne są również maści jednolite i trójbarwne.

Wzrost

Wysokość w kłębie: psa 63 – 69 cm, suki 61 – 66 cm.

PUDEL

Wzrost: w zależności od typu
Waga: w zależności od typu
Długość życia: 15 – 17 lat

▌Charakterystyka

Należy zapomnieć o uprzedzeniach. Czasem się mówi, że pudel jest nerwowy i za dużo szczeka; niektórzy twierdzą, że pudle srebrne i apricot są bardziej nerwowe, natomiast brązowe i czarne, zwłaszcza średnie – spokojniejsze.

Żadna z tych opinii nie znajduje naukowego potwierdzenia. Nie znaczy to, że rasa ta nie ma wad, ale nie zależą one od wielkości czy umaszczenia. Zawsze ma też na psa wpływ wychowanie, jakie mu zapewnimy.

Wspólną cechą wszystkich pudli jest zadziwiająca siła, proporcjonalna do ich wielkości, dlatego lepiej nie puszczać luzem ani dużego pudla, ani pudla toy.

Wskazówka 878
Nawet ta mała włochata kulka może się stać nieznośna, jeśli się przyzwyczai do nieoczekiwanego przeskakiwania z kolana na kolano, dając tym wyraz swej witalności.

Wskazówka 879
Pudle lubią dla przyjemności podskubywać ludzi, a czasem nawet delikatnie podgryzać. Na początku wywołuje to uśmiech, który jednak szybko się zmienia w grymas niezadowolenia. Należy od małego zabraniać psu takiego zachowania.

Wskazówka 880
Cecha pudli, którą najczęściej wymieniają ich posiadacze, to niewątpliwie wierność. Psy te są bardzo przywiązane do właścicieli, czasem nawet bywają zaborcze. Lubią chodzić za nimi krok w krok, siadać w tym samym momencie, co oni, bacznie ich obserwować. Jeśli zajdzie potrzeba, potrafią też właściciela pocieszyć.

▌Wzorzec

Głowa
Wytworna, o prostych konturach, proporcjonalna do tułowia. Długość wynosi nieco ponad dwie piąte wysokości psa w kłębie. Głowa nie może być ciężka ani masywna, jak również zbyt delikatna. Kształt głowy powinien być widoczny poprzez skórę.

Nos

Wydatny, dobrze rozwinięty, o pionowym profilu. Nozdrza rozwarte. Nos czarny u osobników o barwie czarnej, białej i srebrnej; brązowy u pudli brązowych; u morelowych ciemny brąz może przechodzić w czerń.

Czaszka

Widziana z góry jest owalna w osi długiej, a z profilu nieco wypukła. Łuki nadoczne wydatne, okryte długim włosem. Bruzda czołowa szeroka pomiędzy oczami, zwęża się w kierunku silnie zaznaczonego guza potylicznego (u pudli miniaturowych może on być mniej wyraźny).

Oczy

Wyrażające żywe zainteresowanie, osadzone na wysokości stopu i lekko skośne, szpara powiekowa nadaje im kształt migdałów. Czarne lub ciemnobrązowe; bardzo ciemne u pudli białych, srebrnych i morelowych; u brązowych mogą być bursztynowe.

Uszy

Dość długie, opadające wzdłuż policzków; zaokrąglone na końcach, pokryte bardzo długą falistą sierścią. Pudel, którego uszy nie sięgają kątów wargowych, nie może otrzymać oceny doskonałej.

Szyja

Silna, lekko wygięta poniżej karku, średniej długości, harmonijna; bez wiszącego podgardla. Głowa noszona wysoko i dumnie.

Kończyny przednie

Kłąb słabo rozwinięty, łopatka ukątowana i muskularna; długość kości ramieniowej odpowiada długości łopatki. Kończyny przednie są idealnie proste i równoległe, eleganckie, dobrze umięśnione, o dobrym kośćcu. Łapy raczej małe, mocne, w kształcie krótkiego owalu; palce dobrze wysklepione, mocne, zwarte, połączone błoną międzypalcową, pewnie stojące na twardych i grubych opuszkach. Pazury u pudli czarnych i srebrnych są czarne; u brązowych czarne lub brązowe; u białych są w różnych kolorach rogu, aż do czerni. Białe pazury u białych pudli są wadą. U pudli morelowych pazury w różnych odcieniach brązu aż do czerni.

Kończyny tylne

Uda dobrze umięśnione i silne; kończyny tylne widziane od tyłu są równoległe; mięśnie dobrze rozwinięte i wyraźnie widoczne. Pudel powinien się rodzić bez szczątkowych palców na tylnych kończynach. Tylne łapy są takie same jak przednie.

Tułów

Proporcjonalny, długość nieco większa niż wysokość w kłębie. Klatka piersiowa opada aż do łokcia, obwód klatki piersiowej mierzony za łopatkami powinien być przynajmniej o 10 cm większy niż wysokość w kłębie.

Grzbiet

Linia grzbietu harmonijna, krótka, nie może być łękowata ani karpiowata; odległość od podłoża do kłębu jest podobna do odległości od podłoża do zadu.

Ogon

Osadzony dość wysoko na linii lędźwi; w przypadku pudli z szatą lokowatą powinien być skrócony o 1/3 długości lub do połowy. Ogon długi i prawidłowo noszony nie jest jednak wadą. U pudli z szatą sznurową może pozostać naturalnej długości. W ruchu ogon obowiązkowo noszony ukośnie.

Szata
Pudel z szatą lokowatą: włos obfity o delikatnej strukturze, wełnisty, skręcony, elastyczny i oporny na nacisk dłoni; powinien być gruby, gęsty, o jednolitej długości, i tworzyć regularne loki, które należy czesać; niepożądana szata ostra w dotyku, sprawiająca wrażenie końskiej sierści.

Pudel z szatą sznurową: włos obfity o delikatnej strukturze, wełnisty i gęsty, tworzący cienkie sznury o równej długości (co najmniej 20 cm).

Umaszczenie
Pudel z szatą lokowatą i sznurową: maść czarna, biała, brązowa, srebrna i morelowa. Brązowa powinna być czysta, jednolita, dość ciemna i ciepła. Odcienie brązu nie powinny przechodzić w kolor beżowy ani w kolory jaśniejsze. Maść ta nie może również zbliżać się do zbyt ciemnobrązowej, a tym bardziej do czystej czerni. Maść srebrna powinna być jednolita, odcienie szarości nie mogą przechodzić w czerń ani biel. Morelowa musi być jednolita, nie może być zbliżona do koloru beżowego, kremowego, rudego, kasztanowego, brązowego ani ich odcieni.

Wskazówka 881
Pielęgnacja psów tej rasy zależy od ich wyglądu. Istnieje wiele sposobów czesania.

Fryzura „na lwa"
Niezależnie od tego, czy szata jest lokowata, czy sznurowa, pies musi mieć kończyny tylne ostrzyżone aż do żeber. Strzyże się również: kufę, policzki, kończyny przednie i tylne oprócz mankietów i bransolet (i dowolnych fragmentów na kończynach tylnych), ogon (pozostawiając na końcu pompon). U wszystkich osobników zalecane są wąsy. Dopuszczalne jest pozostawienie włosa na przednich kończynach, zwanego portkami.

Fryzura „nowoczesna"
Pozostawienie włosa na czterech kończynach jest dopuszczalne jedynie pod warunkiem, że się przestrzega poniższych zasad.

Należy wystrzyc: dół kończyn przednich od pazurów do palca szczątkowego; dół kończyn tylnych do takiej samej wysokości (strzyżenie maszynką ograniczone do samych palców); głowę i ogon – jak „na lwa"; wyjątkowo dozwolone jest przy tej fryzurze pozostawienie pod żuchwą krótkiego włosa, nie dłuższego niż 1 cm, którego końce powinny być ścięte równolegle z żuchwą; nie toleruje się „koziej" brody. Dla uzyskania efektu lśniącego jedwabiu włos na tułowiu skraca się mniej więcej do długości 1 cm.

Czupryna na głowie i szyi oraz portki na kończynach powinny być jednakowej długości; portki na tylnych kończynach pozwalają dostrzec kątowanie typowe dla pudla.

Fryzura „angielska"
Oprócz „lwich" motywów na tylnych kończynach (mankietów i bransolet), na głowie powinien być kask. Wąsy nie są obowiązkowe.

Skóra

Elastyczna, nieluźna, pigmentowana; pudle czarne, brązowe, srebrne i morelowe muszą mieć pigmentację dostosowaną do maści. W przypadku pudli białych pożądane jest zabarwienie srebrzyste.

Wysokość w kłębie

Pudle duże: powyżej 45 do 58 cm. Pudle średnie: powyżej 35 do 45 cm. Pudle miniaturowe: powyżej 28 do 35 cm. Pudle toy: poniżej 28 cm; idealna wysokość 25 cm. Należy unikać cech karłowatości.

RAFEIRO DO ALENTEJO (PIES PASTERSKI Z ALENTEJO)

Wzrost: 70 cm
Waga: 60 kg
Długość życia: 12 lat

Charakterystyka

Pies o dużych predyspozycjach do stróżowania, przede wszystkim w nocy. Posłuszny i sumienny pracownik, o nieco niezależnej naturze.

Wskazówka 882
Wymaga surowego prowadzenia, przeznaczony dla osoby, która będzie umiała go skierować na właściwe tory.

Wskazówka 883
Nie nadaje się do bloków, ponieważ potrzebuje dużych przestrzeni i ruchu na wolnym powietrzu.

Wskazówka 884
Wymaga regularnego, choć niezbyt dużego wysiłku.

Wzorzec

Głowa
Proporcjonalna w stosunku do ciała, podobna do głowy niedźwiedzia.

Czaszka
Szeroka, wysklepiona w osi podłużnej i poprzecznej; guz potyliczny słabo zaznaczony. Bruzda czołowa niezbyt rozwinięta. Łuki nadoczne słabo zaznaczone. Stop lekko zaznaczony.

Kufa
Widziana z profilu prosta, krótsza niż czaszka, nie bardzo szeroka, o zaokrąglonych krawędziach.

Nos
Owalny, ciemny; koniec nosa lekko ścięty.

Wargi
Cienkie, mocne, lekko zaokrąglone z przodu. Górna warga przykrywa dolną.

Szczęki
Mocne i bardzo umięśnione. Zgryz nożycowy.

Oczy
Małe, owalne, ciemne, osadzone poziomo, o spokojnym wyrazie. Powieki mocno pigmentowane.

Uszy
Osadzone na średniej wysokości, nieznacznie powyżej oczu. Małe, trójkątne,

opadające na boki głowy i mało ruchliwe. W chwili podniecenia wznoszą się lekko u podstawy, ale pozostają opadające i przylegają pionowo do głowy.

Tułów

Mocny, dobrze umięśniony, długi, pojemny, lekko opadający. Szyja prosta, krótka, mocna, z szerokim i głębokim podgardlem. Grzbiet długi, prosty, lekko opadający. Lędźwie średniej długości, nieznacznie wysklepione. Zad lekko opadający, średniej długości, szeroki i wysoki. Klatka piersiowa szeroka i głęboka. Mostek prawie poziomy. Żebra proste, nieco wysklepione.

Kończyny przednie

Silne, szeroko rozstawione, ustawione pionowo, dobrze umięśnione. Łopatki mocne, średniej długości, odstające od siebie, lekko skośne, dobrze rozwinięte, umięśnione; między łopatką a ramieniem kąt rozwarty. Przedramię pionowe, długie, mocne i dobrze umięśnione. Śródręcze mocne, średniej długości, lekko nachylone. Łapy długie, spłaszczone, zwarte, o grubych, nieco wysklepionych palcach. Pazury mocne, w kolorze zależnym od maści psa; opuszki grube i wytrzymałe.

Kończyny tylne

Silne, szeroko rozstawione, widziane od tyłu – proste i ustawione pionowo. Uda długie o słabo widocznej muskulaturze. Podudzia muskularne, lekko skośne, średniej długości. Staw skokowy średnio kątowany.

Kości śródstopia średniej długości. Śródstopie mocne, skośne. Dopuszczalne są pojedyncze lub podwójne wilcze pazury.

Ogon

Gruby, osadzony na średniej wysokości, długi, zagięty na końcu, ale nie załamany. W spoczynku zwisa i sięga poniżej stawu skokowego; w akcji zakręcony.

Szata

Czarna, płowa, wilczasta, żółta z białymi plamami, dwukolorowa, dropiata lub pręgowana. Skóra raczej gruba, przylegająca. Śluzówki wewnętrzne lub zewnętrzne o pigmentacji częściowo lub całkowicie czarnej. Włos krótki albo średniej długości, gruby, gładki, gęsty, równomiernie rozłożony na całym ciele aż do fałd międzypalcowych.

Wzrost i waga

Wzrost: psa 66 – 74 cm, suki 64 – 70 cm; waga: psa ok. 60 kg, suki do 55 kg.

RHODESIAN RIDGEBACK

Wzrost: 65 cm
Waga: 35 kg
Długość życia: 13 – 15 lat

∎ Charakterystyka

Psy tej rasy, stworzonej pod koniec XIX wieku na terenie dzisiejszego Zimbabwe, były używane przez tubylców przede wszystkim do polowań na lwy i inne duże zwierzęta.

Obecnie są bardzo popularne w Anglii, gdzie się je z powodzeniem wykorzystuje do stróżowania.

Wskazówka 885
Nie ma specjalnych wymagań i bardzo dobrze przystosowuje się do naszego klimatu. Rzecz jasna wymaga odpowiedniej ilości ruchu.

Wskazówka 886
Majestatyczny, inteligentny, ostrożny w stosunku do obcych, nie przejawia jednak agresywności ani strachu.

Rhodesian ridgeback powinien być harmonijnie zbudowany, mocny i dobrze umięśniony, aktywny, o symetrycznej sylwetce.

Wskazówka 887
Jest niezwykle wytrzymały i może osiągać znaczną prędkość.

Wskazówka 888
Odznacza się zręcznością, elegancją i niezłomnością, nie ma tendencji do ociężałości.

∎ Wzorzec

Charakterystyczną cechą tej rasy jest pręga grzbietowa utworzona przez włos rosnący w odwrotnym kierunku niż pozostała część okrywy włosowej. Pręga ta, wyraźna i symetryczna, zwęża się w kierunku zadu. Powinna się zaczynać tuż za łopatkami i ciągnąć aż do guzów biodrowych.

Głowa
Powinna być długa, płaska, szeroka (szerokość czaszki między uszami równa odległości od guza potylicznego do stopu i od stopu do nosa). Jeśli pies jest spokojny, na głowie nie widać zmarszczek. Stop powinien być wyraźnie zaznaczony.

Nos
Powinien być czarny lub brązowy. Jeżeli

oczy są ciemne, nos musi być czarny; jeśli są bursztynowe, musi być brązowy.

Kufa
Długa, głęboka i mocna.

Wargi
Linia warg jest wyraźnie zaznaczona, wargi dobrze przylegają do szczęk.

Szczęki i uzębienie
Szczęki mocne. Doskonały i kompletny zgryz nożycowy, a więc siekacze górne ściśle zachodzą na dolne. Siekacze są osadzone prostopadle do szczęk. Zęby, zwłaszcza kły, dobrze rozwinięte.

Oczy
Powinny być umiarkowanie rozstawione, okrągłe, błyszczące i żywe, o inteligentnym wyrazie i kolorze harmonizującym z barwą szaty.

Uszy
Osadzone dość wysoko, średniej wielkości, dość szerokie u nasady. Stopniowo się zwężają, a ich końce są zaokrąglone. Noszone płasko przy głowie.

Szyja
Dość długa, mocna, bez podgardla.

Grzbiet i lędźwie
Grzbiet mocny. Lędźwie mocne, muskularne i lekko wysklepione.

Klatka piersiowa
Nie powinna być zbyt szeroka, ale głęboka i pojemna; dolna linia powinna sięgać aż do łokcia. Przedpiersie widziane z boku powinno być uwydatnione. Żebra umiarkowanie wysklepione, nigdy nie beczkowate.

Ogon
Mocny u nasady, zwężający się stopniowo ku końcowi, niegruby. Powinien być średniej długości, nieosadzony ani zbyt wysoko, ani zbyt nisko. Noszony lekko zagięty ku górze, ale nigdy nie zakręcony.

Kończyny przednie
Idealnie proste, silne, o mocnym kośćcu. Łokcie przylegające do ciała. Kończyny widziane z boku powinny być szersze niż widziane z przodu.

Łopatki
Ukośne, wyraźne i muskularne, zdradzające szybkość.

Stopy
Zwarte, zaokrąglone, o dobrze wysklepionych palcach i elastycznych, wytrzymałych opuszkach. Chronione włosem rosnącym między palcami i opuszkami.

Kończyny tylne
Mięśnie mocne i wyraźnie zarysowane. Stawy kolanowe dobrze kątowane. Stawy skokowe mocne. Śródstopia dość krótkie.

Ruch
Prosty, swobodny i energiczny.

Szata
Krótka i gęsta, gładka, błyszcząca. Ani wełnista, ani jedwabista.

Umaszczenie
Od jasnopszenicznego do czerwonego. Dopuszczalne są niewielkie białe znaczenia na piersi i palcach. Niepożądana jest nadmierna ilość białych włosów na piersi lub brzuchu oraz na łapach. Dopuszczalne ciemne uszy i kufa. Nadmiar czarnych

włosów na całej okrywie jest zdecydowanie niepożądany.

Wzrost i waga

Pożądana wysokość w kłębie: psa 63 – 69 cm, suki 61 – 66 cm. Pożądana waga: psa 36 kg, suki 32 kg.

ROTTWEILER

Wzrost: 60 cm
Waga: 50 kg
Długość życia: 13 – 15 lat

▌Charakterystyka

Nie jest do końca pewne, czy rottweiler rzeczywiście pochodzi z Niemiec. Nawet jeśli tak jest, to początki tej rasy sięgają czasów imperium rzymskiego.

Dzisiejszy rottweiler zachował potężną budowę ciała swych przodków, którzy byli jednak nieco mniejsi. Antyczne psy służyły w legionach rzymskich do pilnowania i zaganiania stad bydła.

Wskazówka 889
Miły, cierpliwy, posłuszny i odważny.

Wskazówka 890
Nie ma wygórowanych wymagań, jeśli chodzi o ruch i aktywność fizyczną.

Wskazówka 891
Na negatywne bodźce reaguje szorstko, odważnie i z zimną krwią.

Wskazówka 892
Dobrze kontroluje emocje, dość nieufny, o średnim poziomie agresji, co pozwala mu w różnych okolicznościach reagować spokojnie. Jednak w razie zagrożenia jego reakcja jest natychmiastowa, co jest związane z jego niezwykle rozwiniętym instynktem walki i obrony.

Wskazówka 893
Doskonale znosi ból. Wierny właścicielowi i jego rodzinie, których strzeże jak nikt inny.

Wskazówka 894
Kiedy zagrożenie mija, znika jego żądza walki i rottweiler na nowo staje się łagodnym psem.

Wskazówka 895
Lubi dzieci i wodę. Jest to pies użytkowy, zupełnie nienadający się do polowań.

▌Wzorzec

Wygląd ogólny: pies o mocnej budowie ciała, czarny, z wyraźnie widocznymi rdzawymi znaczeniami. Bardzo muskularny, średniego wzrostu, ani za ciężki, ani za lekki, ani za wysoki, ani za niski. Jego sylwetka uwidacznia siłę, giętkość, wytrzymałość i naturalną tężyznę. Z jego zachowania przebija pewność siebie; ma stalowe nerwy i odznacza się walecznością. Spokojne spojrzenie rottweilera świadczy o naturalnej dobroduszności. Jest wiernym stróżem swego przewodnika i jego mienia.

Głowa

Średniej długości, pomiędzy uszami szeroka, guz potyliczny dobrze rozwinięty. Odległość od nosa do wewnętrznego kącika oka równa odległości od kącika oka do kości potylicznej. Głowa powinna być gładka, bez zmarszczek, jednak mogą się one pojawiać, gdy pies natęża uwagę.

Szyja

Mocna, średniej długości, dobrze umięśniona, o lekko wysklepionej linii karku. Brak podgardla i luźnej skóry w okolicach gardła.

Kufa

Grzbiet nosa prosty, u nasady szeroki. Nos dobrze wykształcony, czarny, raczej szeroki niż okrągły.

Oczy

W kształcie migdałów, o dobrze przylegających powiekach. Tęczówka jednokolorowa, od niezbyt ciemnego do ciemnego brązu, przy czym preferowane są ciemniejsze tony. Wadą są oczy inne niż brązowe, a także oczy niejednakowej wielkości lub różnego kształtu. Wadliwe są również powieki pozbawione włosa.

Uszy

Zwisające, proporcjonalnie małe, trójkątne. Prawidłowo osadzone dodają szeroko-ści głowie, kiedy pies wytęża uwagę. Koniec ucha sięga mniej więcej do połowy policzka. W prawidłowej pozycji ucho powinno się o niego opierać.

Uzębienie

Mocne i kompletne: 42 zęby. Górne siekacze zachodzą nożycowo na dolne. Wady: przodo- i tyłozgryz, a także gdy pies ma za dużo lub za mało o cztery bądź więcej zębów.

Tułów

Linia grzbietu mocna i prosta. Klatka piersiowa głęboka, schodząca aż do łokci; pojemna, z wyraźnie zaznaczoną przednią częścią. Żebra dobrze wysklepione. Lędźwie krótkie, głębokie i dobrze umięśnione. Zad średniej długości, szeroki, lekko opadający.

Ogon

Krótki i gruby. Przycinany kilka dni po urodzeniu (zostawia się jeden lub dwa kręgi). Zazwyczaj jest noszony poziomo i sprawia wtedy wrażenie przedłużenia linii grzbietu. Lekko wzniesiony, gdy pies jest podniecony. Niektóre rottweilery rodzą się z ogonem szczątkowym. Z nieprzyciętym ogonem pies tej rasy wygląda dziwnie, choć ważniejsza jest szerokość ogona niż długość.

Kończyny przednie

Łopatki długie i dobrze osadzone. Przedramiona rozwinięte i umięśnione. Śródręcza mocne i sprężyste. Łapy okrągłe, zwarte i wysklepione. Podeszwy twarde, pazury krótkie, czarne i mocne. Widziane od przodu, kończyny przednie są proste i równoległe; widziane z boku – także proste. Nachylenie łopatki do osi poziomej tułowia wynosi ok. 45°; kąt utworzony przez łopatkę i kość ramieniową wynosi 115°.

Kończyny tylne

Uda średniej długości, duże i umięśnione. Podudzia długie, mocne, umięśnione i dobrze kątowane. Tylne stopy nieco dłuższe niż przednie, ale tak samo zwarte i wysklepione; o dużym pierwszym palcu, bez wilczych pazurów. Kończyny tylne widziane od tyłu są proste. Stawy kolanowe i skokowe tworzą w spoczynku kąt rozwarty. Pochylenie kości biodrowej wynosi 20 – 30°.

Szata

Włos okrywowy twardy, długi, mocny i przylegający. Podszerstek cienki, nie może wystawać ponad włos okrywowy. W górnej części przednich kończyn owłosienie nieco dłuższe.

Umaszczenie

Czarne z wyraźnie wyodrębnionymi rudobrązowymi znaczeniami na policzkach, kufie, nasadzie szyi, klatce piersiowej, łapach, a także nad oczami i poniżej nasady ogona. Powierzchnia znaczeń nie powinna przekraczać 10% powierzchni całego ciała. Dyskwalifikowany jest każdy kolor poza czarnym, a także brak znaczeń.

Ruch

Rottweiler jest kłusakiem, jego ruch jest harmonijny, pewny, o długim wykroku. Pies sprawia wrażenie silnego i wytrzymałego. Grzbiet w ruchu jest stabilny i stosunkowo prosty.

Wzrost i waga

Wzrost: psa 60 – 68 cm, suki 53 – 55 cm; waga 50 kg.

SAMOJED

Wzrost: 55 cm
Waga: 35 kg
Długość życia: 13 – 15 lat

▌Charakterystyka

Pochodzi z regionu o zimnym, surowym klimacie, lecz charakter ma ciepły i wesoły. Samojed jest znany jako pies z uśmiechem na pysku.

W odróżnieniu od innych psów z północy lubi zwracać na siebie uwagę. Właściciela darzy uwielbieniem, ale wymaga od niego pieszczot i odpowiedniej ilości ćwiczeń i ruchu na wolnym powietrzu.

Wskazówka 896
Źle znosi zamknięte pomieszczenia i małe mieszkania. Należy go kilkakrotnie w ciągu dnia wyprowadzać na spacer i zapewnić mu dużo ruchu.

Rasa ta cieszy się dobrym zdrowiem i rzadko występują u niej obciążenia genetyczne.

Wskazówka 897
Wymaga regularnego czesania. Okrywa samojeda składa się z dwóch warstw: wewnętrznej – bardzo zwartej i wełnistej, oraz zewnętrznej – cieńszej i długiej.

Inteligentny, szlachetny, oddany, czujny, bardzo aktywny, chętny do pracy i sprawiania przyjemności właścicielowi, dosyć serdeczny. Nie jest lękliwy ani płochliwy czy agresywny. To pies o dużych zdolnościach adaptacyjnych.

▌Wzorzec

Samojed to typowy przykład psa użytkowego, który łączy piękno, czujność i siłę ze zwinnością, dostojeństwem i wdziękiem.

Ponieważ wywodzi się z terenów o zimnym klimacie, jego włos powinien być gęsty i odporny na zmiany pogody. Ważniejsza jest jego jakość niż ilość.

Proporcjonalnej budowy ciała, o kośćcu solidniejszym, niż można by się spodziewać po psie jego wzrostu. Nie jest bardzo masywny, co umożliwia mu rozwijanie pożądanej prędkości i nie wpływa ujemnie na zwinność.

Głowa
Czaszka w formie klina, szeroka. Głowa nie powinna być okrągła ani w kształcie jabłka.

Kufa

Średniej długości i szerokości, powinna się zwężać ku nosowi i być proporcjonalna w stosunku do wielkości psa i szerokości czaszki. Stop wyraźnie zauważalny, ale niezbyt mocno zaznaczony. Preferowane czarne wargi, biegnące łagodnym łukiem ku górze, tworzące tak zwany uśmiech samojeda. Wargi nie powinny być grube i zwisające.

Uszy

Mocne i grube, trójkątne, nieco zaokrąglone na końcach. Nie powinny być za duże ani zbyt małe (uszy niedźwiedzie). Proporcjonalne do wielkości głowy i ciała, szeroko rozstawione, ale nieprzekraczające zewnętrznej krawędzi głowy. Ruchliwe, o wnętrzu pokrytym włosem. Długość ucha powinna być taka sama jak odległość od wewnętrznej części podstawy ucha do zewnętrznego kącika oka.

Oczy

Ciemne, preferowane czarne. Powinny być rozstawione dość szeroko, osadzone głęboko w oczodołach, o migdałowatym kształcie. Ustawione nieco ukośnie. Oprawa oczu powinna być ciemna, najlepiej czarna. Oczy okrągłe lub wyłupiaste są wadą. Oczy niebieskie są niedopuszczalne.

Nos

Preferowany czarny, dopuszczalny ciemnobrązowy lub cielisty. Niekiedy kolor nosa zmienia się w zależności od wieku i warunków pogodowych.

Szczęki i uzębienie

Zęby mocne, prawidłowo rozstawione, dobrze zachodzące na siebie; zgryz nożycowy. Niedopuszczalny przodo- lub tyłozgryz.

Szata

Dwojakiego rodzaju. Ciało powinno być pokryte wełnistym, miękkim, krótkim, grubym, przylegającym podszerstkiem oraz zewnętrzną okrywą, której włos jest dłuższy, twardszy i nie może tworzyć loków. Włos na szyi i łopatkach powinien się układać w kształcie grzywy, obramowując głowę (szczególnie wyraźnie u psów). Włos jest odporny na zmiany pogody. Jego jakość jest ważniejsza od ilości. Wypadanie niepożądane. Sierść powinna mieć lśniący, srebrzysty połysk. Suki mają zwykle włos krótszy i miększy od psów.

Umaszczenie

Kolor samojeda powinien być czysto biały, kremowobiały lub całkowicie kremowy. Każdy inny kolor jest niedopuszczalny.

Ruch

Typowym chodem dla samojeda jest trucht. Ruch powinien być szybki, zwinny i harmonijny. Krok swobodny, wyważony i energiczny. Kończyny przednie mają daleki zasięg, a tylne dają silne odbicie. W truchcie pies powinien mieć daleki wykrok. W stępie lub kłusie ruch nie odbywa się po jednej linii, lecz w miarę wzrostu szybkości kończyny prawe i lewe stopniowo zbliżają się do siebie i w rezultacie podeszwy dotykają podłoża bezpośrednio na linii podłużnej ciała. Grzbiet powinien być silny, prosty i poziomy. Chód odbiegający od podanego wzorca jest wadliwy.

Kończyny przednie

Powinny być równoległe i proste aż

do śródręczy, które są mocne, dobrze wysklepione, elastyczne i nadają prawidłowe kątowanie stopom. Ponieważ klatka piersiowa jest głęboka, kończyny powinny być średniej długości. Ich długość od podłoża do łokcia powinna wynosić około 55% całkowitej wysokości w kłębie; pies o krótkich kończynach powinien być wykluczony z hodowli. Ramiona długie, ustawione pod kątem 45°, nadają ciału wytrzymałość. Wystające łokcie lub ramiona są dyskwalifikowane. Stopy duże, długie, spłaszczone, tak zwane lisie, lekko otwarte, o niezbyt szeroko rozstawionych palcach. Palce dobrze wysklepione, opuszki grube i twarde, pomiędzy palcami sierść. W pozycji stojącej stopy nie powinny być skierowane ani do wewnątrz, ani na zewnątrz; podczas ruchu mogą być skierowane lekko do wewnątrz. Wadami są: łapy skierowane na zewnątrz, „ptasie palce", łapy okrągłe, „kocie" albo szeroko rozstawione.

Kończyny tylne

Uda powinny być dobrze zaznaczone. Stawy kolanowe dobrze kątowane – pod kątem około 45° do podłoża. Stawy skokowe również dobrze kątowane, znajdujące się na wysokości równej około 30% wysokości bioder. W pozycji stojącej stopy widziane od tyłu powinny być równoległe. Mocne, dobrze ukształtowane, nie mogą być skierowane ani na zewnątrz, ani do wewnątrz. Kolana i stawy kolanowe proste są niepożądane. Wadliwa jest również „postawa krowia". Stawy skokowe „krowie" są dopuszczalne, jeżeli pies może się poruszać w sposób naturalny.

Tułów

Szyja mocna, muskularna, umieszczona na skośnie osadzonych łopatkach, nadaje głowie dostojny wygląd, gdy pies natęża uwagę. Szyja powinna się łączyć z łopatkami, tworząc ładny łuk. Brzuch dobrze zaznaczony, o ściśle przylegających mięśniach; razem z tylną częścią klatki piersiowej powinien się wznosić łagodnym łukiem. Zad szeroki, lekko pochylony, opadający aż do nasady ogona.

Klatka piersiowa

Głęboka, o żebrach dobrze wysklepionych przy kręgosłupie i spłaszczonych po bokach, umożliwiająca dzięki temu prawidłowy ruch łopatek i dająca swobodę kończynom przednim. Klatka piersiowa nie może mieć beczkowatego kształtu. Powinna sięgać do łokcia. Jej najgłębsza część powinna się znajdować za przednimi kończynami na wysokości dziewiątego żebra. Przestrzeń dla serca i płuc jest zapewniona dzięki głębokości, a nie szerokości tułowia.

Lędźwie i grzbiet

Kłąb stanowi najwyższą część grzbietu. Lędźwie mocne, dobrze wysklepione. Grzbiet prosty aż do lędźwi, średniej długości, bardzo umięśniony, dobrze rozwinięty. Pies powinien być prawie kwadratowy, o 5% dłuższy niż wyższy. Dopuszcza się, by suki były nieco dłuższe od psów.

Ogon

Umiarkowanie długi. W spoczynku koniec kości powinien się znajdować mniej więcej na wysokości stawu skokowego. Ogon pokryty długim włosem, w spoczynku zwisający, kiedy indziej noszony nad plecami.

Wzrost

Wysokość w kłębie: psa 57 cm, suki 53 cm
(dopuszczalne odchylenie ±3 cm).

SEALYHAM TERRIER

Wzrost: 30 cm
Waga: 9 kg
Długość życia: 13 – 15 lat

Charakterystyka

Obok innych kuszących cech sealyham terrier ma też wielkość odpowiednią akurat dla psa do towarzystwa.

Pies energiczny, nieustraszony, nigdy nie przestaje wzbudzać sympatii.

Jest bardzo oddany właścicielowi, a jednocześnie niezależny.

Wskazówka 898
To jeden z najbardziej wrażliwych terierów. W kontaktach z właścicielem i dziećmi ujawnia dobry charakter, wesołość i towarzyskość.

Wskazówka 899
Żywy, aktywny, chętny do wykonywania zadań.

Wskazówka 900
Z natury przyjacielski, czujny i waleczny.

Wzorzec

Pies aktywny, proporcjonalnie zbudowany, o dużej masie przy małym wzroście. Sylwetka wydłużona, niekwadratowa.

Głowa
Czaszka lekko wysklepiona, szeroka pomiędzy uszami. Kości policzkowe niewystające. Szczęki mocne, graniaste i długie. Nos czarny.

Oczy
Ciemne, głęboko osadzone, okrągłe, średniej wielkości. Preferowane są powieki ciemno pigmentowane, natomiast pozbawione pigmentu są niedopuszczalne.

Uszy
Średniej wielkości, o lekko zaokrąglonych końcach, noszone przy policzkach.

Uzębienie
Zęby równe i mocne, kły dobrze zachodzą na siebie i są długie w stosunku do wielkości psa. Szczęka i żuchwa mocne, o regularnym zgryzie nożycowym. Siekacze powinny być prostopadłe do szczęk.

Szyja
Dosyć długa, gruba, muskularna, wtapia się w ukośnie położone łopatki.

Kończyny przednie

Krótkie, mocne, tak proste, jak to jest możliwe przy nisko schodzącej klatce piersiowej. Linia prowadząca od zwieńczenia łopatek w kłębie poprzez staw łokciowy powinna być pionowa. Łokcie przylegające do klatki piersiowej.

Tułów

Średniej wielkości, elastyczny, grzbiet prosty, dobrze wysklepione żebra. Klatka piersiowa szeroka i głęboka, nisko schodząca pomiędzy przednie kończyny.

Kończyny tylne

Wyjątkowo silne jak na psa tej wielkości. Uda szerokie i muskularne, o dobrze kątowanych stawach kolanowych. Stawy skokowe mocne, dobrze kątowane, równoległe względem siebie.

Łapy

Okrągłe, tak zwane kocie, o grubych opuszkach, skierowane prosto do przodu.

Ogon

Wysoko osadzony i pionowo noszony. Guzy siedzeniowe powinny wystawać poza nasadę ogona. Na ogół przycięty.

Ruch

Szybki i energiczny. Wykrok duży.

Szata

Zewnętrzna okrywa długa, sztywna, o „drucianej" strukturze. Podszerstek nie przepuszcza wody.

Umaszczenie

Czysto białe lub białe z cytrynowymi, brązowymi lub szarymi znaczeniami na głowie i uszach. Niepożądana duża ilość czarnych lub ciemnych kropek.

Wzrost i waga

Wysokość w kłębie nie powinna przekraczać 31 cm. Idealna waga: psa ok. 9 kg, suki 8 kg.

SETER ANGIELSKI

Wzrost: 65 cm
Waga: 30 kg
Długość życia: 13 – 15 lat

▌Charakterystyka

Rasa ta wyróżnia się ze wszystkich ras o nazwie seter i jest z nich najstarsza i najoryginalniejsza.

Seter angielski ma długą sierść, odznacza się elegancją, majestatycznym wyglądem i zadziwiającą łagodnością.

Wskazówka 901
Pies niezwykle przyjazny, o wspaniałym charakterze.

Zalety setera angielskiego związane z myślistwem oraz walory estetyczne tej rasy zwiększyły jej popularność i uznanie u miłośników psów. Z tego powodu w kraju jego pochodzenia wyhodowano dwie odmia-

ny setera: przydatną w myślistwie i służącą celom wystawowym.

Seter angielski jest używany do polowań na kuropatwy i bekasy oraz do aportowania ptactwa wodnego, gdyż ze względu na swoje zdolności pływackie świetnie aportuje z wody.

Odznacza się elegancją, jest szybki, ma czuły węch, szuka prawie tak szybko jak pointer, a jego wytrzymałość i stójka są nienaganne.

Wskazówka 902
Rasa ta wymaga dbałości o szatę i uszy.

Wskazówka 903
Aby utrzymać błyszczący włos, pies powinien być kąpany co najmniej raz w miesiącu i często czesany.

Wskazówka 904
Psu biorącemu udział w polowaniach należy zwiększyć ilość pożywienia.

▌Wzorzec

Pies średniej wielkości, o prostych liniach, eleganckiej sylwetce i eleganckim ruchu. Bardzo serdeczny, aktywny, o silnym instynkcie łowieckim.

Głowa
Długa i dość smukła, z wyraźnie zaznaczoną krawędzią czołową. Odległość od stopu do końca nosa powinna być taka sa-

ma jak długość czaszki od potylicy do stopu. Nos czarny lub koloru wątrobianego, stosownie do barwy szaty. Nozdrza szerokie. Kufa umiarkowanie głęboka i dość graniasta. Szczęka i żuchwa prawie tej samej długości. Czaszka między uszami owalna. Wyraźnie zaznaczony guz potyliczny. Zgryz nożycowy.

Oczy

Lśniące, o łagodnym, inteligentnym wyrazie, ciemnoorzechowe. Im ciemniejsze, tym lepiej.

Uszy

Średniej długości, nisko osadzone i zwisające wdzięczną fałdą ściśle przy policzkach. Końce aksamitne, górna część pokryta delikatnym jedwabistym włosem.

Szyja

Raczej długa, muskularna, smukła. Lekko wygięta, wyraźnie się odcina od głowy. Rozszerzająca się ku łopatkom, bez obwisłej skóry, o eleganckim zarysie.

Tułów

Umiarkowanej długości. Klatka piersiowa głęboka i odpowiednio szeroka między łopatkami. Żebra dobrze wysklepione i otwarte, ostatnie daleko zachodzące.

Ogon

Osadzony prawie na linii grzbietu, średniej długości, ani zakręcony, ani opadający, lekko wygięty, lecz bez skłonności do zadzierania ku górze. Pióra zwisają w długich kosmykach, które powinny się zaczynać nieco poniżej nasady ogona, wydłużać ku środkowi, a następnie stopniowo skracać ku końcowi. Włos powinien być długi, błyszczący, miękki, jedwabisty, pofalowany, ale nigdy nie kędzierzawy.

Umaszczenie

Znaczenia u setera angielskiego są różnokolorowe, ale zawsze na białym tle. Najczęściej w kolorze czarnym, mogą też być pomarańczowe i cytrynowe, choć nie są one zbyt popularne. Istnieją również psy o maści trójkolorowej: czarno-biało-rude; preferowane bez dużych łat na tułowiu, lecz drobno nakrapiane na całym ciele.

Wzrost i waga

Wysokość: psa 65 – 70 cm, suki 61 – 65 cm; waga: psa 27 – 30 kg, suki 25 – 28 kg.

1000
rad, jak **szkolić**
i wychowywać **psa**

SETER IRLANDZKI

Wzrost: 60 cm
Waga: 30 kg
Długość życia: 18 – 20 lat

▌ Charakterystyka

Uważany za rasę starszą od setera angielskiego, chociaż obie mają wspólnego przodka: wyżła hiszpańskiego. Stworzony jako pies gończy, uznawany za odrębną rasę od XVIII wieku.

Początkowo miał szatę biało-czerwoną, z biegiem lat pod wpływem zmieniającej się mody uzyskano obecny kolor – mahoniowoczerwony.

Seter irlandzki to pies niezwykle szybki, o czułym węchu, wytrzymały w każdym terenie i odporny na każdą temperaturę. Świetnie się nadaje do pracy na obszarach bagnistych oraz do zadań wykonywanych w wodzie. Jest wszechstronny.

Wskazówka 905
Jeśli służy jako pies do towarzystwa, należy mu zapewnić spacery u boku właściciela. Pozwoli to na nawiązanie dobrego kontaktu z psem i umożliwi mu aktywność.

Wskazówka 906
Energiczny i sentymentalny, ekspansywny i niezależny. Nie żyje w dobrych stosunkach z obcymi.

Wskazówka 907
Charakteryzuje się harmonijnym, szlachetnym wyglądem. Ma bardzo dobry kontakt z dziećmi.

Wskazówka 908
Ma usposobienie sportowca, co niewątpliwie wpływa na jego właściciela. Seter irlandzki jest najodpowiedniejszy dla osób lubiących ruch na wolnym powietrzu.

Wskazówka 909
Wymaga łagodnego, lecz konsekwentnego szkolenia, ponieważ jest to rasa bardzo pewna siebie.

Wskazówka 910
Prawidłowo szkolony, wyrośnie na karnego psa. Choć nie jest dobrym stróżem, będzie pilnował otaczającego go terenu.

Wskazówka 911
Rasa ta nadaje się do mieszkania lub domu z ogródkiem. Trze-

ba jednak pamiętać o godzinnym spacerze każdego dnia.

Wzorzec

Głowa
Długa (4/10 wysokości w kłębie). Kufa i czaszka tej samej długości. Nos czarny lub ciemnobrązowy, z dużymi, rozwartymi nozdrzami, kość nosowa długa. Wargi cienkie, dobrze przylegające do szczęk. Kufa długa, przy końcu dość graniasta. Szczęka i żuchwa jednakowej długości.

Oczy
Duże, otwarte, brązowe lub ciemnoorzechowe.

Uszy
Trójkątne, cienkie, delikatne w dotyku, długie i zwisające.

Szyja
Tej samej długości co głowa, łagodnie wygięta, muskularna, niegruba, bez śladu podgardla.

Tułów
Linia grzbietowa prosta, część lędźwiowa łagodnie wysklepiona. Mostek prosty.

Ogon
Noszony na poziomie grzbietu, nisko osadzony, prosty, z piórami.

Umaszczenie
Mahoniowe, bez śladu czerni, błyszczące. Dopuszczalne białe znaczenia.

Szata
Włos długi, jedwabisty, na głowie cienki i krótki. Na uszach, szyi, klatce piersiowej i łapach długi.

Kończyny przednie
O mocnym kośćcu, widziane z boku i z przodu proste. Łopatki długie, ukośne. Ramiona i przedramiona tej samej długości.

Kończyny tylne
Widziane z boku i od tyłu proste. Uda dobrze umięśnione, lekko skośne.

Stopy
Silnie owłosione pomiędzy palcami.

Wzrost i waga
Wysokość w kłębie: psa 54 – 62 cm, suki 52 – 60 cm; waga: 25 – 30 kg.

SETER SZKOCKI GORDON

Wzrost: 65 cm
Waga: 25 – 30 kg
Długość życia: 13 –15 lat

▌Charakterystyka

Pochodzący ze Szkocji seter gordon to najbardziej skryty ze wszystkich seterów. Ma zwartą sylwetkę, jest podobny do spaniela.

Wprost stworzony do galopu, budową przypomina konia pociągowego zdolnego do udźwignięcia olbrzymich ciężarów. Nie ma tak eleganckiego profilu jak seter irlandzki ani szczupłej sylwetki setera angielskiego, a mimo to jest psem z klasą, o harmonijnej budowie i olbrzymiej sile fizycznej.

Śmiały, towarzyski, miły i spokojny. Z jego ciemnych błyszczących oczu można wyczytać żywotność i inteligencję rasy stworzonej do polowań na najtrudniejszych terenach, po których porusza się z wielką zręcznością

dzięki masywnym kończynom zaopatrzonym w szczególnie grube podeszwy.

Wskazówka 912
Na osobowość gordona prawdopodobnie wpłynął ostry klimat Szkocji, pogłębiając jego introwertyczną naturę i zdolności psa stróżującego. W żadnym wypadku nie jest to jednak pies agresywny względem właścicieli.

Wskazówka 913
Jest to rasa rozważna i z natury spokojna; szczeniaki lubią zabawy i są wesołe, ale w miarę dojrzewania stają się ostrożniejsze, a w końcu zamknięte w sobie.

Wskazówka 914
Seter ten wymaga ciągłego ruchu i ciepłej, komfortowej atmosfery rodzinnej.

Wskazówka 915
Ponieważ pracuje w trudnym terenie, po zakończeniu polowania powinniśmy przejrzeć mu uszy i opuszki łap oraz zwrócić uwagę na to, czy jego szata jest sucha.

Wskazówka 916
Często myśliwi przemywają opuszki łap psa roztworem kreoliny przez siedem dni przed rozpoczęciem polowania, co zapewnia mu lepszą zdolność poruszania się po trudnych terenach i chroni łapy.

Wzorzec

Głowa

Podłużna, jej całkowita długość stanowi 4/10 wysokości w kłębie. Długość kufy i czaszki jednakowa. Połowa całkowitej długości głowy znajduje się na linii poziomej łączącej dwa wewnętrzne kąty oczu. Szerokość czaszki nie powinna przekraczać połowy całkowitej długości głowy. Linie czoła i grzbietu nosa równoległe. Głowa raczej głęboka, powinna być proporcjonalna do całości i dość ciężka. Brak zmarszczek na czaszce, skóra dobrze przylegająca.

Nos

Powinien być duży, wilgotny, z szerokimi, dużymi i ruchliwymi nozdrzami, czarno pigmentowany. Przednia część nosa widziana z profilu znajduje się na tej samej pionowej płaszczyźnie co wargi.

Oczy

Duże, o miłym spojrzeniu. Krawędzie powiek lekko zaokrąglone. Powieki dobrze przylegające. Oczy nie powinny być ani zbyt wypukłe, ani za głęboko osadzone. Kolor tęczówki ciemnokasztanowy, a krawędzie powiek w tym samym kolorze co nos – czarne.

Uszy

Zwisające, delikatne w dotyku, o cienkiej skórze, lekko zaokrąglone na końcach. Ściśle przylegające do policzków, osadzone nisko. W normalnej pozycji sięgają 3 cm poniżej linii gardła. Skóra na zewnętrznej powierzchni ucha pokryta jedwabistym włosem, który wyrasta o ponad 2 cm poza zarys ucha.

Szyja

Długa, bez podgardla, muskularna, nasada dobrze zaznaczona na karku, łączy się harmonijnym łukiem z łopatkami. Jej długość osiąga 4/10 wysokości w kłębi, a obwód wynosi 2/3 wysokości w kłębie. Górna linia szyi wysklepiona; dolna pozbawiona podgardla; skóra ściśle przylega do mięśni.

Tułów

Długość tułowia od ramienia do zadu jest równa wysokości psa w kłębie. Górna linia (grzbietu) prosta; lędźwie lekko wysklepione. Dolna linia również prosta.

Ogon

Ze względu na pochylenie zadu osadzony wysoko; gruby u nasady, zwężający się ku cienkiemu końcowi. Koniec sięga do stawu skokowego. Zazwyczaj noszony poziomo lub poniżej grzbietu. Powinien być prosty na całej długości, dopuszczalny szablasty. Pióro w kształcie trójkąta równoramiennego, zaczynające się na wysokości 2 – 3 cm od nasady.

Szata

Włos o długości 5 – 6 cm, jedwabisty, lekko pofalowany, liczne frędzle, ale nie gęste. Długi na tułowiu i zewnętrznej części małżowiny; tworzy pióra na tylnej części kończyn, na szyi, mostku i ogonie. Na głowie i przedniej stronie kończyn oraz na policzkach krótki i cienki. Dobrze owłosione przestrzenie między palcami. Podszerstek obfity tylko zimą.

Umaszczenie

Lśniąco czarne, z niebieskim połyskiem i łatami w ściśle określonych miejscach ciała. Łaty powinny być jednolite, bez zna-

1000
rad, jak **szkolić**
i wychowywać psa

czeń; są rozmieszczone w następujący sposób: nad oczami (nie większe niż 2 cm); na bokach kufy (podpalanie nie sięga ponad nasadę nosa); na gardle; dwie duże plamy na piersi; na przednich kończynach (prawie do wewnętrznej części łokcia i nieco powyżej nadgarstka, na wewnętrznej stronie ud schodzi poniżej kolan aż do palców, pióra śródstopia jednak muszą być czarne); na łapach i wokół odbytu. Dopuszczalna mała biała plamka na piersi.

Skóra

Cienka, dobrze przylegająca na całym ciele, nie powinna tworzyć luźnego podgardla na szyi ani zmarszczek na czaszce. Błony śluzowe widzialne, twardówki czarno pigmentowane – podobnie jak pazury oraz opuszki przednich i tylnych kończyn.

Wzrost i waga

Wysokość w kłębie: psa 66 cm, suki 62 cm; waga: psa 29 kg, suki 25 kg.

SHAR PEI

Wzrost: 50 cm
Waga: 25 kg
Długość życia: 13 – 15 lat

▌Charakterystyka

Na tle innych ras wyróżnia się charakterystycznymi zmarszczkami. Pod pomarszczoną powłoką kryje się pies pełen czułości dla właściciela, zawsze gotowy do otrzymywania od niego pieszczot.

Wskazówka 917
Potrzebuje dużo czułości, gdyż inaczej będzie nieszczęśliwy. Poczucie odrzucenia przez właściciela może go nawet doprowadzić do choroby.

Wskazówka 918
Ma serdeczne usposobienie, jest radosny i wesoły. Właściciele shar pei zapewniają, że nie ma z nim w domu żadnych problemów. Bardzo łagodny, łatwy do ułożenia, często nawet szczeniaki poprawnie wykonują polecenia.

Wskazówka 919
Nie lubi obcych, ale rzadko się zdarza, żeby kogoś ugryzł.

Wskazówka 920
Nie przepada również za towarzystwem innych psów.

Wskazówka 921
Pielęgnacja shar pei jest ważna ze względu na jego szatę i zmarszczki. Zaniedbania mogą przysporzyć dolegliwości skórnych.

Wskazówka 922
Wystarczy cotygodniowe czesanie szczotką o twardych końcach.

Wskazówka 923
Żeby w zmarszczkach nie zbierała się wilgoć i nie gromadził kurz, można je czyścić suchą ściereczką.

Wskazówka 924
Nie należy przesadzać z kąpielami. Aby utrzymać psa w zdrowiu, wystarczy go kąpać kilka razy w roku.

Wskazówka 925
Ponieważ zmarszczki zaczynają się tuż pod oczami, może to powodować podrażnienia oczu.

U suk mogą wystąpić zmiany w cyklu rujowym. Należy się wtedy skontaktować z weterynarzem.

Wskazówka 926
Shar pei trzeba zapewnić dużo ruchu, aby zapobiec jego otyłości.

Wzorzec

Pies mocny i zwarty. Skóra powinna być twarda i szorstka, a sierść bardzo krótka i szczeciniasta. W okresie szczenięcym występują liczne zmarszczki, które u osobnika dorosłego pozostają jedynie na głowie i kłębie. Aktywny i ruchliwy. Opanowany, niezależny, lojalny i uczuciowy w stosunku do ludzi.

Głowa
Czaszka okrągła i duża u podstawy, płaska i szeroka z przodu. Stop umiarkowany.

Nos
Duży i szeroki, preferowany czarny. U osobników o jasnej maści dopuszczalne są jasne kolory.

Kufa
Umiarkowanie długa, szeroka u podstawy, zwęża się lekko w kierunku nosa. Język i dziąsła preferowane czarne albo niebieskawe. Język różowy i plamisty dopuszczalny jedynie u psów o jasnym umaszczeniu, na przykład kremowych lub beżowych. Szczęki silne. Kufa powinna mieć kształt dający psu silny chwyt.

Uzębienie
Zęby kompletne, regularnie rozstawione; zgryz nożycowy, co znaczy, że przy za-

mkniętym pysku szczęka ściśle przykrywa żuchwę.

Oczy
Średniej wielkości, w kształcie migdała, jak najciemniejsze. Niepożądane oczy jasne. Nie mogą być drażnione przez otaczającą skórę albo sierść. Niedopuszczalna żadna oznaka podrażnienia gałki ocznej.

Uszy
Małe, grube, w kształcie trójkąta, lekko zaokrąglone na końcach. Końce skierowane ku przodowi w kierunku oczu, przylegające do czaszki. Szeroko rozstawione z tyłu głowy. Uszy wzniesione dopuszczalne, ale niepożądane.

Szyja
Mocna, muskularna, otoczona luźną skórą. Nadmiar skóry niepożądany.

Tułów
Niepożądany nadmiar skóry na ciele u osobników dorosłych.

Kłąb
Delikatne fałdy skóry na kłębie.

Grzbiet
Bardzo mocny i prosty, o silnym kręgosłupie.

Klatka piersiowa
Szeroka i głęboka.

Ogon
Istnieje kilka rodzajów ogona. Najpopularniejszy jest zakręcony lub zawinięty. Zawinięcie może być małe lub duże. Ogon powinien być zawsze silny i wzniesiony nad zadem.

Kończyny przednie

Muskularne, średnio długie, nieznacznie dłuższe niż szerokość tułowia. Kościec mocny. Stawy lekko pochylone, mocne i elastyczne.

Kończyny tylne

Mocne i muskularne, umiarkowanie kątowane. Stawy skokowe proste i równoległe, widziane od tyłu – prostopadłe do podłoża.

Stopy

Umiarkowanej wielkości, zwarte, dobrze wypełnione, z zaznaczonymi stawami palców.

Ruch

Swobodny, energiczny, harmonijny.

Fałdy

Na czole dobrze widoczne. Nie mogą powodować podrażnień oczu. Przybierają kształt linii, które w alfabecie chińskim oznaczają symbol długowieczności. Jest to bardzo charakterystyczne dla tej rasy, ponieważ linie długowieczności występują jedynie u dużych kotów, takich jak tygrysy i lwy. Jeśli chodzi o psy, mają je jeszcze tylko mastify.

Szata

Włos krótki, twardy, szczeciniasty. Brak podszerstka. Długość włosa nie przekracza 2,5 cm. Nie wolno go nigdy przycinać.

Umaszczenie

We wszystkich krajach uznaje się następującą klasyfikację maści:

Maść jednolita

Skóra i maska (nos i kufa) są czarne.

Czarna: głęboko czarna z wyjątkiem boków, które mogą przechodzić w odcień szary lub brązowy (zazwyczaj z powodu działania słońca).

Brązowa: ciemniejszy lub jaśniejszy brąz.

Czerwona: jednolity rudy (jak u setera irlandzkiego), płowy lub rdzawy, jaśniejszy lub ciemniejszy. Boki są czasem jaśniejsze.

Kremowa: jasna, ale nigdy biała. Uszy i linia grzbietu mogą być ciemniejsze (aż do odcienia płowego).

Piaskowa: czarny włos zmieszany z płowym.

Maści rozmyte

Bez czarnej pigmentacji. Skóra i maska są tego samego koloru co szata.

Niebieska: jednolity kolor niebieskoszary. Jest to kolor niezwykle rzadki i trudny do uzyskania.

Czekoladowa: pomiędzy mlecznoczekoladową a kolorem gorzkiej czekolady.

Rozmyta piaskowa: identyczna jak piaskowa (bez pigmentacji).

„Pięć czerwonych punktów": od ciemnej pomarańczy do czerwieni. Czerwone punkty znajdują się na kufie, powiekach, skórze, opuszkach i zadzie.

Brzoskwiniowa: kolor jaśniejszy i nie tak intensywny jak w przypadku „pięciu czerwonych punktów".

Izabelowata: oparta na kolorze niebieskim. Maska niebieskawa, linia grzbietowa w niebieskich tonach, reszta ciała „spryskana" kolorem różowym. Podobna do koloru płowego z niebieskawą maską.

Lila: jeszcze rzadsza od niebieskiej. Jest to kolor lila z niebieskim odcieniem.

Wzrost i waga
Wysokość w kłębie: 48 – 58 cm, waga 18 – 29 kg.

SHIH-TZU

Wzrost: 25 cm
Waga: 6 kg
Długość życia: 13 – 15 lat

Charakterystyka

Wskazówka 927
Bystry i ruchliwy. Być może nieco za bardzo niezależny. Bywa zazdrosny o względy właściciela.

Wskazówka 928
Aby utrzymać w porządku szatę tego małego lwa, należy pamiętać o regularnym i delikatnym czesaniu.

Wzorzec

Bardzo aktywny, czujny i ruchliwy, o aroganckim sposobie bycia. Dumny ze swego pochodzenia, shih-tzu ma wysoko uniesioną głowę i ogon wesoło noszony ponad grzbietem.

Głowa
Dosyć szeroka, okrągła. Oczy szeroko rozstawione. Kufa krótka, niepomarszczona. Odległość od końca nosa do stopu wynosi około 2,5 cm. Stop wyraźnie zaznaczony.

Oczy
Duże, ciemne, okrągłe, ale nie wyłupiaste. Rozstawione szeroko. Powinny mieć ciepły wyraz.

Uszy
Duże, wydłużone, zwisające. Osadzone nieco poniżej sklepienia czaszki. Owłosione tak obficie, że się zlewają z owłosieniem szyi.

Uzębienie
Przodozgryz lub zgryz cęgowy.

Kończyny przednie
Krótkie, proste, o mocnym kośćcu, muskularne. Obficie owłosione, podobnie jak łapy.

Tułów
Długość od kłębu do nasady ogona większa niż wysokość w kłębie. Klatka piersiowa szeroka i głęboka. Łopatki mocne. Grzbiet prosty.

Kończyny tylne
Krótkie, muskularne, o mocnej kości. Oglądane z tyłu są proste. Uda dobrze zaokrąglone i muskularne. Łapy sprawiają wrażenie masywnych ze względu na obfitą szatę.

Łapy

Średniej wielkości, mocne, o masywnych, silnie owłosionych opuszkach.

Ogon

Silnie owłosiony, noszony wesoło nad grzbietem. Osadzony wysoko.

Szata

Długa, gęsta, zwarta. Włos może być pofalowany, ale nie lokowaty. Podszerstek wełnisty. Włos na głowie można związać.

Umaszczenie

Dopuszczalne wszystkie kolory. Nos i krawędzie oka koloru czarnego, z wyjątkiem psów z łatami koloru wątrobianego, u których jest dopuszczalny nos wątrobiany i jaśniejsze oczy.

Ruch

Płynny, lekki. Ruch kończyn tylnych bardzo energiczny.

Wzrost i waga

Wysokość 23 – 26 cm, maksimum 28 cm, minimum 20 cm. Waga osobników dorosłych: maksimum 8 kg, minimum 4 kg.

SZNAUCER

Wzrost:
w zależności od rasy
Waga:
w zależności od rasy
Długość życia: 13 – 15 lat

Charakterystyka

Używany przez policję i wojsko. Zawsze czujny, ale nie nerwowy.

Cichy, rozważny, obdarzony dużą inteligencją i siłą mięśni, niezwykle szybki i odważny. Zawsze skupiony, ma szczególne predyspozycje do szkolenia. Odporny na zmiany temperatury i choroby.

Wskazówka 929
Wyróżniamy trzy rasy: sznaucera miniaturowego, średniego i olbrzyma. Każdy z nich jest traktowany jako odrębna rasa, chociaż różnią się między sobą jedynie wielkością.

Najbardziej charakterystyczną cechą fizyczną tych psów są długie brwi i wielkie wąsy.

Wesoły, pewny siebie, ma stalową wolę i wielkie poczucie sprawiedliwości. Jest również nieco zaczepny i wymaga dobrego ułożenia.

Wskazówka 930
Jest oddany i ma dobry kontakt z dziećmi, z którymi lubi się bawić, okazując im przy tym sympatię.

Odznacza się walecznością, jest śmiały i żywy, przez co świetnie się nadaje do pilnowania domu.

Wskazówka 931
W celu utrzymania miłego i wytwornego, choć niecodziennego wyglądu, spowodowanego obecnością bujnych brwi, wąsów i brody, należy u tych psów przeprowadzać odpowiednie zabiegi fryzjerskie.

Wzorzec

Sznaucer to pies mocny, krzepki i zgrabny. Ma szorstki włos i śmiały, budzący respekt wygląd. Wysokość w kłębie jest u niego prawie taka sama jak długość ciała. Odznacza się odwagą i zimną krwią. Ma dobry charakter i jest oddany właścicielowi.

Głowa
Mocno zbudowana, wydłużona, płaska po bokach, sprawia wrażenie prostokątnej. Część potyliczna słabo widoczna, zwęża-

jąca się stopniowo od wysokości oczu do końca nosa.

Kufa

W kształcie umiarkowanie tępego klina. Nos czarny i wydatny. Wargi czarne i dobrze przylegające do kufy. Oczy ciemne, owalne, skierowane ku przodowi.

Uszy

Osadzone wysoko, w kształcie litery V, raczej małe. Leżą płasko na głowie. Uszy przycinane są stojące.

Szyja

Silnie osadzona, wygięta, proporcjonalna w stosunku do wielkości psa. Kark silny, dobrze wysklepiony. Skóra na szyi dobrze przylegająca, bez fałdów.

Tułów

Klatka piersiowa umiarkowanie szeroka, o płaskich żebrach nadających jej owalny kształt. Grzbiet krótki, lekko opadający ku tyłowi.

Łapy

Krótkie i okrągłe. Palce wyraźnie zwarte i wysklepione ku górze.

Umaszczenie

Czarne lub „pieprz i sól" (białe i czarne pasma), szare w odcieniach od ciemnego żelazistoszarego do srebrzystoszarego. Niedopuszczalne białe plamy. Miniatury mogą być całe białe lub czarno-srebrne (czarne ze srebrzystymi znaczeniami).

Szata

Okrywa zewnętrzna twarda, bardzo szorstka i przylegająca. Podszerstek miękki i gęsty. Włos ani kręcony, ani pofalowany. Charakterystyczną cechą tej rasy jest szorstka broda na kufie i wyraźne brwi, lekko przykrywające oczy.

Ogon

Wysoko osadzony. Noszony wysoko i do góry. Zazwyczaj przycinany na wysokości trzeciego kręgu.

Wzrost i waga

Sznaucer olbrzymi: wysokość 60 – 70 cm, waga 35 kg. Sznaucer średni: wysokość 45 – 50 cm, waga 15 kg. Sznaucer miniaturowy: wysokość 30 – 35 cm, waga 8 kg.

TERIER IRLANDZKI

Wzrost: 50 cm
Waga: 16 kg
Długość życia: 13 – 15 lat

Charakterystyka

Odważny, śmiały w obliczu niebezpieczeństwa, inteligentny i łatwy do ułożenia. Ma sportową sylwetkę. Jest zaczepny, wytrzymały i pełny energii.

Zuchwały, ruchliwy i wesoły. Wierny i oddany właścicielowi oraz jego rodzinie, a także czuły i cierpliwy względem dzieci.

Wskazówka 932
Jeśli tylko nadarzy się okazja, chętny do bójki.

Ze względu na wielkość służy do polowań pod ziemią (może się zmieścić w borsuczej norze). Tępi myszy i cicho poluje na zające. W Irlandii używany do walk psów i do obrony. Ze względu na jego charak- ter biegacza jest to idealny pies dla osób uprawiających sport.

Wskazówka 933
Osoba szkoląca teriera irlandz- kiego powinna być wytrwała, zdecydowana i mieć silną rękę, a jednocześnie robić to z życzli- wością.

Wskazówka 934
Jest pojętny i uczy się wszystkie- go, co tylko psy mogą opano- wać.

Wskazówka 935
Jego szorstka sierść powinna być regularnie przycinana.

Wzorzec

Głowa
Mocna, ale nie toporna. Włos na głowie tego samego koloru co na ciele. Długa, proporcjonalna do ciała. Czaszka płaska, dość wąska pomiędzy uszami, lekko zwę- żająca się ku oczom.

Uzębienie
Zęby duże, zgryz nożycowy albo cęgowy, bez przodo- i tyłozgryzu.

Oczy
Ciemne lub ciemnoorzechowe, małe, ani wyłupiaste, ani zapadnięte, głęboko osa- dzone.

Uszy
Małe lub średniej wielkości, opadające ku przodowi. U podstawy dozwolony ciemny kolor. Uszy opadające na boki lub w kształ- cie płatka róży są wadliwe.

Tułów

Zwarty, nie za długi. Linia grzbietowa prosta. Klatka piersiowa głęboka, żebra dobrze wysklepione.

Ogon

Osadzony dość wysoko, nie za gruby, noszony wesoło. Obcięty na 3/4 długości lub na wysokości szóstego kręgu, tak aby harmonizował z ciałem psa.

Kończyny przednie

Widziane pod każdym kątem powinny być doskonale proste. Muskularne, o dobrze rozwiniętym kośćcu.

Kończyny tylne

Mocno zbudowane, silnie umięśnione. Stawy kolanowe o średnim kątowaniu.

Stopy

Małe, palce złączone. Pazury powinny być całkiem czarne, dopuszczalne inne kolory.

Ruch

Kończyny prawe i lewe powinny się poruszać równolegle na całej długości. Łokcie skierowane równolegle do tułowia. Ruch widziany z boku powinien być skoordynowany, lekki i swobodny.

Szata

Włos powinien być dość miękki, delikatny w dotyku, nie może być twardy (z wyjątkiem młodych osobników).

Umaszczenie

Wszystkie odcienie od jasnego płowego do żywej czerwieni.

Wzrost i waga

Wysokość w kłębie: psa 46 – 48 cm, suki są trochę niższe; waga 15 – 18 kg.

TERIER SZKOCKI

Wzrost: 26 cm
Waga: 9 kg
Długość życia: 13 – 15 lat

▮ Charakterystyka

Terier szkocki został wyhodowany do polowań na szkodniki. Jego zachowanie i mentalność są właściwe większym rasom i ta cecha wyróżnia go spośród innych niedużych psów. Najbardziej zwraca uwagę jego elegancja.

Wskazówka 936
Ma zwartą budowę. Jest bardzo ruchliwy i pełen energii.

Dzięki krótkim kończynom może się niezwykle szybko poruszać w głębi nor.

Wskazówka 937
Ma wiele zalet i niewiele wad. Powinien być wychowywany stanowczo, ponieważ jest uparty jak prawie wszystkie teriery.

Wskazówka 938
To idealny pies dla osób mających małe mieszkanie i dzieci. Wygląda jak sznurkowa zabawka. Jest bardzo wrażliwy i oddany.

Wskazówka 939
Jeśli ktoś marzy o dużym psie, ale nie ma odpowiednich warunków mieszkaniowych, najlepszym rozwiązaniem będzie terier szkocki.

Wskazówka 940
Jeśli ktoś mieszka na wsi i ma problem ze szkodnikami, „szkot" to rasa dla niego.

Wskazówka 941
Jeśli ktoś szuka po prostu naprawdę miłego psa do towarzystwa, niech się zapozna z terierem szkockim.

Wskazówka 942
Nieczesany i nieprzystrzygany przez długi czas włos teriera szkockiego traci blask.

Wskazówka 943
Jest niezwykle zuchwały, ale nigdy nie agresywny.

▮ Wzorzec

Przysadzisty pies o wielkości odpowiedniej do polowań pod ziemią. Jest czujny, sprawia wrażenie niezwykle aktywnego i silnego jak na swój niewielki wzrost. W porównaniu z wymiarami ciała głowa wydaje się długa. Jest bardzo ruchliwy i zwinny pomimo swych krótkich kończyn.

Głowa

Długa, ale proporcjonalna do wielkości psa. Tylko nieznacznie zwężona.

Czaszka

Powinna być prawie płaska, kości policzkowe nie mogą wystawać. Krawędź czołowa wyraźna. Czaszka i krawędź czołowa są tej samej długości. Stop lekko zaznaczony, dokładnie na wysokości oczu. Nos długi; linia prowadząca od nosa do podbródka widziana z profilu jest skierowana ku tyłowi.

Oczy

Migdałowego kształtu, ciemnobrązowe, dość szeroko rozstawione, głęboko osadzone pod brwiami, o bystrym, inteligentnym spojrzeniu.

Uszy

Ładne, cienkie, spiczasto zakończone, stojące, osadzone na szczycie czaszki, zbliżone do siebie. Uszy duże i szerokie u nasady są poważną wadą.

Uzębienie

Zęby duże, uzębienie regularne i kompletne, zgryz nożycowy: siekacze szczęki przykrywają siekacze żuchwy, ściśle się z nimi stykają i są ustawione prosto.

Szyja

Muskularna, średniej długości.

Tułów

Łopatki długie i skośne. Klatka piersiowa dość szeroka i nisko położona. Jej przednia część wysunięta przed kończyny przednie. Łokcie nie powinny być odstające ani wciśnięte pod tułów. Żebra dobrze wysklepione i skierowane do tyłu, tylne bardziej płaskie. Grzbiet krótki, proporcjonalny i bardzo muskularny. Linia grzbietowa prosta. Lędźwie muskularne i głębokie.

Kończyny przednie

Kościec mocny, śródręcza proste.

Kończyny tylne

Wyjątkowo silne jak na psa tej wielkości. Pośladki grube i szerokie, uda mocne, stawy kolanowe dobrze kątowane. Śródstopia krótkie, mocne, nie są skierowane ani do wewnątrz, ani na zewnątrz.

Łapy

Dość duże, o mocnych opuszkach; palce dobrze wysklepione, zwarte. Łapy kończyn przednich są nieco większe od tylnych.

Ogon

Średniej długości, przydaje sylwetce psa harmonijnego wyglądu. Gruby u nasady, zwęża się ku końcowi. Noszony prosto ku górze albo lekko zakrzywiony nad grzbietem.

Szata

Włos przylegający do ciała, dwojakiego rodzaju: krótki, zwarty i miękki podszerstek oraz szorstki, twardy, gęsty włos okrywowy o „drucianej" strukturze. Oba rodzaje włosa chronią psa przed zmianami pogody.

Umaszczenie

Czarne, pszeniczne lub pręgowane w każdym z tych kolorów.

Wzrost i waga

Wysokość w kłębie: 25 – 28 cm, waga: 8 – 10 kg.

WEST HIGHLAND WHITE TERRIER

Wzrost: 30 cm
Waga: 7 kg
Długość życia: 13 – 15 lat

Charakterystyka

Wskazówka 944
Ten sympatyczny terier średniej wielkości doskonale tępi szczury i z powodzeniem poluje na zające. Porusza się z łatwością po trudno dostępnym terenie.

Ma uważne spojrzenie. Jest czujny i inteligentny. Grzeczny, lubi zabawy, dzięki czemu jest wspaniałym psem do towarzystwa.

Wskazówka 945
Nadaje się do mieszkania, nawet o niewielkim metrażu.

Pochodzi z hrabstwa Argyllshire w Szkocji, gdzie dziwnym zbiegiem okoliczności wiele zwierząt ma zupełnie białe umaszczenie (lisy, zające, koguty, itp.).

To lokalna rasa, która z czasem uległa wielu przeobrażeniom, dając nawet początek innym przedstawicielom psiego świata. Pomimo dawnego pochodzenia istnienie west highland white terriera uznano oficjalnie dopiero na początku XX wieku. Od tamtej pory rasa ta rozprzestrzeniła się po całym świecie.

Wskazówka 946
Ponieważ jest wesoły i trochę roztrzepany, trudno mu narzucić dyscyplinę. Żeby to osiągnąć, trzeba być konsekwentnym i poświęcać mu dużo uwagi.

Wskazówka 947
Potrzebuje ruchu i czułości.

Wskazówka 948
Niezbędna jest częsta i regularna pielęgnacja włosa. Od czasu do czasu konieczne trymowanie.

Wskazówka 949
Pies o szelmowskim spojrzeniu, zawsze gotów do zabawy i żartów, zwłaszcza z dziećmi.

Wskazówka 950
Czujny, sprytny i dobrotliwy, lubi dokazywać i spacerować poza miastem. Bardzo uczuciowy i oddany właścicielom, nie szuka pieszczot u obcych. Ma dość ostry charakter.

Wzorzec

West highland white terrier to mały pies przeznaczony do polowań, harmonijnie i mocno zbudowany. Potrafi pokazać swe zalety.

Głowa

Dosyć duża, o krótkiej kufie. Wyraźnie zaznaczony stop.

Czaszka

Lekko zaokrąglona. Uszy małe, stojące.

Kufa

Zwęża się stopniowo od oczu w kierunku nosa. Nos czarny, dość długi. Szczęka i żuchwa krótkie i równe.

Oczy

Szeroko rozstawione, średniej wielkości, głęboko osadzone, pożądane jak najciemniejsze.

Uszy

Małe, stojące, zakończone spiczasto, pokryte krótką i gładką sierścią.

Szyja

Średnio długa, dobrze umięśniona, stopniowo rozszerza się ku łopatkom.

Tułów

Zwarty. Klatka piersiowa głęboka, żebra dobrze wysklepione w jej górnej części. Tylne żebra znacznie pochylone. Linia grzbietowa prosta. Lędźwie szerokie i silne.

Kończyny przednie

Mocne, muskularne i proste. Łopatki skośnie ustawione, szerokie, ściśle przylegające do klatki piersiowej.

Kończyny tylne

Krótkie i muskularne. Uda silnie umięśnione, niezbyt szeroko rozstawione.

Stopy

Przednie dłuższe niż tylne, okrągłe, o grubych opuszkach, pokryte krótką, twardą sierścią. Preferowane opuszki i pazury czarne.

Ogon

Długi (około 12 cm), prosty, pokryty twardym włosem, bez pióra.

Szata

Dwa rodzaje włosa: okrywowy – twardy, o długości około 5 cm, bez lokowatości; podszerstek – krótki, miękki i gęsty, biały.

Wzrost i waga

Wysokość w kłębie: ok. 28 cm, waga: 7 – 8 kg.

WYŻEŁ HISZPAŃSKI Z BURGOS

Wzrost: 60 cm
Waga: 25 – 30 kg
Długość życia: 13 – 15 lat

Charakterystyka

Przez dziesięciolecia wyżeł hiszpański z Burgos był prawie całkiem zapomniany. Obecnie potwierdził się jako świetny pies myśliwski wystawiający zwierzynę, ceniony ze względu na swe cechy i używany przede wszystkim do polowań na ptactwo i zające.

Wskazówka 951
Spokojny i stateczny podczas poszukiwań i wystawiania zwierzyny.

Wskazówka 952
Choć najczęściej używa się go do polowań na małe zwierzęta, zacięcie wypatruje także du-

żych, wykazując przy tym niezwykłą brawurę.

U tej rasy występuje wyraźny dymorfizm płciowy: psy są bardziej jednorodne, suki natomiast wykazują różnice w wysokości ciała oraz są mniej korpulentne.

Wskazówka 953
Wyżeł hiszpański z Burgos odznacza się spokojnym charakterem i cierpliwością i dlatego jest łatwy w układaniu nawet dla amatorów.

Wskazówka 954
Hodowla tej rasy jest niezmiernie trudna i skomplikowana ze względu na poważne obciążenia dziedziczne, które pojawiły się podczas prób jej odrodzenia.

Wskazówka 955
Pies ten nie nastręcza poważnych trudności w utrzymaniu; należy jedynie pamiętać, żeby go nie przekarmiać, ponieważ ma tendencję do tycia.

Wskazówka 956
Może przetrzymać długie polowania bez wody i pożywienia, ale nie przeżyje bez czułości przewodnika.

Wzorzec

Średniej wielkości pies myśliwski o dobrze rozwiniętej głowie, zwartym tułowiu, silnych kończynach, opadających uszach i krótkim włosie. Odznacza się miłym, szlachetnym spojrzeniem. Łagodny i inteligentny. Typu wiejskiego. Zrównoważony i stateczny. Świetnie wystawia zwierzynę w każdym terenie. Ceniony zwłaszcza jako pies do polowań na ptactwo i drobne zwierzęta futerkowe.

Głowa

Duża i mocna. Czaszka dobrze rozwinięta. Uszy opadające, o kształcie płatka róży. Głowa widziana od przodu ma kształt zbliżony do prostokąta i nieco się zwęża ku nosowi. Stosunek długości czaszki do długości kufy wynosi 6:5.

Czaszka

Szeroka, o wypukłym profilu, wysklepiona, ze słabo widocznym guzem potylicznym. Część czołowa dobrze zaznaczona.

Kufa

O prostym profilu, lekko wypukła w kierunku nosa. Szeroka, nie powinna sprawiać wrażenia ostro zakończonej. Szeroka przegroda nosowa.

Nos

Ciemnobrązowy, wilgotny, duży i szeroki, o rozwartych nozdrzach.

Uszy

Długie, opadające, trójkątne. W spoczynku na poziomie linii oczu. Opadają swobodnie w kształcie korkociągu. Delikatne i miękkie w dotyku; włos i skóra bardzo cienkie. W ruchu wzniesione płasko do przodu.

Uzębienie

Mocne, białe, zdrowe; zgryz nożycowy. Wymagane wszystkie przedtrzonowce.

Oczy

Średniej wielkości, migdałowego kształtu. Preferowane ciemnoorzechowe. O szlachetnym, przyjemnym spojrzeniu, czasem sprawiają wrażenie smutnych.

Szyja

Mocna, umięśniona, szeroka u podstawy i rozszerzająca się w kierunku tułowia. Wierzchnia część szyi lekko wysklepiona, spodnia z dobrze zaznaczonym podgardlem, które odchodząc od warg, tworzy podwójne, nie za duże fałdy.

Tułów

Kwadratowy, silny, rozłożysty, o obszernej klatce piersiowej, dający wrażenie siły i zwinności.

Grzbiet

Silnie umięśniony. Żebra dobrze rozwinięte, zaokrąglone; nie mogą być płaskie. Przestrzenie międzyżebrowe szerokie i dobrze zaznaczone w miarę zbliżania się do żeber rzekomych. Obwód klatki piersiowej powinien być równy wysokości w kłębie plus 1/4 jej szerokości. Lędźwie średnie, szerokie i muskularne, dające wrażenie siły.

Zad

Szeroki i mocny, najlepiej pochylony pod kątem mniejszym niż 45° w stosunku do linii grzbietowo-lędźwiowej i podłoża. Wysokość zadu równa wysokości w kłębie lub mniejsza.

Linia grzbietu

Prosta i pozioma, lekko opadająca od kłębu. Nigdy nie siodłowata. Nie może się kołysać podczas ruchu.

Klatka piersiowa

Szeroka, głęboka, sięgająca łokci, muskularna i mocna. Widoczna rękojeść mostka.

Brzuch i boki

Brzuch umiarkowanie podciągnięty do genitaliów. Boki opadające, dobrze zaznaczone słabizny.

Ogon

Gruby u podstawy, wysoko osadzony. Skracany pomiędzy 1/3 a połową długości.

Kończyny przednie

Idealnie prostopadłe do podłoża, proste i równolegle, o mocnej kości, krótkich pęcinach i dobrze rozwiniętych łapach.

Łopatki

Umiarkowanie skośne, umięśnione. Powinny być podobnej długości co ramię.

Ramię

Mocne i dobrze umięśnione, o długości równej 2/3 długości przedramienia.

Przedramię

Mocne. Proste, o dobrym kątowaniu, z łokciami przylegającymi do tułowia. Ścięgna i kości dobrze zaznaczone. Jest dwa razy dłuższe od całkowitej długości od nadgarstka (kości śródręcza) do podłoża.

Przednie łapy

„Kocie", palce przylegające do siebie, człony palców silne i wysokie; pazury ciemne; opuszki szerokie i twarde; błona międzypalcowa umiarkowanie rozwinięta.

Kończyny tylne

Silne i muskularne, o mocnym kośćcu. Dobrze ukątowane stawy skokowe wyraźnie zaznaczone, nieskierowane ani na zewnątrz, ani do wewnątrz.

Uda

Bardzo silne, z wyraźnie zaznaczonymi, rozwiniętymi mięśniami. Ich długość stanowi 3/4 długości podudzia.

Podudzia

Długie i o mocnej kości, dwa razy dłuższe od śródstopia.

Stawy skokowe

Z wyraźnie zaznaczonymi ścięgnami.

Śródstopie

O mocnej kości; prostopadłe do podłoża.

Tylne łapy

„Kocie", podobnie jak przednie, chociaż nieco bardziej wydłużone.

Ruch

Typowy chód dla tej rasy to kłus, swobodny i mocny, bez tendencji do kołysania się oraz stawiania nóg na boki.

Skóra

Elastyczna, nieszorstka, gruba, obfita, o różowawym odcieniu, bez znaczeń. Błony śluzowe brązowe, nigdy nie czarne.

Szata

Włos gęsty, średniej grubości, krótki, przylegający, rozłożony równomiernie na całym ciele. Cieńszy na głowie, uszach i kończynach.

Umaszczenie

Podstawowe kolory włosa to biały i wątrobiany. Mieszają się one nieregularnie, tworząc płaszcz wątrobiany, siwo-wątrobiany, cętkowany. Możliwe są również inne kombinacje kolorystyczne, w zależności od przewagi koloru wątrobianego czy białego i od wielkości białych znaczeń. Charakterystyczną cechą, chociaż niewymaganą, jest płaszcz w kolorze czystej bieli na czole i uszach, które mają zawsze znaczenia w kolorze wątrobianym. Włos o barwie wątrobianej może również tworzyć wyraźne łaty rozłożone nieregularnie na ciele zwierzęcia. To samo dotyczy białych znaczeń, które mogą wystąpić na płaszczu.

Wzrost

Wysokość w kłębie: psa 62 – 67 cm, suki 59 – 64 cm.

XOLOITZCUINTLE (NAGI PIES MEKSYKAŃSKI)

Wzrost: 45 – 60 cm
Waga: 12 kg
Długość życia: 13 – 15 lat

Charakterystyka

Xoloitzcuintle towarzyszył Indianom Ameryki Południowej na długo przed skolonizowaniem kontynentu przez Europejczyków.

Wskazówka 957
Prawie całkowicie pozbawiony sierści, wymaga szczególnej uwagi, gdy się znajdzie na słońcu. Należy również pamiętać, że z powodu braku włosa jest narażony na częste zadrapania i skaleczenia.

Wskazówka 958
Cichy, spokojny i wesoły, zachowuje się z rezerwą w stosunku do obcych, jest czujnym i do-brym stróżem oraz bardzo dobrym kompanem.

Wzorzec

To bardzo atrakcyjny pies, o delikatnej i gładkiej skórze. Jego główną cechą jest całkowity lub prawie całkowity brak okrywy włosowej. Proporcjonalnej budowy, o szerokiej klatce piersiowej i szerokich żebrach, długich kończynach i ogonie.

Głowa
Czaszka typu wilczego. Widziana z przodu – szeroka i mocna, ale bardzo elegancka. Zwęża się w kierunku kufy. Bardzo słabo zaznaczony guz potyliczny.

Nos
U osobników ciemnych powinien być raczej ciemny; u psów o jaśniejszej pigmentacji różowy lub brązowy; u łaciatych łaciaty.

Kufa
Widziana z profilu prosta; żuchwa i szczęka bardzo silne; wargi zaciśnięte i przylegające; policzki niezbyt rozwinięte.

Uzębienie
Idealny zgryz nożycowy. Poważnymi wadami są przodo- i tyłozgryz oraz inne wadliwe ułożenia szczęk. Brak zębów trzonowych nie dyskwalifikuje.

Oczy
Średniej wielkości, migdałowego kształtu, o inteligentnym i czujnym spojrzeniu. Kolor zależny od koloru skóry: od czarnego przez brązowy, kasztanowy, bursztynowy do żółtego. Pożądane są oczy ciemne, dwoje tej samej barwy.

Powieki

Pigmentowane, w kolorze czarnym, brązowym lub szarym. Dopuszcza się pigmentację jasną lub różową, choć nie jest to cecha pożądana.

Uszy

Długie, duże, bardzo eleganckie, delikatne; przypominają uszy nietoperza; zawsze wzniesione. U psa czujnego powinny być ustawione ukośnie, pod kątem 50 – 80° do podstawy. Niedopuszczalne są uszy przycinane lub opadające.

Szyja

Widziana z profilu – uniesiona wysoko, długa. Szczupła, giętka, dobrze umięśniona, lekko wysklepiona i zdecydowanie elegancka. Skóra na szyi silna, elastyczna, przylegająca, bez podgardla. U szczeniaków występują zmarszczki, które z wiekiem zanikają.

Tułów

O mocnej konstrukcji.

Grzbiet

Prosty. Linia grzbietowa idealnie prosta. Niepożądany grzbiet karpiowaty lub łukowaty ani zbyt długi w stosunku do krótkich kończyn.

Lędźwie

Mocne i muskularne.

Zad

Widziany z profilu – lekko wypukły (kąt nachylenia ok. 40°). Mocny, muskularny, lekko zaokrąglony.

Klatka piersiowa

Widziana z boku długa, głęboka, opadająca aż do łokci. Żebra lekko wysklepione, nigdy płaskie. Przedpiersie widziane z przodu dobrze rozwinięte; mostek niewystający.

Brzuch

Widziany z profilu elegancko zaznaczony począwszy od dolnej części klatki piersiowej. Dolna część brzucha jest silnie umięśniona i równomiernie podciągnięta.

Ogon

Długi, cienki, z pojedynczymi szczeciniastymi włosami. Osadzony nisko, sięga co najmniej do stawów skokowych i zwęża się ku końcowi. W akcji noszony wesoło, zagięty nad grzbietem, nigdy zwinięty. W spoczynku opuszczony, lekko zakrzywiony. Czasem pies kuli ogon, co jest oznaką strachu.

Kończyny przednie

Widziane z przodu są proste, prostopadłe do podłoża, proporcjonalne do ciała. Ramiona płaskie i muskularne, umożliwiają długi, swobodny i elegancki wykrok. Łokcie dobrze przylegające do klatki piersiowej, nie mogą być odstające.

Kończyny tylne

Oglądane od tyłu idealnie proste i równoległe. Uda szerokie, silnie umięśnione, nigdy nie złączone. Kąty pomiędzy kością biodrową a udową oraz kośćmi podudzia są rozwarte, co jest niezbędne dla swobodnego ruchu kończyn. Niedopuszczalne są złączone stawy skokowe.

Stopy

„Zajęcze", o zwartych i przylegających palcach. Możliwe pojedyncze szorstkie włosy. Pazury krótkie i czarne u osobników o ciemnym umaszczeniu; bardzo jasne u brązowych i jasnych. Podeszwy silne i bardzo wytrzymałe, błony pomiędzy palcami dobrze rozwinięte. Wilczy pazur należy usuwać.

Ruch

Pies powinien poruszać się krokiem eleganckim, długim i elastycznym. Trucht szybki, swobodny, zawsze z uniesioną głową i ogonem.

Skóra

Odgrywa bardzo ważną rolę, ponieważ pies nie jest owłosiony. Gładka, bardzo wrażliwa na dotyk. Na słońcu cieplejsza niż u ras mających okrywę włosową, u których ciepło jest rozpraszane dzięki naturalnej wentylacji. Wymaga szczególnej uwagi, ponieważ brak jej naturalnej ochrony przed słońcem i działaniem niekorzystnych warunków atmosferycznych. Przypadkowe blizny nie wpływają na ocenę. Pies się poci, szczególnie w dolnych partiach ciała, a w konsekwencji prawie nigdy nie zieje.

Szata

Charakterystyczny dla tej rasy jest brak włosów, chociaż występują rzadkie szorstkie włosy na głowie i karku, nie powinny być one jednak długie ani delikatne. Sztywne włosy są zazwyczaj na łapach i na koń-

cu ogona. Zupełny brak włosów nie jest wadą. Barwy od czarnej i czarnoszarej, przez łupkowoszarą, ciemnoszarą, rdzawą, wątrobianą i brązową, po jasne tony umaszczenia. Preferowane są kolory jednolite i ciemne. Dopuszczalne osobniki łaciate.

Wzrost

Wyróżnia się trzy wielkości, występujące zarówno u psów, jak i suk:

– standardowa: 45 – 58 cm, może dochodzić do 60 cm; psy wyższe są dyskwalifikowane,

– średnia: 35 – 45 cm,

– miniaturowa: do 35 cm.

YORKSHIRE TERRIER

Wzrost: 23 cm
Waga: 3 kg
Długość życia: 13 – 15 lat

Charakterystyka

Niepospolity piesek o zadziornym charakterze.

Wskazówka 959
Odznacza się nieprzeciętnym charakterem i życzliwością dla właściciela.

Wskazówka 960
Nie należy zapominać, że ten piesek do towarzystwa to polujący na szkodniki myśliwy z powołania. A to oznacza, że często wtyka nos tam, gdzie nie trzeba.

Wskazówka 961
Uroczy, uczuciowy, inteligentny.

Energiczny, waleczny i odważny. Nie należy się dziwić, jeśli któregoś dnia stanie do otwartej walki z mastifem. Na ogół yorkshire terrier nie zdaje sobie sprawy ze swej wielkości, co może być źródłem kłopotów. Należy to wziąć pod uwagę i zająć się uczeniem go posłuszeństwa

Wskazówka 962
Jedną z jego wad jest skłonność do zachowywania się jak przedstawiciel rasy ludzkiej. Pies uważa, że jest liderem rodziny, czy raczej stada.

Wskazówka 963
Aby tego uniknąć, należy go uczyć zdecydowanie, ale z czułością, tak aby wyplenić wszelkie objawy dominacji.

Wskazówka 964
Socjalizację należy rozpocząć zaraz po pierwszych szczepieniach. Czułość nie oznacza pozwalania psu na wszystko, na co ma ochotę.

Wskazówka 965
Podobnie jak w przypadku innych małych psów o długim włosie, należy zadbać przede wszystkim o jego szatę.

Wskazówka 966
Jeśli chodzi o ruch i przestrzeń, to wystarcza mu przeciętne, a nawet małe mieszkanie.

Wskazówka 967
Jego zęby mają dużą skłonność do pokrywania się kamieniem nazębnym.

Wskazówka 968
Yorkshire terrier powinien mieć szare umaszczenie, intensywnie podpalane na głowie.

Wskazówka 969
Włos powinien być jedwabisty, długi, sięgający aż do ziemi.

Wskazówka 970
Szczeniaki mają krótką sierść, a nowo narodzone yorki są czarne.

Wskazówka 971
Bardzo istotna uwaga: miniatury yorkshire terriera nie istnieją. Zapewnień hodowców, że oferują miniatury yorka, nie można brać poważnie.

▌Wzorzec

Yorkshire terrier, zwany popularnie yorkiem, to mały pies o ujmującym wyglądzie i charakterystycznym długim, jedwabistym włosie. Jego szata powinna być szara, oprócz głowy, piersi i dolnej części kończyn, które są intensywnie podpalane. Długi włos zakrywa prawie całe ciało. Linia grzbietowa prosta. Ogon przycięty.

Głowa i czaszka
Niewielka i płaska. Nie może być zaokrąglona ani ostro zakończona. Kufa niezbyt długa, nos czarny.

Oczy
Średniej wielkości, ciemne, błyszczące, o inteligentnym, żywym wyrazie. Pies patrzy prosto przed siebie. Nie mogą być wyłupiaste. Powieki ciemno pigmentowane.

Uszy
Małe, o kształcie litery V, wzniesione, rozstawione niezbyt szeroko, pokryte krótką sierścią o intensywnie płowej barwie.

Uzębienie
Regularne i kompletne. Zgryz nożycowy, czyli siekacze szczęki przykrywają siekacze żuchwy i ściśle się z nimi stykają, a ich ustawienie jest pionowe. Zęby dobrze rozstawione. Szczęka i żuchwa podobnej długości.

Tułów
Zwarty, lekko wygięty w okolicy żeber, o silnych lędźwiach.

Kończyny
Łopatki skośne. Kończyny przednie proste. Kończyny tylne widziane od tyłu też proste. Stawy kolanowe umiarkowanie kątowane.

Ogon
Przycięty w połowie, bogato owłosiony. Włos błękitny, o ciemniejszym tonie zwłaszcza na końcu. Noszony lekko powyżej linii grzbietu.

Ruch
Swobodny. Kończyny przednie i tylne skierowane prosto do przodu. W ruchu linia tułowia jest prosta (równoległa do podłoża).

Szata
Włos na tułowiu powinien być średniej długości, zupełnie prosty (niefalowany), błysz-

czący, w dotyku jedwabisty i delikatny, nie może być wełnisty. Włos na głowie i kończynach długi, w intensywnie płowozłotym kolorze, na bokach głowy ciemniejszy, podobnie jak u nasady uszu i na kufie, gdzie powinien być bardzo długi. Podpalanie głowy nie powinno zachodzić na kark. Nie może się mieszać z szarą maścią karku.

Umaszczenie

Ciemnostalowoniebieskie (nie błękitnosrebrzyste), rozciąga się od guza potylicznego (tylnej części czaszki) po nasadę ogona. Nie może się mieszać z sierścią podpalaną. Włos na klatce piersiowej jest intensywnie podpalany. Włos na kończynach podpalany: na przednich od łokcia w dół, na tylnych nie sięga powyżej kolan. Włosy płowe są ciemniejsze u nasady niż w połowie długości, jaśnieją na końcach.

Wzrost i waga

Wysokość w kłębie: do 23 cm. Idealna waga dla tej rasy to mniej niż 3 kg.

Indeks ras

Indeks ras

Spis treści